STORM
QUI SÈME LE VENT RÉCOLTE LA TEMPÊTE

E.L. YOUNG

STORM

QUI SÈME LE VENT RÉCOLTE LA TEMPÊTE

2. LE MAÎTRE DES FANTÔMES

**Traduit de l'anglais (États-Unis)
par Jérôme Jacobs**

HACHETTE *Jeunesse*

L'édition originale de cet ouvrage a paru en langue anglaise
chez Macmillan Children's Books sous le titre :

STORM, The Ghostmaster

© Emma Young, 2007.
© Hachette Livre, 2008 pour la traduction française.
Hachette Livre, 43 quai de Grenelle, 75015 Paris.

Pour Clare, James, Joy, Peter et Alastair

PROLOGUE

Venise (Italie), 8 avril,
2 h 26 du matin

– Lumière !

L'ordre avait été lancé par une silhouette tapie dans l'ombre. Aussitôt, les murs du cachot souterrain se révélèrent sous les faisceaux blancs des projecteurs.

« Enfin ! » songea celui qui, recroquevillé sur le sol de verre, tremblait d'excitation, le cœur battant, les yeux écarquillés.

Sur un écran LED suspendu à une poutre métallique, sertie dans un mur dégoulinant d'humidité, on voyait l'image d'une autre pièce, meublée à l'ancienne : un miroir terni par les ans, un oiseau empaillé, avec une aile de traviole, un fauteuil de cuir au siège affaissé et une sculpture de guerrier éthiopien.

Et puis, à l'intérieur d'une vitrine montée sur de longs pieds biscornus, juste au-dessous d'une fenêtre à petits carreaux, un coffret en ébène de forme carrée, incrusté de perles.

– Silence ! ordonna celui qui régnait sur ces lieux inhospitaliers.

Son pouls s'accéléra. Ce soir-là, il allait frapper un grand coup. Il allait arracher Venise à sa torpeur.

– Vous êtes prêt, Maître ? lui demanda une voix de crécelle, étouffée derrière un rideau de velours rouge.

Il inspira fortement. Ses poumons le picotaient. Ses sens étaient électrisés. À travers ces murs ancestraux, érigés au XVe siècle, il avait l'impression qu'il pouvait entendre les poissons nageant dans les eaux froides et humides de la lagune.

La lumière éblouissante des projecteurs lui grillait la rétine, mais il en redemandait. Enfin, il allait goûter à la richesse. À la connaissance. Et surtout, *à la vengeance.*

– Je suis prêt. Tu peux mettre en route, murmura-t-il.

Puis, de toute la puissance de ses cordes vocales, il aboya :

– *Moteur ! Ça tourne !*

Dans sa chambre décorée de fresques, au quatrième étage de l'imposant palais de ses parents, en bordure du Grand Canal, Cristina Maria della Corte di Castello Bianco se leva. Ses longs cheveux bruns, dans lesquels le clair de lune faisait danser des reflets argentés, descendirent en cascade sur ses épaules. Elle avait entendu un bruit inhabituel, elle en était sûre.

À pas feutrés, elle se glissa dans le couloir. Elle contempla les tapis tissés à la main, les plafonds ornés de peintures et les chérubins qui souriaient niaisement, perchés sur des nuages dorés à l'or fin. Tout semblait en ordre. Elle ne percevait plus le moindre mouvement. Mais elle en était certaine : *quelque chose* l'avait réveillée. Et avant d'ouvrir les yeux, elle avait entendu comme un étrange glissement, ou plutôt une sorte de *frémissement*.

Impossible qu'il s'agisse de son frère. Sa chambre se trouvait bien dans le même couloir, mais il dormait toujours d'un sommeil de plomb. Quant à ses parents, ils étaient à Rome. Il y avait bien quelqu'un d'autre dans la maison : Adriano, le domestique. Mais pourquoi diable irait-il rôder dans les couloirs à deux heures et demie du matin ?

Avait-elle rêvé… ?

Non, bien sûr. Elle perçut de nouveau comme

un froissement. Il provenait de la pièce voisine : le petit musée où son père avait installé son bureau. C'était forcément son frère, ou Adriano, raisonna Cristina, soulagée. Aucun cambrioleur n'aurait pu connaître le code permettant de couper les capteurs thermiques installés dans chacune des quarante pièces du *palazzo*.

Soudain agacée d'avoir été tirée du lit en pleine nuit, Cristina ouvrit la porte du musée d'un geste brusque.

– *Porca vacca !* lâcha-t-elle avant de porter une main à sa bouche.

Elle aurait voulu pousser un hurlement, donner l'alerte, mais aucun autre son ne sortit de sa bouche.

Il y avait bien *quelque chose* à l'intérieur du musée. Juste à côté du fauteuil en cuir, à côté de la porte ouverte. *Quelque chose* dont elle voyait le dos. Mais ce n'était qu'un dos, justement. Gris. Flou. Immatériel. Non, rose. Il changeait de couleur à vue d'œil. Était-ce un dos humain ? Non !

– Qu'est-ce que... ? commença-t-elle.

Mais ses mâchoires ne se refermèrent pas sur la fin de sa question. À quoi bon ? Il fallait d'abord que son cerveau s'efforce d'interpréter les données que ses yeux lui transmettaient. *Non, non, c'était impossible.* Et pourtant... Et pourtant ! Son cerveau ne lui mentait pas. Ce qu'elle voyait, c'était bel et bien – sinon, quoi d'autre ? – un... *fantôme.*

Le *fantôme* se mouvait. Il avait posé un pied sur le rebord de la fenêtre et il s'apprêtait à s'évanouir en fumée.

– Non ! Pas si vite ! s'écria Cristina, qui venait de retrouver l'usage de ses cordes vocales.

Elle vit l'ectoplasme se tortiller, accrocher de son pied insubstantiel le rebord de la fenêtre et disparaître dans la nuit. Elle se précipita vers la fenêtre.

Assourdie par l'alarme thermique qu'elle avait elle-même déclenchée, elle pressa les mains contre le cadre, se pencha au-dehors, mais seul le bas de la façade du *palazzo*, côté Grand Canal, était éclairé. Pas la face latérale du bâtiment, plongée dans les ténèbres.

Cristina regagna le couloir en hâte et se rua vers l'escalier de marbre érodé par les siècles. Une fois sur le perron du *palazzo*, aux larges marches de pierre, elle scruta l'obscurité.

Rien.

Les eaux du canal suivaient leur cours, paisiblement. On n'entendait que le cliquetis des vedettes en bois amarrées aux *paline*, ballottées par les flots. La lumière orangée que diffusait un lampadaire ne révélait que quelques rides à la surface de l'eau, couleur de mousse.

Cristina secoua la tête. Que venait-il de se passer ? Qu'avait-elle vu, au juste ?

Une demi-heure plus tard, elle se perdait encore en conjectures. Mais elle avait fait deux constata-

tions : le coffret d'ébène de forme carrée avait disparu et, au pied de la fenêtre encore ouverte, sur le
tapis qui avait jadis appartenu au schah, il y avait
un petit tas d'une matière fort peu commune.

1

Tout au long des soixante minutes qui venaient de s'écouler, le manoir était resté parfaitement silencieux. Will Knight le savait avec certitude. Normal, il venait de passer trois heures et demie éveillé sur son lit.

Comptant chaque seconde, l'oreille tendue, il avait écouté les portes de laboratoire se refermer, le claquement des interrupteurs actionnés dans les couloirs, et même le gargouillement de l'eau dans les radiateurs.

« C'est l'heure ! » décida-t-il.

L'adolescent se leva et se dirigea vers la table à

tréteaux sur laquelle étaient posés un petit sac à dos noir, un couteau suisse et une lampe articulée. Il plaça la tête brûlante de la lampe juste devant lui, fit jaillir la plus petite des lames de son couteau suisse et releva une de ses manches de chemise.

La rondelle était toujours en place. Translucide, d'un diamètre de deux ou trois millimètres, fixée sur sa peau à l'aide d'une colle à minuterie intégrée, conçue pour remplir son office pendant cent vingt heures.

Le dispositif de pistage se détacherait tout seul le matin venu, Shute Barrington le lui avait promis. Mais Will avait impérativement besoin de recouvrer sa liberté de mouvement avec quelques heures d'avance sur l'horaire prévu...

Retenant son souffle, il inséra la lame sous la petite rondelle, la souleva délicatement et l'arracha d'un coup sec. Il éprouva une douleur vive, mais il ne vit pas de sang. Sa peau était intacte, même si quelques poils avaient disparu dans la manœuvre.

Il n'y avait pas une seconde à perdre. Will glissa la rondelle sous son oreiller, attrapa le sac à dos et ouvrit la porte.

Personne en vue.

De son pas le plus léger, il s'engagea dans le couloir à grandes enjambées. Au bout de quelques mètres, il tourna à droite et s'engouffra dans l'étroit escalier qui menait à la porte située à l'arrière du bâtiment.

Will hésita un instant. Il lui faudrait utiliser sa carte magnétique pour l'ouvrir. Le passage de la carte dans la fente serait enregistré en mémoire. « Bah ! songea-t-il. D'ici que Spicer s'avise de vérifier l'identité de tous ceux qui sont entrés ou sortis par cette porte, tout sera terminé. »

Le rythme des battements de son cœur s'accélérait peu à peu. Will inséra la carte dans la fente du lecteur automatique. Il entendit un « clic », la porte s'ouvrit et il se retrouva dehors, par une nuit sans lune et sans étoiles. De son sac à dos, il sortit une lampe torche à faisceau étroit : elle lui permettrait de repérer les branchages épars et les campanules le long du sentier boueux, à travers bois, qui le mènerait tout droit à sa destination.

Il regarda par-dessus son épaule. Pas de lumière. Pas un bruit. Pas un mouvement.

Personne ne l'avait vu.

Deux minutes plus tard, Will sortit du bois. Sa respiration était saccadée. Derrière lui, seuls les craquements des ormes et des chênes noyés dans les ténèbres venaient troubler le silence. Dissimulé derrière cette frondaison, Sutton Hall, manoir élisabéthain en forme de E, abritait le quartier général du *Science and Technology Arm of the Secret Intelligence Service* – où travaillaient les hommes et les femmes qui, sous la direction de Shute Barrington, créaient des « technologies d'appui » et dispensaient des avis scientifiques aux agents du service de renseignement extérieur britannique : le MI6.

C'est là que Will avait passé les cinq derniers jours. Et il en avait fait bon usage.

Parvenu à hauteur de la remise qui se trouvait juste au bord du lac, il ôta en hâte son blouson et son jean. En dessous, il portait une combinaison de plongée, « empruntée » la veille dans la remise. Parmi le matériel entreposé en désordre sur les étagères, Will se saisit d'une paire de palmes, d'une stab et d'un respirateur en circuit fermé.

Puis il tira un casque de son sac à dos. Exactement à sa taille. Il en sortait deux câbles étanches, reliés à une bande de plastique de couleur orange et à un boîtier de contrôle rudimentaire que Will attacha à son poignet. Il appliqua ensuite la bande de plastique sur sa langue.

Les manches de sa combinaison flottaient un peu : elle était trop grande, mais elle le protégerait contre la morsure du froid. Car il ferait très froid. Will en était sûr.

Il fixa du regard la surface noire du lac.

Le Lac de recherche n° 2.

Circulaire, d'environ quatre-vingts mètres de diamètre, il communiquait par une écluse avec le Lac de recherche n° 1, plus vaste, invisible derrière la rangée de bouleaux argentés.

Depuis la veille, Will savait tout du Lac n° 2. Profondeur maximale : sept mètres ; dans le coin nord-est, se méfier d'une accumulation d'algues très glissantes ; prendre garde aux obstacles disposés un peu partout sous l'eau : cerceaux de plastique sensibles au toucher, tunnels cerclés de métal et gros cubes de béton.

L'objectif de cette expédition nocturne était le suivant : récupérer une mystérieuse boîte métallique, dont Will ignorait le contenu.

Barrington lui avait répondu que non, il ne pouvait pas l'avoir. Mais ce soir-là, Will allait lui prouver le contraire.

Il éteignit sa torche. Aussitôt, le monde autour de lui disparut complètement. Ses rétines accusèrent le coup. Les bâtonnets exigeaient une source de lumière, aussi ténue soit-elle. Mais c'était sans espoir. Pas de lune. Pas d'étoiles.

Will referma les mâchoires sur l'embout du respirateur. Son réservoir miniature lui permettrait de tenir sept minutes à peine. Bien moins longtemps qu'une bouteille classique, mais il serait aussi beaucoup moins encombrant.

Il mit alors en route le sonar installé sur son casque, enfila ses palmes et, fin prêt, plongea dans l'eau vitreuse. Immédiatement, le froid s'engouffra à l'intérieur de la combinaison et sa peau se hérissa. Will s'efforça de ne pas y prêter attention. Il se concentrait sur les grésillements qu'il percevait avec sa langue.

Le sonar miniaturisé émettait des ondes acoustiques. Lorsqu'elles heurtaient un obstacle, elles rebondissaient et les signaux en retour étaient analysés et traduits par les cent quarante-quatre électrodes intégrées à la bande de plastique collée sur la langue de Will.

Avec un peu d'entraînement, son cerveau avait appris à interpréter ce nouveau langage et le jeune garçon parvenait à construire et à visualiser une image de son environnement immédiat. Grâce à cet équipement, il pouvait « voir » sous l'eau. Dans l'obscurité.

Il savait que la boîte qu'il recherchait se trouvait quelque part dans le coin sud-ouest, perdue au milieu d'un parcours d'obstacles sensibles au moindre frôlement. La nuit précédente, trois des chercheurs les plus compétents de STASIS avaient utilisé leur matériel expérimental de vision nocturne pour tenter de repérer la « cible ». Mais leur système ne recréait qu'un champ de vision limité et ils avaient déclenché les alarmes qui se trouvaient à l'intérieur des cerceaux et des cadres avant même de pouvoir s'approcher de la boîte. Barrington avait interdit à Will d'essayer.

« Tu n'as que quatorze ans, Will. Je ne peux pas te laisser faire. »

Ces paroles restaient gravées au fer rouge dans sa mémoire.

En s'enfonçant lentement dans les profondeurs, Will exécuta la manœuvre de Valsalva, qui consiste à prendre sa respiration, puis à se pincer le nez et à fermer la bouche tout en essayant d'expirer jusqu'à ce que les trompes d'Eustache s'ouvrent. La pression de l'eau qui s'exerce sur les tympans est alors similaire à celle qui règne à l'intérieur des oreilles.

La manœuvre était indispensable : à dix mètres de profondeur, la pression atteignait le double de ce qu'elle était en surface. Or, Will se trouvait déjà à six mètres.

Soudain, il fut pris d'une hésitation. À en croire les signaux transmis par le sonar, il approchait d'un objet solide, de forme circulaire. Un cerceau. Mais bientôt, Will perçut un autre signal.

Il fallait qu'il se *concentre*. De quoi s'agissait-il ? C'était mou, ça produisait des ondulations, c'était ancré dans le sol. *Des algues.* Ce ne pouvaient être que des algues…

Très lentement, en tournant la tête tantôt à gauche, tantôt à droite, Will traversa le cerceau, les bras collés au corps. Il « scrutait » le paysage sous-marin à l'aide des signaux émis par le sonar et finit par déceler l'entrée d'un tunnel, constituée de quatre cadres métalliques semblables à des échelles. Explorant les lieux par un lent balayage, à la manière d'un scanner, il découvrit alors que le tunnel formait un angle droit au bout de dix mètres. Était-ce dans ce tunnel que la tentative des experts de STASIS avait capoté ?

Le jeune garçon s'arc-bouta légèrement afin

de se propulser à l'intérieur. Il savait qu'il lui suffirait d'effleurer l'un des arceaux métalliques pour déclencher l'alarme, mais s'il nageait trop lentement, il perdrait son élan et donc la maîtrise de sa progression. Il se mit à onduler en remuant les épaules, à la manière d'un danseur de shimmy.

Une fois parvenu au virage, il donna un bon coup de hanche vers la gauche. Tout d'un coup, il s'arrêta net. « Qu'est-ce que c'est que ça ? » se demanda-t-il.

Il y avait un espace entre les arceaux et là, posé sur le fond, il percevait les contours d'un objet de forme oblongue. Un objet dont la taille correspondait à peu près à ce qu'il avait en tête : vingt centimètres sur trente. Arrêtant pratiquement de respirer, remuant ses palmes juste assez pour rester en position, Will tendit la main, effleura le sol vaseux. « Un peu plus à gauche », songea-t-il.

Ses doigts touchèrent le métal. Aussitôt, il en palpa les côtés. C'était bien une boîte. Will sourit intérieurement. Ordonnant à sa main de ne pas trembler, il attrapa le coffret et, millimètre par millimètre, il l'attira à l'intérieur du tunnel. Puis il le colla contre sa poitrine et repartit en sens inverse avec une impulsion tellement forte qu'il parcourut d'un même élan les dix mètres de tunnel.

Au comble de l'exultation, Will se trémoussa de bonheur. Il était prêt à regagner la surface.

C'est alors que son sang se figea dans ses veines.

Sa langue percevait une avalanche de nouveaux signaux. Il n'en avait jamais reçu de semblables. Mais il comprit immédiatement leur signification.

Quelque chose approchait. Ou plutôt *quelques choses*. Et elles approchaient à vive allure.

– Monsieur !

L'écran placé sur la table de chevet de Shute Barrington s'alluma, révélant dans un premier temps l'heure – 2 h 15 du matin – puis, dans un deuxième temps, le visage livide de son adjoint, Charlie Spicer.

– Spicer ? gronda Barrington en ouvrant un œil.

– Monsieur ! Will Knight est dans le Lac n° 2. Et les vannes d'écluse sont ouvertes !

Barrington sentit sa température diminuer de cinq degrés d'un coup.

– Qu'est-ce qu'il fiche là-bas ?

C'était une question purement rhétorique car il connaissait la réponse.

– L'alarme située à l'intérieur du tunnel vient de retentir ! J'étais dans le labo du n° 1. J'ai les contrôles en main. J'aperçois ses vêtements sur la berge ! Je vais prendre la vedette.

– Et les *dispositifs* ?

– Je m'en occupe, monsieur !

– Vous pouvez faire en sorte qu'ils vous… *entendent*, Spicer ?

Un rictus déforma la bouche de l'adjoint, tendu à l'extrême.

– Oui, monsieur.

– Ils y ont sacrément intérêt ! menaça Barrington.

D'un bond, il sauta du lit, attrapa son blouson de cuir et sortit en courant.

L'impact le terrassa. Will avait été touché à la cuisse droite et projeté en arrière, jusqu'à ce que son dos heurte quelque chose de dur. Il sentit monter la terreur, par vagues successives. Il respirait à la manière d'un chien assoiffé. Mais, au moins, il avait conservé l'embout dans la bouche. Et il respirait.

Il étendit un bras. Sa main entra en contact avec du métal. Un arceau du tunnel.

Instantanément, Will s'arc-bouta et se glissa de nouveau à l'intérieur. Peut-être le tunnel lui offrirait-il un certain degré de protection.

Mais contre quoi ?

Il appuya sur l'un des boutons de sa montre et vit apparaître l'heure et la pression, le cadran lui précisant même qu'il n'était pas sur écoute – tous éléments d'information parfaitement inutiles à ce moment précis. Mais il lui révéla aussi un détail essentiel : il ne subsistait dans son réservoir que quarante-cinq secondes d'oxygène.

Will rajusta son casque. Il tourna la tête au moment où il était atteint par le second impact.

Toute la carcasse du tunnel vibra. Secoué d'un haut-le-cœur, le jeune garçon s'accrocha d'une main aux barreaux. Quant à son autre main, elle battait l'eau mécaniquement. Sentant que le coffret lui glissait entre les doigts, Will lâcha un juron. Trop tard. La boîte s'enfonçait dans les ténèbres.

Le sentiment de triomphe qu'il éprouvait quelques instants auparavant s'était envolé. Il se trouvait à sept mètres de profondeur. C'était le milieu de la nuit. Il ignorait qui ou quoi l'attaquait. Il lui restait dix secondes d'oxygène. Personne ne savait qu'il se trouvait là.

Une fois toutes ces pensées négatives balayées, Will s'efforça de positiver.

Le sonar lui indiqua que trois objets décrivaient des cercles autour de lui. Il fallait qu'il fasse quelque chose. Il essaya d'inspirer une dernière goulée d'oxygène... en vain. Ses poumons lui renvoyèrent une sourde douleur. Il n'avait plus d'air. Le gaz carbonique commençait à s'accumuler... Une seule possibilité s'offrait à lui : il devait à tout prix ressortir du tunnel et tenter de regagner la surface.

Will cracha l'embout du respirateur. Une fois encore, il s'arc-bouta et se propulsa. Lorsque le sonar lui fit savoir qu'il était sorti du tunnel, il ordonna à son cerveau de ne pas écouter les signaux de détresse que lui envoyaient ses poumons brûlants. Ne pas y penser. Pousser, encore et encore, toujours plus fort. Ne penser qu'à la surface.

Enfin, il émergea et ouvrit la bouche toute grande. Aussitôt, ses muscles se raidirent. Quelque chose d'invisible venait de lui heurter l'épaule et il partit valser, toussant et crachant. Les yeux exorbités, Will sonda les ténèbres. Il finit par apercevoir une lumière. Un visage. Il se rendit compte que l'eau était brassée, comme par une hélice. Oui, une hélice. Elle n'était pas loin.

Charlie Spicer. Dans un bateau à moteur !

Il sentit la grosse main de Charlie sur son épaule.

– Attrape ma main, mon gars !

Les doigts puissants de Spicer se refermèrent sur le bras de Will, lui labourant la chair, et le plongeur se sentit hissé à bord. Il se retrouva allongé sur le dos. Des fils pendouillaient de chaque côté de sa tête et il avait l'épaule en piteux état.

– Ça va, bonhomme ?

Spicer avait l'air aussi hébété que lui.

– *Will ?* Ça va ?

Pendant un long moment, l'adolescent fut incapable de prononcer une parole. Il se contenta de regarder en l'air. Au-dessus de lui, il distinguait le ciel, qui déployait sa noirceur sur toute l'étendue de l'Oxfordshire. Ses membres gourds fourmillaient. Il ne sentait plus son épaule. Mais en tout état de cause, il n'avait *vraiment* mal nulle part. Son regard croisa celui de son sauveur.

C'est alors qu'il entendit une voix de stentor grésiller dans l'écouteur que Spicer portait à l'oreille.

– Je suis sur la berge. Tu as récupéré Will ? Est-ce qu'il est vivant ?

2

À l'intérieur de la camionnette anonyme qui l'emmenait vers Londres, Will n'entendait pas le bruit du moteur. Seule la voix de Barrington lui résonnait dans la tête.

Il voyait sans le regarder le paysage défiler, d'abord la campagne verdoyante, puis les abords de la capitale et enfin les phares des poids lourds sur le grand circulaire.

Assis au volant à côté de lui, Barrington fixait la route d'un œil mauvais.

Une demi-heure plus tôt, il écumait de colère.

« Ce dispositif de pistage, je l'avais mis là pour que tu sois en sécurité ! avait-il hurlé, au quartier général de STASIS. Tu es un interne de quatorze ans, Will. Notre invité. Si je t'avais dit de ne pas aller fouiner dans le lac, *c'était pour ta propre sécurité !* S'il t'était arrivé quelque chose, hein ? Qu'est-ce que j'aurais pu raconter à ta mère ? Elle m'aurait arraché les yeux ! »

Will avait tenté de faire valoir son point de vue.

Tout ce qu'il voulait, c'était tester son invention. Barrington pouvait comprendre ça, non ? C'était précisément pour cette raison qu'il avait été invité à Sutton Hall.

Will avait rencontré Shute Barrington quatre mois plus tôt, à Saint-Pétersbourg, en compagnie d'Andrew et de Gaïa, lors de la première mission officielle de STORM. *Science and Technology to Over-Rule Misery* – la science et la technologie au service de l'éradication du malheur : voilà comment Andrew avait baptisé sa petite entreprise. Will, c'était « l'Inventeur », un surnom qui lui déplaisait souverainement, peut-être parce que c'était Andrew qui l'en avait affublé.

À l'époque, STORM de son côté, Barrington du sien, suivaient à la trace les déplacements d'une nouvelle arme redoutable. Mais les « amateurs » de STORM avaient pris Barrington de vitesse, remportant leur première victoire.

Impressionné par Will, Barrington lui avait demandé de passer la première semaine des vacances de printemps dans la base de l'Oxfordshire. La mère de Will, professeur d'astrophysique à l'Imperial College, avait été consultante pour STASIS, quelques années auparavant. Elle connaissait l'endroit et avait donné son autorisation à une condition : que Barrington lui garantisse que son fils serait en sécurité.

Le premier jour, Will avait fait le tour du propriétaire avec ébahissement. On ne lui avait pas donné accès à tous les projets. Quand bien même, il n'avait pas été déçu du voyage.

Barrington lui avait montré un prototype de pistolet qui, dès qu'il était actionné, transmettait automatiquement les coordonnées géographiques précises de l'endroit où se trouvait le tireur. Dans une serre transformée en labo, Will avait essayé un dispositif portatif qui enregistrait les odeurs et les restituait. Plus tard, à travers une vitre blindée, Will avait observé Barrington en train de faire exploser des puces électroniques : l'objectif de la manœuvre était de créer des ordinateurs portables auxquels on pourrait ordonner de s'autodétruire s'ils étaient volés.

Pendant les quatre jours et les quatre nuits qui avaient suivi, Will avait contribué à la conception d'un kit utilisable sous l'eau. Il ne manquait pas de bonnes idées, qu'il n'avait pourtant jamais concrétisées. Mais dans le labo de Barrington, il s'était concentré sur la « vision » par sonar. Et une fois l'appareillage au point, il n'avait eu de cesse de l'essayer... et de se mesurer aux techniciens de STASIS qui avaient eux-mêmes bidouillé ce qu'ils appelaient fièrement des « prototypes ». Will aurait voulu leur prouver qu'il était le meilleur. Mais Shute avait fait barrage.

« Si tu veux travailler pour nous, tu vas devoir apprendre à m'obéir ! » avait-il hurlé lorsque le jeune homme-grenouille dégoulinant avait été repêché du Lac n° 2 par Spicer.

Il avait beau ne porter qu'un caleçon blanc sous son blouson de cuir, Barrington forçait le respect, avec ses yeux bleus semblables à deux billes d'acier trempé.

Mais il en fallait plus pour impressionner Will, qui lui avait répondu du tac au tac : « Et vous, vous allez devoir me prendre au sérieux ! »

Mais Will et Barrington avaient eu le temps de se calmer lorsque la camionnette se gara le long d'un trottoir du quartier de Bloomsbury. De l'autre côté de la rue se trouvait une maison familière. Celle de Will. Il en distinguait à peine la porte d'entrée, tant il faisait sombre. Au premier étage, c'était la chambre de sa mère. Elle avait tiré les rideaux. Elle n'attendait pas son retour avant le lendemain midi.

– J'avais trouvé la boîte, dit Will.

Barrington posa les mains sur ses genoux, faisant craquer le skaï de son siège.

– Ouais, je sais.

– Je l'ai lâchée quand on m'a *attaqué*.

Will avait murmuré ce dernier mot.

Le visage de Barrington se rembrunit.

– Je ne peux pas te dire de quoi il s'agissait, Will.

Tu comprends ? Ce n'est pas que je ne veux pas, c'est que je ne *peux* pas. Je suis sûr que tu comprends la différence.

Puis il se retourna pour attraper un fourre-tout qui se trouvait sur la banquette arrière.

– Voilà tes projets. Moi, je pars en vacances. À mon retour, impressionne-moi !

Will hocha la tête, soulagé. Sans se l'avouer, il avait craint que Barrington décide de couper les ponts avec STORM. Avec lui.

Une fois devant la porte de la maison, le jeune garçon se retourna et lança :

– J'ai passé une super semaine.

Shute Barrington hocha la tête. Toujours aussi sérieux, il répondit :

– Tu t'en es bien sorti… Ne travaille pas trop dur. C'est Pâques, dimanche, alors mange des poissons en chocolat. Ils sont moins dangereux que ceux du Lac n° 2.

Puis il démarra en faisant crisser les pneus de la camionnette.

3

Trois trilles et une série de trépidations sonores :
le mobile de Will se déplaçait latéralement sur son
bureau, au rythme de ses vibrations.

L'adolescent ouvrit les yeux. Après quelques
secondes de confusion, il retrouva ses repères.

Le bureau en chêne, fabriqué cinq ans plus tôt
par sa mère, était bien adossé au mur. Sa balle de
cricket fétiche était toujours à sa place. C'était celle
avec laquelle Eric Hollies avait éliminé le légendaire batteur Donald Bradman ; le dernier cadeau
que son père ait offert à Will pour Noël, l'année
avant sa mort. Il avait été tué quelque part en Chine
orientale, au cours d'une mission pour le MI6.

La balle avait été noircie par une explosion à
Saint-Pétersbourg...

Encore tout ensommeillé, Will tendit la main

pour attraper le mobile. Il découvrit un texto signé d'Andrew : « URGENT. Tu dois être de retour chez toi. Viens de suite. Ou appelle-moi ! »

Will cligna des yeux. Le cadran du téléphone indiquait une heure et demie de l'après-midi. Il avisa une tasse de café par terre. Il la palpa : le café était froid. Sa mère avait dû remarquer la porte fermée, s'était glissée à l'intérieur de la chambre pour embrasser son fils. Mais il n'avait rien entendu.

Will reposa le téléphone sur la couette.

Cinq minutes plus tard, alors qu'il se rendormait, la couette se mit à vibrer.

Six mots apparurent sur l'écran : « J'ai écrit DE SUITE, Will. »

Il était deux heures de l'après-midi et le soleil éclairait les rues de Bloomsbury, dans le centre de Londres. Les feuilles vert pâle brillaient avec une intensité inhabituelle et semblaient même miroiter dans l'air.

Will croisa un groupe d'écoliers en visite dans la capitale, l'appareil photo à la main, aux lèvres le sourire émerveillé que procure la découverte de l'inconnu. Un flot de voitures et de taxis noirs s'écoulait vers King's Cross et Camden, au nord, vers les jongleurs et les chanteurs d'opéra de Covent Garden, au sud, et, au-delà, vers la Tamise.

Will marchait d'un bon pas. Sa jambe et son épaule droites, meurtries dans le Lac n° 2, le faisaient encore un peu souffrir, mais pas d'autre bobo à signaler.

« Tu boites ? Que t'est-il arrivé ? » avait demandé sa mère depuis le jardin, lorsque Will avait enfin émergé.

Avec le fichu bleu qui couvrait ses cheveux noirs, elle avait l'air plus russe que nature. Will avait hérité ses pommettes saillantes et son regard posé.

« C'est rien, m'man », avait-il répondu.

Les cisailles en suspension dans l'air, sa mère avait insisté :

« Et rentrer au beau milieu de la nuit, ça aussi, c'est rien ?

– ... Je ne dormais pas. Shute avait rendez-vous à Londres aux aurores. Il m'a raccompagné plus tôt que prévu. »

Il n'aimait pas les mensonges. Mais il ne voulait pas lui révéler la vérité. Si elle savait, elle ne le laisserait pas y retourner.

La douleur finit par le rattraper et Will se frotta la jambe en marchant. Pour gagner la maison d'Andrew, il lui suffisait de traverser une place, puis de tourner ensuite deux fois à gauche – soit un trajet d'un peu plus de cinq minutes.

D'un point de vue géographique, ils étaient proches. Mais la maison mitoyenne dont Will et sa mère étaient locataires – avec ses pièces exiguës et son odeur de pourriture sèche – n'aurait pu contraster davantage avec la majestueuse demeure des parents d'Andrew et ses grandes baies vitrées, ses hauts plafonds, ses cheminées jumelles et ses pignons ouvragés qui caractérisaient les demeures géorgiennes de standing, construites aux XVIIIe et XIXe siècles.

Cela faisait tout juste quatre mois que Will s'était rendu pour la première fois chez Andrew. En décembre.

Son père était mort trois mois plus tôt. Peu de temps après, sa mère avait disparu de la circulation et l'avait laissé aux bons soins d'une de ses amies. À l'époque, Will était complètement déprimé.

Il avait alors rencontré Gaïa, une fille de son école, indépendante et fière, qui l'avait conduit jusqu'à cette bâtisse luxueuse. Ils y avaient pénétré par la porte de derrière et Will était entré dans un autre monde. Gaïa le lui avait promis : STORM changerait sa vie.

Elle ne s'était pas trompée.

STORM, c'était l'idée d'Andrew Minkel. Un géant des logiciels, qui pesait déjà plus de cent millions de livres sterling à son quatorzième anniversaire. Il avait décidé de constituer une organisation d'ados brillants, dans le but, optimiste, de régler les problèmes du monde. « Un grand naïf », avait songé Will, sur le moment.

Si Andrew était un as de l'informatique, Gaïa, elle, trouvait son bonheur en cuisine – pour peu qu'on lui commande des recettes à base de produits chimiques, de préférence explosives. Will, c'était l'inventeur. Quant à Caspien, l'autre membre du quatuor, il s'était retrouvé bouclé dans un hôpital psychiatrique du genre de ceux dont on ne s'échappe pas, quatre jours avant Noël. STORM se réduisait donc à un trio.

Will poussa le portail en bois. De là, un chemin manucuré menait à la porte d'entrée contournant un chêne qui étendait ses ramifications au-delà de toute raison. Parvenu devant l'interphone, Will ne put retenir un sourire.

Andrew adorait les gadgets. Il avait parlé d'améliorer son système de contrôle d'accès biométrique. Sur un autocollant jaune, Will lut le mot « Odeur ».

À côté de l'interphone, une ventouse métallique était suspendue à un crochet. Un câble partait de la base de la ventouse et disparaissait à l'intérieur du mur. Will devina immédiatement de quoi il retournait.

Attrapant la ventouse, il la pressa contre son cou. De l'air tiède lui réchauffa doucement la peau. Cachée dans le mur, une puce électronique analysa alors les molécules d'odeur dégagées par le corps de Will.

De toute évidence, la puce obtint satisfaction. Deux mots se mirent à clignoter sur l'écran de l'interphone : « Will Knight ». Puis : « Bienvenue chez STORM ».

Automatiquement, la porte d'entrée s'ouvrit. La voix d'Andrew, tendue à l'extrême, jaillit d'un haut-parleur.

– Will, enfin ! Nous sommes au sous-sol !

L'escalier menant au sous-sol trouvait son origine dans la cuisine, tout au bout d'un long vestibule. Une fille grande et mince se tenait à côté du réfrigérateur en inox.

Gaïa.

Occupée à rassembler des bouteilles d'eau. Ses cheveux bruns et bouclés étaient ramenés en arrière. Ses yeux noisette se mirent à pétiller.

– Salut, Will ! Andrew craignait que tu sois encore avec Shute.

– Je suis revenu il y a quelques heures.

Gaïa referma la porte du frigo d'un coup de genou. Elle trouvait que Will avait une petite mine. Fatigue ou soucis ? Difficile à dire, tant il se livrait peu. On avait parfois du mal à savoir ce qu'il pensait.

– Comment ça s'est passé ?

Will hésita. Aussitôt, Gaïa fit une grimace.

– Ne t'avise pas de me répondre « Top Secret », hein !

– Non, non, ce n'était pas mon intention. Mais… je te raconterai plus tard.

En effet, la voix d'Andrew résonnait déjà dans l'escalier :

– Gaïa ? Will ? Veuillez vous hâter de descendre ! Au pas de course, enfin, quoi !

– Will ! Content de te revoir !

Un garçon chétif, de petite taille, agita une main depuis un podium de fortune érigé au fond d'un sous-sol aux murs peints en noir. Derrière ses lunettes aux verres épais, les yeux bleus d'Andrew arboraient une expression tout ce qu'il y avait de plus sérieuse. Il avait revêtu son pantalon rouge préféré et un T-shirt mauve sur lequel la molécule de la caféine avait été gaufrée. Sa lourde montre en or luisait dans la pénombre.

– Salut, Andrew, répondit Will.

Il constata que rien ou presque n'avait changé depuis sa dernière visite, qui remontait à deux semaines. Des écrans LED d'un mètre de large étaient accrochés au mur, des cartons de matériel encore scellés étaient empilés dans un coin. L'antique table sur laquelle étaient disposés les ordinateurs portables regorgeait toujours du même fouillis de paperasses. Rien ne semblait avoir été déplacé sur l'étagère d'acier qui supportait le séquenceur d'ADN, l'analyseur spectroscopique et quelques autres gimmicks du même acabit.

– Will, Gaïa, prenez un siège. Je n'ai pas disposé du temps nécessaire pour mettre au point une présentation digne de ce nom. Mais je pense qu'il vous suffira d'entendre ce dont j'ai à vous entretenir pour que vous tombiez d'accord avec moi : nous devons passer à l'action. Et nous devons le faire de suite.

Will jeta un coup d'œil en direction de Gaïa, surpris. Andrew n'avait pas posé de questions au sujet de STASIS. Pas un mot non plus sur Barrington : il paraissait complètement focalisé sur ce qui absorbait son impressionnant cerveau. Gaïa avait-elle perçu l'interrogation silencieuse de Will ? En tout cas, elle ne réagit pas.

Elle tira deux chaises vers la scène. Andrew agita une main et, aussitôt, les lumières se tamisèrent, cependant qu'un rideau blanc maintenu par une tringle, sur le mur du fond, se déroulait pour se transformer en écran. Fabriqué à partir de fibres de plastique conductrices tissées, le rideau en question n'était autre qu'un support flexible d'affichage numérique. Will connaissait bien ce procédé, déjà breveté.

– Regardez bien, je vous en conjure ! chuchota Andrew.

Débuta alors la projection d'une vidéo à l'image granuleuse, qui proposait une vue à cent vingt degrés d'une grande pièce à l'intérieur de laquelle se trouvaient un fauteuil de cuir et un canapé, un miroir au cadre doré accroché à un mur vert foncé, un oiseau empaillé, le bord d'une peinture à l'huile et une série de cabinets en bois dont la partie supérieure était en verre. On aurait dit un musée.

– Ceci est un MPEG pris il y a sept jours par

une caméra de sécurité dans un *palazzo* vénitien, commenta Andrew.

– Et qu'est-ce qu'on est censés regarder ? demanda Will.

– Attends ! Regarde juste au-dessus du canapé !

Les sourcils froncés, Will attendit, mais rien ne se passa.

Il s'apprêtait à demander des explications à Andrew lorsque quelque chose remua sur l'image. À côté de Will, Gaïa se dandinait sur sa chaise. Soudain, elle se figea.

Au lieu de regarder la vidéo, Andrew observa le visage de ses amis. Il avait déjà vu ces images vingt fois. Il ne savait toujours pas quoi en penser. Encore moins après ce qu'il avait appris le matin même…

Will fixait l'écran. Derrière le canapé, *quelque chose* bougeait.

Mais quoi ?

Quelque chose qui avait forme humaine.

Mais était-ce bien un être humain ?

La créature avait des bras, une tête, un cou, un torse. Mais sa peau était grise. Opaque. Sa chair semblait ondoyer. De son oreille jaillissaient des étincelles. Son bras luisait. Puis, tout d'un coup, elle disparut.

– Continuez à regarder, insista Andrew.

L'instant d'après, une jeune fille apparut dans le champ. Aussitôt, une alarme se déclencha, mugissant dans la nuit. La fille tournait le dos à la caméra mais, à en juger par l'angle de son coude, Will en conclut qu'elle avait la main sur la bouche. Pendant deux longues secondes, elle ne bougea plus. Et le clip s'interrompit.

Andrew claqua des doigts pour rallumer.

– Alors… qu'en pensez-vous ?

– Où as-tu déniché ça ? demanda Gaïa, nerveuse.

– Cette fille s'appelle Cristina. J'ai fait sa connaissance sur un forum de discussion en ligne sécurisé, en février. Vous vous souvenez que j'avais accepté de répondre à certaines questions au sujet de Saint-Pétersbourg… ?

Et le multimillionnaire de piquer un fard.

Will hocha la tête. Il s'en souvenait, oui. Le succès enregistré par STORM avait plongé Andrew dans une telle excitation qu'il avait presque rendu publics les moindres détails de leur mission.

– Mais… l'alarme ? interroga Gaïa. Pourquoi ne s'est-elle pas déclenchée quand cette… *chose* était là ?

– C'est toute la question, répondit Andrew. Cristina dit que le palais est équipé d'alarmes à capteurs thermiques. Donc, la *créature* en question ne dégageait pas de chaleur notable.

Il se mordilla la lèvre inférieure.

– Cristina m'a envoyé ce clip il y a une semaine. J'ai été fort occupé et je ne l'ai visionné qu'hier soir. Elle a précisé que si je ne lui donnais pas de nouvelles, elle mènerait elle-même l'enquête. Quoi qu'il en soit, elle a été sans ambiguïté dans son message électronique. Je cite : « Ce MPEG montre un fantôme en train de voler le bien le plus précieux de ma famille. Je l'ai vu sauter par la fenêtre. Puis il s'est évanoui dans la nuit. »

– C'est un canular, fit Will.

Andrew ne s'offusqua pas de cette suggestion.

– C'est ce que j'ai d'abord soupçonné.

Gaïa opina du bonnet avec fougue.

– C'est elle qui l'a créé. C'est truqué.

– Comme je viens de le dire, c'est ce que j'ai d'abord pensé. Mais que diable, ne regardez-vous pas les nouvelles ?

Andrew fit claquer ses doigts. De nouveau, les lumières baissèrent.

– Alors, voici un cours de rattrapage. C'est passé *hier* sur BBC World. Je l'ai vu sur le site ce matin.

Une présentatrice du journal télévisé était assise à son bureau et mettait de l'ordre dans ses papiers.

– *Nous sommes maintenant en liaison avec Sirena Smith, à Venise. Sirena, parlez-nous un peu des agissements de ces… fantômes vénitiens d'un nouveau genre…*

Une jeune femme en chemisier blanc hocha la tête avec gravité.

– *Je me trouve devant la Galleria d'Arte Moderna, l'une des plus importantes galeries vénitiennes. On peut y voir des œuvres de Matisse, de Rodin ou encore de Henry Moore. Inutile de le préciser, les mesures de sécurité sont les plus strictes possible. Pourtant, la nuit dernière, quelqu'un – ou quelque chose – est parvenu à se jouer des systèmes de sécurité et à dérober une œuvre sans prix, la* Salomé *de Gustav Klimt. L'un des gardiens a révélé au journal local,* Lo Stivale, *que les caméras de sécurité avaient capturé l'image du voleur. À ceci près, comme l'a fait observer le garde, qu'il ne s'agissait pas d'un homme, il le jure. Je le cite :* « Cela bougeait comme un homme. Mais la peau luisait. Il n'avait pas d'yeux. C'était un fantôme. »

La présentatrice prit un air pénétré pour demander :

– *D'après vous, Sirena, a-t-il inventé toute cette histoire ou la bande de la caméra en circuit fermé aurait-elle été endommagée ?*

– *Eh bien, cette bande n'a pas été rendue publique et le directeur de la galerie refuse de répondre à nos questions. Mais ici, à Venise, la nouvelle s'est répandue comme une traînée de poudre. Les médias locaux ont déjà baptisé le voleur* Il Fantasma : *le fantôme.*

C'était la fin du reportage. Les lumières revinrent dans le sous-sol et Will fixa Andrew du regard.

– Qu'es-tu en train de nous raconter ? Qu'il y a un fantôme à Venise et que tu veux que STORM mène l'enquête ?

– Tu crois aux fantômes, toi ? lui demanda Gaïa.

Will hésita.

– Euh… non, pas vraiment…

C'est alors qu'un vague souvenir lui revint en mémoire. Qui avait à voir avec Venise et les fantômes. Mais impossible de s'en rappeler la teneur exacte.

– Et toi, Gaïa ?

– Je ne sais pas. Et toi Andrew, tu y crois ?

– Je ne crois pas aux fantômes *stricto sensu*, très chère. Mais je crois qu'il se passe quelque chose… d'inhabituel.

– En quoi cela nous concerne-t-il ? demanda Gaïa.

Andrew inspira fortement.

– Je dirais que si ce… *phénomène* peut faire l'objet d'un examen scientifique, eh bien nous sommes concernés au premier chef. J'ajouterais que si le… *phénomène* s'apparente à ce que les gens appellent un fantôme – c'est-à-dire une *anomalie* de la nature –, alors les scientifiques que nous sommes se doivent de l'étudier de près. Enfin, Cristina m'a confié qu'elle avait trouvé une poudre sur le sol, au pied de la fenêtre. Ce qui suggère que le fantôme en question laisse derrière lui des traces tangibles.

Will haussa un sourcil.

– Et d'après toi, quel est le plus probable ? Que la poudre en question soit un résidu d'ectoplasme, ou plutôt un tas de poussière oublié là par la femme de ménage ?

— Je m'attendais à du scepticisme de votre part. C'est tout à fait normal, répondit Andrew d'un ton professoral. Mais imaginez un instant qu'il s'agisse effectivement d'un fantôme et que nous soyons les premiers à démontrer qu'il existe, alors que l'humanité en est incapable depuis des millénaires. Ce serait géant !

Soudain, son visage se rembrunit.

— Et il y a une autre raison. J'essaie de joindre Cristina depuis hier soir. Elle m'a donné son numéro de portable. Or, elle ne m'a pas rappelé et n'a pas répondu non plus à mes messages électroniques. Je trouve cela fort étrange. De surcroît, elle m'a dit que, si elle n'avait pas de mes nouvelles, elle mènerait l'enquête de son côté. Cristina a placé en moi sa confiance. *Il y a sept jours de cela.*

C'est alors que les rouages délicats de la mémoire de Will se mirent en action.

— Attends un instant… J'ai lu un article récemment au sujet des fantômes. Il y a quelques mois… Si je me souviens bien, la mer a rejeté le corps d'un jeune garçon sur une île, à Venise. L'article mentionnait des fantômes.

— Des fantômes l'auraient tué ? fit Gaïa, incrédule.

— Non, je ne crois pas. Mais ma mémoire me fait défaut.

Will se tourna alors vers Andrew.

– Tu veux vraiment y aller ?

Andrew hocha la tête avec le plus grand sérieux.

– Cristina m'a donné son adresse. Elle m'a invité – elle nous a tous invités – à séjourner chez elle. De toute évidence, elle veut que nous l'aidions à tirer cette affaire au clair.

– Oui, enfin, pour autant que je sache, les fantômes n'ont pas la réputation d'être des voleurs. Ils se contentent de traîner des chaînes et des boulets en gémissant.

– C'est tout à fait exact, Will ! confirma Andrew, ravi.

Irrité de constater qu'Andrew se sentait conforté par sa dernière affirmation, Will leva les yeux au ciel. À coup sûr, quelqu'un se faisait passer pour un fantôme. Était-ce vraiment du ressort de STORM, même si le voleur avait réussi à tromper les capteurs thermiques ?

– Tu ne crois pas que Cristina a plutôt fait appel à la police ? Ce serait plus logique. Après tout, il s'agit du « bien le plus précieux de sa famille ». Et peut-être que ses parents s'en occupent déjà eux-mêmes ?

– Elle m'a dit qu'ils se trouvaient à Rome pour affaires. Ils ne peuvent pas rentrer à Venise. Ou ne le souhaitent pas. Mais qu'importe ! Cristina m'a confié qu'elle se sentait obligée de faire quelque chose pour retrouver l'objet volé, expliqua Andrew.

Et de remonter ses lunettes sur son nez.

– Écoutez, très chers, il ne s'agit que d'aller à Venise. Et nous sommes vendredi. Nous pourrions nous donner le week-end. Si nous n'aboutissons à rien, nous serons de retour lundi. Deux jours dans un *palazzo* vénitien... au printemps... Je ne vous propose pas de monter dans un train antédiluvien à destination de la Russie en plein cœur de l'hiver...

Il adressa un sourire malicieux à Will. Celui-ci consulta Gaïa du regard. La jeune fille haussa les épaules.

Sceptique, Will l'était. Indéniablement. Mais sa curiosité avait été piquée. S'il ne s'agissait pas d'un coup monté, ce mystère avait de quoi susciter l'intérêt. Et puis, deux jours à Venise... ce serait toujours mieux que d'aller déjeuner le jour de Pâques chez l'amie de sa mère, Natalia, et de passer le reste du week-end à plancher sur ses projets pour STASIS. Projets qu'il pouvait d'ailleurs emporter avec lui en Italie.

– C'est d'accord, dit Will.

Andrew gonfla la poitrine avec un bonheur visible.

– Et toi, Gaïa ?

– Oh, d'accord, répondit-elle sans conviction, ce qui n'entama nullement l'enthousiasme d'Andrew.

– Parfait ! Je m'occupe des billets d'avion et

j'appelle Sean pour qu'il nous véhicule jusqu'à l'aéroport dans tout le confort voulu. Je vous retrouve ici dans vingt minutes. Et n'oubliez pas vos passeports !

Une fois sur le trottoir, Will enfonça les mains dans ses poches. Gaïa habitait dans la direction opposée, dans un appartement situé au-dessus d'une agence immobilière de Charlotte Street, avec son père.

– Je ne m'attendais pas à ça, maugréa Will.

Gaïa hocha la tête.

– J'te parie que cette fille est complètement piquée.

– Ouais… Les filles le sont souvent.

Gaïa sourit.

– Alors, tu vas emporter des explosifs avec toi, cette fois, ou tu vas les fabriquer au fur et à mesure ? demanda Will.

– Je ne sais pas très bien comment on fait sauter un fantôme. Il va falloir que je me renseigne.

Ce fut au tour de Will de sourire.

– Mon père est originaire d'une ville proche de Venise : Padoue, ajouta Gaïa. Alors, j'aimerais bien aller renifler l'air du coin…

Et de fixer les pavés gris avec une moue bougonne.

Will n'avait pas d'objection à proprement parler. C'est alors qu'il prit conscience d'un détail de taille :

il allait devoir expliquer à sa mère pourquoi il devait repartir sans attendre. Il le ferait peut-être depuis la voiture d'Andrew. Lui n'avait pas ce problème : ses parents, qui passaient le plus clair de leur temps à l'étranger, avaient entrepris la circumnavigation de l'Amérique du Sud – pour reprendre l'expression d'Andrew – pendant six mois. Son père voulait en apprendre davantage sur les pratiques psychiatriques traditionnelles, selon Andrew. L'ado multimillionnaire s'entendait bien avec ses parents. À distance. Gaïa et son père, c'était une autre affaire, Will ne l'ignorait pas.

– Tu vas prévenir ton paternel que tu pars chasser le fantôme ? demanda-t-il.

Elle se contenta de hausser les épaules, encore une fois. Il aurait voulu dire quelque chose, mais il connaissait la situation. Que pouvait-il y changer ?

– … Alors… je te retrouve ici, dit-il avec un air gêné.

Puis il tourna les talons.

– Will !

Il avait parcouru à peine dix mètres. Il se retourna.

Gaïa hésitait. Elle secoua la tête, sourit, agita la main. Will hocha la tête et se remit en route, derrière une horde de touristes décidés à visiter Londres au pas de charge.

Tu m'as manqué cette semaine. Voilà ce qu'elle aurait voulu lui dire.

Cristina della Corte frissonna. Il faisait sombre dans cette impasse étroite, qui donnait dans une rue dont tous les magasins étaient fermés. Les murs de pierre s'effritaient. L'unique lumière au faisceau blanchâtre, attachée à l'une des poutres anciennes qui constituaient l'armature du toit, éclairait des graffiti en rouge et en vert bouteille : *Forza Roma*, l'œuvre de supporters de l'équipe de football de la capitale italienne, ou encore *No Studente*, l'œuvre d'un ennemi des étudiants.

À l'extrémité, le passage donnait directement sur un canal. On entendait seulement le craquement sinistre des amarres de bateaux à moteur soigneusement recouverts d'une bâche pour la nuit. Il flottait dans l'air une odeur de bois pourri, renforcée par la puanteur de l'eau croupie.

Cristina se tourna vers la lumière, pour consulter sa montre une fois de plus. Les diamants scintillèrent dans la pénombre. Elle aurait dû la laisser à la maison, mais elle n'avait guère eu le temps de se préparer, ni de planifier quoi que ce soit. À peine trois heures plus tôt, elle avait reçu un message d'un garçon rencontré la veille sur un forum de discussion en ligne, alors qu'elle faisait des recherches. Dino.

Il avait dit neuf heures. Mais où était-il ?

De sa poche, elle sortit son portable et fit défiler

les noms figurant dans son répertoire. Peut-être devrait-elle essayer de contacter Andrew Minkel une dernière fois ? Pour lui raconter tout ce qu'elle avait appris. Tout ce qu'elle savait désormais au sujet des fantômes. Et le reste. Les rumeurs...

– Cristina ?

La voix rauque la fit tressaillir. Elle pivota sur ses talons et découvrit un jeune garçon qui émergeait de l'ombre, bloquant l'accès à la rue principale. Derrière elle, les cordes se mirent à crisser.

Cristina inspira fortement et hocha la tête.

Le jeune garçon avança jusqu'à se trouver sous la lumière. Il n'était pas si jeune que ça, en réalité. Il devait avoir dans les seize, dix-sept ans. Plus vieux qu'elle. Elle distingua des cheveux raides et ternes, des mains à la peau blanche, un visage émacié, des yeux noirs, brillants comme deux olives. Son regard la pénétra au plus profond.

– Tu n'auras pas besoin de ça, dit-il en désignant le portable.

– Ah... non ?

Cristina eut presque honte de sentir son cœur battre à tout rompre contre sa cage thoracique.

Le garçon secoua la tête et tendit la main vers le téléphone.

– Non, tu n'auras besoin de rien de ce qui appartient à ce monde malheureux, Cristina. Tu nous auras, *nous*.

4

Avant de sortir, la mère de Will lui avait griffonné une note sur la table de la cuisine. Il lui écrivit une réponse au bas de la feuille de papier : Andrew lui avait demandé de se rendre à Venise pour rencontrer une amie ; il serait de retour le lundi et passerait le reste des vacances à la maison.

Will se dit qu'il la rappellerait plus tard : il n'avait encore que quatorze ans, c'était encore son fils. Certes, en quelques mois, il avait grandi à la vitesse grand V. Surtout depuis septembre, quand sa mère avait disparu, le contraignant à prendre ses propres décisions. Alors, ce n'était pas parce qu'elle était revenue que les choses allaient recommencer comme avant. Will était déterminé à décider lui-même du cours de son existence. Même s'il ne le reconnaissait pas explicitement, STORM revêtait pour lui une importance essentielle. Vitale. Tout comme sa mission à Venise.

Il n'emporterait pas beaucoup d'affaires : son passeport, sa brosse à dents, quelques vêtements. Il glissa le tout dans la poche latérale d'un fourre-tout noir. Puis il se dit que les derniers dispositifs qu'il avait mis au point seraient peut-être utiles à Venise. À Saint-Pétersbourg, ses gadgets s'étaient révélés précieux. Les Téléphones-dentaires qui l'avaient accompagné en Russie se trouvaient sur son bureau : il les attrapa et les mit dans son sac.

Avant de se diriger vers la porte d'entrée, il fit une dernière halte. Dans la cuisine, sous la fenêtre à guillotine, se trouvait une large cage en métal. À l'intérieur, roulé en boule sur un lit de copeaux de bois, un rat faisait la sieste.

Attention, pas n'importe quel rat ! C'est à Saint-Pétersbourg qu'une amie de sa grand-mère en avait fait cadeau à Will, qui l'avait baptisé Ratty.

Là-bas, en Russie, des fils sortaient de la tête du rongeur. Grâce à des électrodes implantées dans son cerveau, Ratty pouvait être télécommandé.

À Londres, pas plus tard que la veille, un professeur de chirurgie vétérinaire de l'Imperial College – ami de la mère de Will – avait opéré Ratty afin de lui rentrer les électrodes sous la peau du crâne. Désormais, il avait l'air presque normal. Enfin… sauf lorsqu'on lui fixait une caméra et un microphone miniatures sur la tête et des capteurs aux pieds.

En Russie, Ratty avait servi aux membres de STORM. Il pourrait peut-être recommencer à Venise.

En sortant son animal domestique dernier cri de sa cage, Will inspecta les cicatrices laissées par l'opération. Les poils avaient déjà bien repoussé. Satisfait, Will tapota la tête du rongeur avant de le glisser dans la poche de sa veste.

– Bon boulot, murmura-t-il.

Six minutes plus tard, il retrouva Gaïa qui l'attendait à l'extérieur de la maison d'Andrew. Elle portait un petit sac à dos noir et une paire de lunettes de soleil.

– Sean se hâte ! leur lança Andrew, qui émergeait par la porte de derrière en traînant une lourde valise.

Il s'était changé et portait un pantalon imperméable avec de multiples poches à fermeture Éclair. Ses yeux se posèrent sur le fourre-tout de Will. Il ne pouvait s'empêcher de se demander si les derniers dispositifs de « l'Inventeur » se trouvaient à l'intérieur.

Pour sa part, Gaïa contempla la valise d'un air sceptique.

– Qu'est-ce que tu emportes, là-dedans ?

En réponse, Andrew fixa le petit sac à dos de son amie.

— Vous les filles, vous portez votre maison sur le dos, ironisa-t-il. Nous, les hommes... hum... c'est plus complexe.

— Tu as parlé de deux jours, Andrew ! Je me trompe ?

— Oh, je ne me suis pas encombré de trop de vêtements, se défendit le millionnaire. J'ai aussi du matériel... enfin, quoi !

Will et Gaïa échangèrent des regards interrogateurs.

— Quel genre de matos ? demanda Will.

— Eh bien... une torche. Des allumettes étanches...

Et pour la deuxième fois en moins d'une heure, il rougit jusqu'à la racine des cheveux.

Heureusement pour lui, il fut sauvé par le vrombissement caractéristique d'un monstre monté sur roues géantes, caparaçonné d'une carrosserie noir métallisé à l'épreuve des balles. Il n'aurait donc pas à expliquer son étrange comportement.

— Voilà Sean, lâcha-t-il en retrouvant un teint normal.

Sean était le chauffeur du millionnaire. Un géant à la mesure du SmarTruck qu'il pilotait : ses larges épaules tombantes faisaient presque craquer les coutures de sa veste de treillis kaki. Lorsqu'il sauta à terre, Will croisa le regard brun de Sean, qu'il trouva étonnamment chaleureux, compte tenu de la balafre blanche qui lui barrait le menton et de son front proéminent, genre Incroyable Hulk.

Sean fut peut-être surpris par la quantité de bagages, mais il n'en laissa rien paraître. En silence, il souleva la valise, le sac à dos et le fourre-tout et les plaça dans le coffre du SmarTruck – modèle III, s'il vous plaît : moteur V6 Diesel de 4,5 litres muni de deux turbocompresseurs séquentiels ; diamètre des pneus : 105 cm ; taille des jantes : 20 pouces ; jusqu'à 40 centimètres d'espace entre le bas de la caisse et le sol. Le tout se déplaçant quand même à une vitesse maximale de 135 kilomètres/heure.

Construit pour les zones de combat dans le tiers-monde ou les patrouilles de gardes-frontières, ce véhicule militaire pouvait abriter un module de surveillance, un ensemble de caméras offrant un champ de vision de 360 degrés et un télémètre à laser, à installer à l'arrière. Dans les versions dotées d'une mitrailleuse de calibre 50, il était possible de se débarrasser à coup sûr d'éventuels poursuivants…

– Toujours pas de mitrailleuse…, fit observer Will au moment où le quatre-quatre survitaminé démarrait.

– Elle est commandée, répondit Sean.

Andrew riboula des yeux.

– C'est que ce genre d'engin doit être fabriqué à la main par des eunuques mongols à Oulan-Bator, pas vrai, monsieur Minkel ?

– Tout à fait, répondit Andrew. Et ce genre de petit personnel est de plus en plus difficile à dénicher, de nos jours.

– Heureusement, j'ai des relations ! ajouta encore Sean.

Will ne put s'empêcher de sourire.

Ils remontèrent Shaftesbury Avenue, se faufilant entre les voitures, obliquèrent dans Monmouth Street, puis s'engagèrent dans St Martin's Lane. Soudain, le véhicule s'immobilisa. Will baissa la vitre et regarda à l'extérieur. Gaïa s'appuya sur lui pour voir, elle aussi.

– Que se passe-t-il ? demanda-t-elle.

– On dirait une manifestation…

Will apercevait une foule brandissant des pancartes. Un homme en chandail vert donnait des coups de sifflet.

– … probablement à Trafalgar Square.

– Si seulement nous avions un Drone-de-criquet, hein, Sean ? se lamenta Andrew en guignant sa montre.

Il se pencha en avant pour mieux voir. C'est alors qu'une vague humaine déferla dans St Martin's Lane. Certains manifestants étaient équipés de mégaphones, mais impossible d'entendre ce qu'ils disaient. À mesure que les pancartes se rapprochaient, il devint possible d'y lire :

NON AU TERRORISME

NON À LA GUERRE
NON À LA HAINE
MESSIEURS DU G-8, LA PAIX TOUT DE
SUITE

Sur une autre, on pouvait lire l'inscription suivante :

48 : COMBIEN D'AUTRES ENCORE ?

– Quarante-huit ? Qu'est-ce qu'ils veulent dire ? fit Gaïa.

Andrew se retourna vers elle.

– Tu n'es pas au courant ?

– Au courant de quoi ?

– Une bombe a explosé ce matin à Paris.

– Bilan : quarante-huit morts, précisa Sean.

– Un sommet du Groupe des Huit sur le terrorisme doit avoir lieu la semaine prochaine. J'imagine que les manifestants veulent convaincre les principaux dirigeants de la planète de répandre la paix comme une traînée de poudre, grinça Andrew.

Enfin, la foule arriva à la hauteur du SmarTruck. La colère se lisait sur les visages. Will se rappela soudain les paroles de Thor, un technicien de STASIS qu'il avait rencontré à Saint-Pétersbourg. Il l'avait retrouvé la veille, au déjeuner : Will venait de s'asseoir à côté de lui et Thor était au milieu d'une phrase.

« Cette réunion est capitale, disait-il. Si cet accord n'est pas conclu… »

En apercevant Will, il s'était interrompu. Au bout de cinq jours, le « visiteur » s'y était habitué : il n'était habilité qu'à entendre certaines choses. Thor avait-il voulu parler du sommet du G-8 ? Peut-être. Mais il aurait pu tout aussi bien s'agir d'une réunion à STASIS sur les nouveaux distributeurs de confiseries dans la salle du baby-foot – tout le monde se plaignait du chocolat tiède et des « snacks » japonais verts, qu'on soupçonnait d'être fabriqués à partir d'algues.

– La voie est libre, annonça Sean.

Will fut ramené à l'instant présent. La queue de la procession venait de les dépasser, fermée par un cordon de quatre policiers montés sur des alezans. Devant le SmarTruck, la file de voitures se remit en route.

Un autre souvenir resurgit alors : le père de Will, sur le terrain gazonné réservé au cricket, au cœur du village de son enfance, dans le Dorset. Il lui avait enseigné comment lancer la balle, mais aussi les lois de la physique. Il lui avait alors expliqué que s'il travaillait pour le MI6, c'était pour contribuer à faire du monde un endroit meilleur.

Malheureusement ce monde il l'avait quitté.

Et il venait d'être rejoint le matin même par quarante-huit autres êtres humains, victimes de l'attentat commis à Paris.

Depuis quinze jours, les journaux regorgeaient d'articles sur une possible troisième guerre mondiale. Et lui, Will, se rendait à Venise à la poursuite d'un fantôme. Autant dire d'une chimère...

Mais qu'aurait-il pu faire d'autre ? Il avait quatorze ans. Un jour, son père le lui avait bien dit : « On ne peut faire que ce qu'on peut. Ne sois pas amer si tu échoues à faire ce que tu es incapable d'accomplir. »

Maigre consolation, décréta Will.

5

Cristina se laissa conduire à travers les couloirs du
château, où chaque bruit donnait naissance à un
écho.

La veille au soir, Dino l'avait menée directement
jusqu'à une chambre humide avec un lit de camp,
semblable à une cellule. Une odeur de moisissure et
d'insectes pourrissants avait tourmenté les narines
délicates de la jeune aristocrate. Elle était restée
éveillée une bonne partie de la nuit, l'œil fixé sur
le clair de lune qui s'immisçait à travers une meur-
trière, à se demander si elle avait pris la bonne
décision.

Un fantôme, ou ce qui lui ressemblait, avait

dérobé un coffret appartenant à sa famille. Elle n'ignorait pas les rumeurs qui circulaient sur l'Isola delle Fantasme : elle avait la réputation d'être hantée et certains racontaient même qu'on y vouait un véritable culte aux fantômes. Deux mois plus tôt, l'un des fils d'un diplomate néerlandais ami de son père s'était évanoui dans la nature. C'est cette disparition qui avait poussé la police à effectuer un raid dans le château, à moins de quinze minutes en hors-bord de la place Saint-Marc, au cœur de Venise.

Sur place, la police n'avait trouvé que Rudolfo, le propriétaire reclus de cette île en piteux état. Et pour cause : elle n'avait pas mis à profit les ressources d'Internet pour mener son enquête... Cristina avait alors décidé de pallier cette lacune et il ne lui avait pas fallu longtemps pour découvrir sur la Toile toute une série de déclarations et de récits déroutants. Elle avait aussi appris l'existence de Dino et avait entamé avec lui une cyber-conversation...

Lorsqu'elle lui avait parlé du vol, il n'avait pas nié que les adeptes du culte y étaient peut-être pour quelque chose. Il ne l'avait pas confirmé non plus. Mais il l'avait invitée à le rencontrer, à condition qu'elle vienne seule.

Une telle expédition présentait des risques, mais Cristina se sentait confiante en sa capacité de faire face à toute éventualité ou presque. Elle ne se laisserait pas « laver le cerveau ». Elle découvrirait si le culte en question était bien réel, si ses adeptes avaient commis le vol et de quelle manière, puis elle s'échapperait et rentrerait chez elle. Elle réussirait là où la police avait échoué et tout le monde célébrerait cette prouesse. Peut-être même ses parents. Et, qui sait, peut-être même STORM.

Mais le fait de rester allongée des heures sur un lit de camp défoncé ne participait pas du triomphe qu'elle avait imaginé. Toute la matinée, elle avait attendu qu'on frappe à la porte. Elle avait appelé. Personne n'avait répondu. Elle n'avait rien entendu d'autre que le clapotis de l'eau de la lagune contre les murs du château.

Et puis, enfin, elle avait perçu un son ! Le garçon aux yeux noirs lui avait apporté du risotto, en la pressant de l'engloutir rapidement si elle voulait être à l'heure à la réunion.

Elle le suivait maintenant dans les couloirs du château – un château *bien réel*. Et elle ne traînait pas les pieds, ça non ! Elle voulait en avoir le cœur net : le fantôme qu'elle avait aperçu au *palazzo* en était-il bien un ? Et, le cas échéant, était-il originaire du château ? Ensuite, il lui faudrait découvrir qui s'intéressait de si près au bien le plus précieux de sa famille et si elle pouvait le récupérer...

Le lion ailé était le symbole de saint Marc et l'emblème de Venise. Son lion à elle avait été sculpté au XVIe siècle. Le corps constitué d'or à vingt-deux carats, l'animal avait des rubis en guise d'yeux, et des diamants jaune tournesol, extrêmement rares, étaient incrustés dans ses ailes déployées. Mais la valeur de l'objet ne résidait pas dans le métal ni dans les pierres précieuses. Ce lion avait été remis à un illustre ancêtre de la mère de Cristina lorsqu'il était devenu membre du Conseil des Dix. La création de ce comité exécutif et judiciaire secret de Venise remontait au XIVᵉ siècle.

En vertu de la tradition familiale, le lion se transmettait de mère en fille. Il symbolisait la gloire et la pérennité de sa famille. Et il reviendrait de droit à Cristina.

Voilà pourquoi elle tenait tant à le récupérer. Mais comment ? Se trouvait-il vraiment dans ce château de l'Île des fantômes ?

Cette bâtisse avait peut-être été luxueuse dans un passé lointain, mais tout signe extérieur de richesse semblait en avoir été banni de longue date. Sur les murs nus ne s'accrochaient plus que quelques rares portraits poussiéreux de femmes au visage sévère, revêtues de capes noires et portant au cou, en rangs serrés, des perles ternies.

Cristina leva les yeux vers les chandeliers en fer forgé qui se succédaient, comme autant de soldats en armure, au-dessus de sa tête. La capuche de son sweat blanc bascula vers l'arrière, révélant sa longue chevelure. Au moins avait-elle eu la bonne idée de s'habiller simplement : un jean, un T-shirt et le sweat à manches longues, qui dissimulait aux regards sa montre sertie de brillants. Aux pieds, elle portait des baskets qui crissaient sur la pierre d'Istria.

Pour sa part, Dino portait une chemise blanche maculée de taches et un jean tout aussi crasseux. Cristina décida que ce garçon était répugnant, de la tête aux pieds. Même sa voix rauque irritait l'oreille.

Dino regarda par-dessus son épaule. Cristina fit de son mieux pour dissimuler l'appréhension qu'elle éprouvait.

– Ce n'est plus très loin, murmura-t-il.

Soudain, elle s'arrêta net, car elle venait de sentir quelque chose. Quelque chose de fort désagréable. Pivotant sur les talons, elle ne vit que le couloir, qui s'enfonçait dans les ténèbres. Pourtant, elle en était sûre : un courant d'air froid l'avait traversée et s'était… répandu en elle. Le rythme des battements de son cœur s'accéléra. Mais à sa grande surprise, Dino éclata de rire.

– Tu l'as sentie ? demanda-t-il d'une voix sépulcrale.

Il trotta alors jusqu'à un tableau vers lequel il pointa un doigt décharné. C'était le portrait d'une vieille femme qui tenait un loup en velours noir – un masque de carnaval.

– Tu la vois ? C'est notre comtesse. Elle hante ce couloir. Et il y en a d'autres comme elle. Tu comprends maintenant pourquoi tout le monde dit que le château de mon patron est le plus hanté de Venise ? Sans compter que cet endroit était jadis un asile de fous...

Il partit de nouveau d'un rire exagéré.

– Je te préviens : ne te promène jamais seule ici. Nos fantômes ont la réputation de se matérialiser. Et s'ils te *touchent*, tu ne l'oublieras jamais, crois-moi !

Dino avait prononcé ces paroles avec une intensité que relayait l'expression de son regard et qui semblait emplir tout le lieu.

Cristina cligna des yeux. Après avoir ressenti ce courant d'air glacé et entourée de tous ces visages de morts, Cristina croyait-elle désormais à l'existence de ces fantômes ? À la réflexion, peut-être bien...

– Allons, viens ! ordonna Dino.

Il se remit en route d'un bon pas. Prenant son courage à deux mains, Cristina le suivit. Après avoir tourné deux autres coins et s'être engagé dans un couloir plus large, Dino s'immobilisa. Au premier abord, Cristina se crut dans une impasse. Mais elle aperçut un lourd rideau de velours rouge à quelques mètres devant eux. L'air sentait la décomposition. De l'humidité suintait des murs de pierre.

Dino sourit de nouveau, révélant des dents décolorées.

– Maintenant, tu vas rencontrer le Maître, murmura-t-il. Ta place est désormais parmi *nous*.

– Mesdames et messieurs, bonjour et bienvenue à bord de ce vol British Airways à destination de Venise...

À l'arrière de la cabine réservée à la classe affaires du Boeing 737, Gaïa et Andrew étaient confortablement installés sur leurs sièges en cuir. Will se trouvait juste de l'autre côté de l'allée centrale. Il n'y avait que deux autres passagers dans la cabine : un homme d'affaires italien avec son attaché-case et une jeune femme blonde parée de toutes sortes de bijoux en or. Ils étaient assis à deux rangs devant le trio.

Will se pencha sur le côté pour regarder par le hublot. Il apercevait des champs. Des arbres bien alignés, des haies bien taillées : l'Angleterre dans toute sa splendeur, qui disparaissait petit à petit, à mesure que l'avion prenait de l'altitude.

Le souvenir de la manifestation lui revint à l'esprit. Et celui de la bombe. Quarante-huit morts. Mais il lui fallait se concentrer sur sa mission : Venise, Cristina et son fantôme.

Il se tourna vers Andrew.

– Que sais-tu de Cristina, exactement ?

Andrew, qui était occupé à montrer à Gaïa les notes qu'il inscrivait sur l'écran de son smartphone, posa l'appareil sur ses genoux.

– Peu de choses, en vérité. La chère enfant est inscrite à l'Accademia del Genio, un collège pour surdoués. Elle m'a dit qu'elle étudiait la cryptographie. C'est Jason Patel, dont j'ai fait la connaissance l'an passé à l'Olympiade de la science, qui nous a mis en relation. Il avait narré à Cristina ma pérégrination jusqu'à Saint-Pétersbourg pour l'affaire de première importance que vous savez. C'est lui qui a organisé notre rencontre en ligne.

– Je présume que Cristina parle notre langue, interrompit Will.

Andrew leva les yeux au ciel.

– Une déduction digne de Sherlock Holmes... À part ça, tout ce que je sais d'elle, c'est qu'elle appartient à une très vieille famille d'Italie.

Puis, instinctivement, son regard se porta en direction des coffres à bagages, au-dessus de leur tête. Il brûlait d'envie de découvrir ce que contenait le fourre-tout de Will...

... Lorsque le SmarTruck était arrivé à l'aéroport d'Heathrow, Andrew s'était tourné vers son ami.

« Je ne sais pas exactement ce qui se trouve dans ton sac, mais as-tu réfléchi à la façon dont tu allais te débrouiller pour le faire passer en bagage à main ? avait-il demandé.

– Oh, ça devrait aller..., avait répondu Will.

– M'est avis qu'après l'attentat à la bombe de Paris, la sécurité va être renforcée. Tu es sûr qu'ils vont t'autoriser à tout garder ? »

Will avait alors hésité.

« Ne t'angoisse pas, camarade ! Sean a des relations, n'est-ce pas, Sean ? avait poursuivi Andrew. Nous pourrions peut-être dire que nous appartenons à une congrégation de scientifiques...

– Élémentaire, mon cher Watson ! » avait alors raillé Will.

L'idée d'Andrew avait fait merveille. L'employé de la sécurité avait conduit Sean et Will dans une pièce réservée à la fouille. Quand il en avait eu terminé, il avait même souhaité bonne chance à Will pour le concours...

... Maintenant qu'il était dans l'avion, le jeune multimillionnaire, qu'on eût pu croire blasé, n'y tenait plus.

– Alors, Will, vas-tu enfin nous dire ce que tu as réussi à embarquer ? demanda-t-il, sur des charbons ardents.

À côté de lui, Gaïa renchérit :

– Tu devais aussi nous raconter ta semaine avec Shute...

Will était pris entre deux feux. Il avait signé une clause de confidentialité. D'un autre côté, il avait été autorisé à emporter les projets sur lesquels il travaillait à l'extérieur de Sutton Hall... Alors, il avait sûrement le droit d'en toucher deux mots à Andrew et à Gaïa. Cela profiterait sans doute à STORM.

Il entreprit donc de leur décrire le détecteur lingual et l'attaque dont il avait fait l'objet dans le Lac de recherche n° 2.

– Jeunes gens, désirez-vous boire quelque chose ?

Une hôtesse venait de s'interposer entre le narrateur et ses auditeurs bouche bée. Son plateau était couvert de flûtes de champagne et de verres de jus d'orange.

– Non, je vous remercie.

Avec un sourire poli, l'hôtesse se dirigea vers la blonde.

Gaïa avait les yeux écarquillés.

– Tu n'as pas réussi à savoir qui t'avait tiré dessus ?

– Non, avec ce sonar, je peux distinguer des formes, mais je ne peux pas être sûr de ce à quoi elles correspondent. Je ne sais même pas s'il s'agissait ou non d'êtres vivants. Shute n'a pas voulu me le dire. Il m'a servi l'argument du « Top secret ».

Gaïa fronça les sourcils.

– Dis donc, on dirait que ta poche a remué !

La fermeture Éclair s'était ouverte de deux ou trois centimètres. Will la fit glisser entièrement et plongea la main dans sa poche pour en extraire un rongeur familier.

Andrew darda un large sourire.

– Ratty ! Tu l'as emmené !!

Will souleva les pattes de l'animal. Pendant la semaine qui avait précédé sa mission auprès de

STASIS, il avait créé des coussinets détachables, inspirés des pieds du gecko. Des millions de poils minuscules dotaient les pattes de Ratty d'un incroyable pouvoir d'adhésion à n'importe quelle surface.

Will avait retiré la caméra et le microphone miniatures de l'animal avant de passer les contrôles de sécurité. Ratty était resté bien sage dans sa poche, comme s'il avait compris qu'il valait mieux ne pas remuer, ne serait-ce que la moustache.

Par prudence, Will le remit *illico presto* dans sa poche.

La curiosité d'Andrew demeurait aiguisée, aussi leva-t-il de nouveau les yeux vers les coffres à bagages, remontant ses lunettes sur son nez.

– Qu'as-tu montré aux contrôleurs, alors ?

Will attendit que l'hôtesse repasse avec son plateau vide et se leva pour attraper son sac. Il fit glisser la fermeture Éclair, farfouilla à l'aveugle et pâlit : il n'avait pas mis à l'intérieur du sac ce qui se trouvait sur le dessus…

Une petite boîte noire était posée sur le casque-sonar. Très délicatement, Will en souleva le couvercle. Aussitôt, le sang afflua à son visage.

– Qu'est-ce que c'est ? demanda Andrew.

Will inclina la boîte dans sa direction. Gaïa se pencha pour mieux voir.

– Là, je suis larguée. Explique !

Will attrapa une fine pellicule en forme de cercle.

– Ce sont des dispositifs de pistage.

À l'intérieur de la boîte, un message avait été inséré. Will attrapa le morceau de papier : « Comme ça, tu en auras suffisamment pour la prochaine fois. 120 heures chacune. Pas plus. *PAS MOINS*. »

– J'ai entendu parler de ces dispositifs, intervint Andrew.

– Oui, mais je ne les ai pas inventés moi-même, précisa Will. J'ai dû en porter pendant que j'étais au QG de STASIS. Cette rondelle leur indique où tu te trouves vingt-quatre heures sur vingt-quatre. Elle est censée déclencher une alarme si quelqu'un pénètre sur un site d'essais considéré comme dangereux. Elle transmet un signal radio.

– Mais avec quoi détectent-ils le signal ? fit Andrew.

– On peut se servir de ceci…

Et Will de fourrager dans son fourre-tout, d'où il sortit une veste noire. Après l'avoir secouée, il la tendit à Andrew. Celui-ci la palpa en fronçant les sourcils. Il sentit quelque chose dans une poche.

– Il y a un disque dur à l'intérieur, expliqua Will. Enfin, plus exactement un *Solid State Drive*. Enfile-la, tu vas comprendre.

Le temps d'enlever son gros pull-over, et Andrew passa la veste.

– Maintenant, tâte la poche intérieure et sors le disque !

Andrew sortit une lanière argentée à laquelle était fixé un oculaire recouvert d'un bandeau noir.

– Tu portes un truc pareil ? J'espère au moins que ce n'est pas une technologie… piratée, commenta Andrew en enfilant l'oculaire, qui lui donnait un faux air de Capitaine Crochet.

Will secoua la tête.

– Tes blagues sont aussi mauvaises que celles de Gaïa… Le SSD est entièrement composé de mémoire flash. Aucune pièce mobile… En pratique, tu n'as même pas besoin d'utiliser le bandeau. La matière de la doublure lui permet de fonctionner comme un écran. Il y a dix capteurs en forme d'anneau dans ta poche. Si tu les colles sur ton genou et que tu tapotes dessus l'air de rien, le système reconnaîtra ce que tu entres.

– Ça, c'est vraiment ce qu'on peut appeler un ordinateur portable ! s'exclama Gaïa, décidée à honorer sa réputation en matière de mauvais jeux de mots.

Andrew tripotait l'oculaire avec bonheur.

– C'est ahurissant. J'ai eu sous les yeux un sacré nombre de dispositifs de visualisation virtuelle au cours de ma courte existence, mais celui-ci est d'une clarté… inouïe ! Même avec des yeux comme les miens.

Il souleva le bandeau.

– C'est génial, mon cher Inventeur. Les applications de ce gadget sont infinies.

– Je l'ai fabriqué pour toi, répondit Will.

Andrew le contempla longuement, éberlué. Puis il afficha une moue dubitative. Will ne pouvait être sérieux !

– J'ai obtenu des pièces au QG de STASIS. Shute est au courant. Il m'a fait cadeau de la moitié des éléments.

– Mais… tu ne veux pas le garder par-devers toi ?

Will rosit imperceptiblement.

– Non, c'est toi le génie de l'informatique…

L'espace d'un instant, Andrew fut à court de mots, ce qui ne lui arrivait que rarement.

– Merci, lâcha-t-il enfin, rayonnant de bonheur.

Will baissa les yeux, modestie oblige, mais aussi parce qu'il avait surpris le regard de l'hôtesse – en train de distribuer les menus – posé sur le visage d'Andrew, garni de l'oculaire… Certes, elle ne s'aviserait certainement pas de leur poser des questions : après tout, ils étaient passés à travers la sécurité. Mais il ne voulait pas attirer l'attention. Il attendit donc qu'elle leur ait distribué les menus pour replonger la main dans son sac.

– Des œufs de caille, pouah ! s'exclama Gaïa en consultant le menu végétarien.

– Oh, détrompe-toi, très chère ! C'est délicieux, commenta Andrew. Ma tante nous les servait mollets… Hum… dis donc, Will, je me demande ce qu'ils proposent en classe économique…

Et Andrew se tourna vers l'Inventeur d'un air interrogateur.

– ... Nous pourrions essayer de le découvrir, fit alors ce dernier, qui avait bien compris l'appel du pied d'Andrew.

Il hésita un moment, tout de même. Certes, il avait pour habitude de dire que ses inventions ne valaient rien si on ne pouvait pas les utiliser dans un lieu public. Et comment résister à l'excitation de tester un deuxième dispositif dans une cabine d'avion ? Mais si on le surprenait – et force était d'admettre que le risque était élevé – il ne pourrait ramasser le corps du délit et s'enfuir en courant.

Tout bien considéré, la seule chose que Will refusait d'inventer, c'étaient des excuses. Alors il prendrait le risque. Et tant pis pour les conséquences !

Il sortit de son fourre-tout un petit carton. À l'intérieur, sur un lit de copeaux, se trouvait le dispositif qui l'avait tenu éveillé jusqu'à trois heures du matin lors de sa première nuit au QG de STASIS. Shute Barrington était occupé ailleurs mais Charlie Spicer l'avait aidé à assembler les derniers éléments.

Puis Will sortit de sa poche la télécommande qui mettait également Ratty en mouvement et parcourut les diverses touches du regard. Il plaça le dispositif sur ses genoux et appuya sur « Activer ».

Immédiatement, les huit tentacules extensibles réagirent. Sous les yeux exorbités de Gaïa et d'Andrew, ils se déployèrent depuis le corps tubulaire du robot. De surcroît, ils étaient préhensiles, dotés de muscles artificiels et très habiles. Grâce aux deux caméras miniatures insérées aux extrémités de la première paire de bras, il était possible de saisir sans difficulté quelque chose d'aussi fin qu'une feuille de papier.

– Une pieuvre ? souffla Andrew d'une voix rauque.

– Plus exactement, « inspiré » d'une pieuvre, corrigea Will. Mais je n'en ai pas copié exactement le mouvement – l'animal est trop maladroit.

Après avoir vérifié que les hôtesses étaient occupées ailleurs, Will posa le robot sur le tapis de l'allée centrale. Replié, il ne mesurait pas plus de dix centimètres de long, mais chacun de ses bras télescopiques pouvait atteindre trente centimètres. Will récupéra l'écran de contrôle des mains d'Andrew et sélectionna l'option n° 3. Il ordonna alors au robot d'utiliser six de ses huit bras pour aller se glisser sous le rideau séparant la cabine « club » de la cabine « économique ».

– Tu crois qu'il va y arriver ? demanda Gaïa, inquiète.

Will ne lui répondit pas. Il se concentrait sur la télécommande et sur les images qui apparaissaient sur son écran. Andrew se pencha pour voir et constata que le robot avançait tout contre la paroi de la cabine économique.

Puis, très lentement, Will le fit progresser, centimètre par centimètre, et ordonna aux bras munis de caméras de monter et de descendre, tels les tentacules d'une anémone de mer, en quête d'un menu jeté par terre qu'il pourrait attraper. Il n'en vit aucun.

Mais les caméras lui révélèrent bientôt qu'un des voyageurs avait déjà une assiette devant lui. « Sans doute un repas spécial », songea Will à regret. Il faudrait s'en contenter.

L'Inventeur remit le robot en marche, cette fois à vive allure et, au moment où le voyageur tournait la tête pour regarder par le hublot, un bras muni d'une caméra jaillit de nulle part et se rétracta… non sans que Will aperçoive dans le champ de la caméra le visage pantois d'un jeune garçon.

Will jura dans sa barbe. Il fit revenir le robot à toute vitesse, s'en saisit et le dissimula prestement. Gaïa tendit la main pour qu'il lui passe l'écran de contrôle, puis elle le serra contre sa poitrine. Masquant mal un sourire, elle fit mine d'inspecter l'image.

– Des blinis avec du caviar ! s'exclama-t-elle. Et des cornichons !

Will sourit franchement en reconnaissant deux des plats préférés d'Andrew.

– Quand je pense que nous n'avons que du filet de bœuf et des œufs de caille !

Imperméable à ces moqueries de bas étage, Andrew ne bouda pas son bonheur devant la créativité de son ami.

– C'est fantastique, dit-il en pointant le doigt vers le robot, qui avait regagné sa boîte.

Gaïa reposa l'écran sur ses genoux.

– Tu l'as baptisé comment ?

– Pince-à-sucre, fit Will.

– Tout de suite, monsieur, répondit l'hôtesse avec un sourire en coin. Mais vous préférerez peut-être attendre que le café soit servi… Pour commencer, vous prendrez le bœuf ou l'omelette ?

Lorsqu'elle eut pris les commandes et disparu dans le local exigu où elle allait réchauffer les plats, Will fouilla de nouveau dans son sac.

– Tu as encore autre chose ? s'extasia Gaïa.

– Oh oui, quelques bricoles. En plus du Téléphone-dentaire et des capteurs linguaux, j'ai encore ceci…

Il fit apparaître un morceau de corde.

– … que je ne peux pas vraiment faire fonctionner ici, mais sachez que ça durcit automatiquement quand on le jette en l'air. Je l'ai baptisé Corde-raide. Et puis il y a encore ceci.

Ceci, c'était le seul objet que le personnel de la sécurité aurait vraiment dû lui prendre. Fort heureusement, Will avait fait en sorte qu'il adopte des aspects différents en fonction des circonstances. Les agents secrets du MI6 avaient parfois besoin de gadgets qui passent inaperçus ou qui ressemblent à autre chose.

D'une pochette de soie noire, Will sortit un cylindre métallique.

– C'est une torche ? risqua Andrew.

– Non, répondit Will. Ça y ressemble et c'est fait pour. En réalité, c'est censé être une torche à infrarouge. Je pensais que ce serait utile pour envoyer des signaux en morse la nuit. Seul quelqu'un portant un kit de vision nocturne pourrait les détecter. Le type de la sécurité, à l'aéroport, a trouvé que c'était une bonne idée...

– Bon, O.K., mais éclaire un peu notre lanterne, intervint Gaïa : si ce n'est pas une torche, qu'est-ce que c'est ?

– Je ne maîtrise pas encore parfaitement l'infrarouge, concéda Will. Mais il y a autre chose à l'intérieur...

Il dévissa la partie supérieure de l'objet et éjecta deux piles – qui avaient été examinées par le personnel de sécurité. Puis Will inséra deux doigts dans le logement destiné aux piles, appliqua une pression et le boîtier lui tomba sur les genoux, libérant un étroit cylindre métallique muni d'un bouton rouge, qui tenait dans sa paume.

– Ah, je sens que nous entrons dans le vif du sujet, se réjouit Andrew.

– En effet : voici le Plein-la-vue. Ce bouton actionne un rayon laser qui éblouit la personne qui le reçoit dans les yeux. Elle reste aveugle pendant quelques minutes, mais pas davantage… à moins qu'elle ne se trouve vraiment tout près.

– Palsambleu ! C'est une arme ! s'enflamma Andrew. Et tu as réussi à la faire rentrer en cabine ! Chapeau !

– Pardi ! Le type a cru que c'était une torche ! Je n'ai que quatorze ans, Sean s'est porté garant de moi et j'avais tous ces autres gadgets… Alors…

– Je peux voir ? demanda Gaïa.

Will lui tendit le petit cylindre. Elle s'en saisit et, instantanément, un rayon de lumière jaillit. Le rouge vint griller la rétine de l'adolescente.

– *Mais qu'est-ce que tu fais ?!* explosa Will, furieux.

Gaïa rouvrit les yeux, découvrit une expression horrifiée sur le visage d'Andrew et un rictus de colère sur celui de Will. Mais, au moins, elle les voyait : elle n'était pas devenue aveugle. Elle regarda autour d'elle dans la cabine : l'hôtesse discutait avec l'homme d'affaires. Personne d'autre ne semblait avoir repéré le flash.

– Désolée, fit-elle à mi-voix.

– Tu as eu de la chance que le faisceau n'ait pas été pointé sur ton visage, maugréa Will en récupérant son bien.

– Et toi qu'il ne l'ait pas été sur le tien ! riposta Gaïa.

– Allons, très chers, foin des accusations mutuelles ! C'était un accident, elle ne recommencera pas, Will.

Andrew replaça alors l'oculaire sur son œil, activa l'ordinateur et entreprit de se connecter au réseau sans fil de l'avion.

– Je vais essayer de savoir si notre ami *Il Fantasma* a redonné signe de vie... enfin, de mort... !

Il se concentra alors sur l'image virtuelle, qui apparaissait à une bonne vingtaine de centimètres devant lui.

Une fois sur le site de la BBC, il cliqua sur l'icône de l'info en direct. La présentatrice parlait de l'augmentation du prix des carburants. Quant au cours du platine, il accusait une baisse pour la quatrième fois.

– *Maintenant, retour à la principale information de la journée : une bombe a explosé dans un marché parisien. Le bilan s'est encore alourdi : cinquante-neuf morts et quatre-vingts blessés. Aucun groupe n'a encore revendiqué l'attentat. Lors de la réunion du G-8 mercredi à Londres, les ministres se concerteront afin de renforcer les mesures de lutte anti-terroriste...*

Suivirent des reportages sur des manifestations à Santiago, une marée noire en Alaska et la naissance du troisième enfant de Brat Spears, la star américaine.

Andrew fronça les sourcils. Il avait placé sa confiance en Cristina. Où était-elle ? Que devenait-elle ? Il se murmura à lui-même : « J'espère que tu m'as dit la vérité… J'espère que tu vas bien… »

À mille kilomètres de là, Cristina della Corte contemplait sans ciller le spectacle qui s'offrait à elle. Dino avait écarté le rideau de velours, derrière lequel se dissimulait une porte, qu'il avait ouverte, invitant Cristina à pénétrer dans ce qui ressemblait à une ancienne salle à manger. Le plafond, très haut et voûté, comportait une enfilade de cintres qui se perdait dans les ténèbres.

Tout au fond, Cristina distinguait un balcon en pierre, à trois ou quatre mètres du sol. De chaque côté, des têtes de lion à la crinière poussiéreuse reposaient sur des socles en chêne de couleur pâle. Les deux longs murs étaient décorés de lances croisées. Sur leurs lames polies dansait le reflet des flammes qui léchaient des bûches noircies, dans l'âtre d'une cheminée au manteau de marbre.

Cristina dénombra une trentaine de silhouettes blanches, éclairées par le rougeoiement : celles d'enfants revêtus d'une houppelande, la tête dissimulée sous une capuche, qui échangeaient des paroles à voix basse. Elle reconnut différentes langues : l'anglais, le français, l'espagnol, l'italien…

– Ils viennent de partout, lui glissa Dino à l'oreille. La réputation du Maître se répand comme une traînée de poudre. Ils ont entendu parler de ses pouvoirs et ils veulent le rencontrer. En sa présence, vois-tu, ils entrent au contact de leurs morts...

La voix de crécelle de Dino et ces mots terribles qui s'enchaînaient paralysaient Cristina.

— Tu vois le garçon à lunettes, là-bas ? Eh bien, l'an passé, son frère est mort. Or, la nuit dernière, le Maître a établi le contact avec le défunt.

— Avec le fr... frère mort ? balbutia Cristina.

— Par l'entremise du Maître, le garçon à lunettes et son frère ont pu s'entretenir l'un avec l'autre, oui. Le Maître peut entrer en communication avec l'au-delà, dialoguer avec les fantômes...

— Et le... Maître est... propriétaire de ce... château ? parvint-elle à articuler.

— Non, le château appartient à un ami à lui, Rudolfo, qui travaille pour le Maître.

— Et tout ça est... vrai ?

Les mots sortaient de sa bouche à grand-peine, comme autant de papillons de nuit s'arrachant à l'attrait de la lumière.

— Le... le Maître est capable d'envoyer des gens dans... l'au-delà et de... et de... les ramener sur Terre ?

Il n'y eut pas de réponse.

Cristina n'osait pas se retourner. Dino s'était-il volatilisé ? Non, elle sentit soudain son souffle, contre son oreille. Elle entendit ses paroles, presque indistinctes.

— Seulement si on est élu, Cristina. Et pour être

élu, il faut y mettre du sien. Il faut gagner l'amour du Maître.

– Et comment… s'y prend-on ? demanda-t-elle.

– Tu verras… Tout cela te sera expliqué.

Soudain, Dino leva son bras crasseux. Il pointa un doigt vers le balcon.

– Le Maître arrive !

Un silence total s'abattit sur la pièce. Trente silhouettes électrisées se tournèrent comme un seul homme, tels des filaments alignés par la force d'un aimant.

Cristina vit un homme de grande taille, portant une cape rouge sombre, s'avancer sur le balcon. Des fentes en guise d'yeux, une bouche large mais aux lèvres pincées. On aurait dit que ses traits avaient été taillés au couteau.

– C'est Rudolfo, susurra Dino.

L'assistance se mit à entonner une sorte d'incantation. Ce n'était pas de l'italien. Cristina tendit l'oreille. Du latin, peut-être ?

Les trente silhouettes répétaient les trois mêmes mots à l'unisson : « *Adoremus in aeternum.* » Cristina en ignorait le sens.

Rudolfo fit un pas de côté. Rongée par l'appréhension, Cristina regarda alors le Maître faire son entrée, au centre du balcon.

Il était vêtu de noir. On aurait dit un habit de moine. Un capuchon lui couvrait le visage. Lorsqu'il le souleva, Cristina eut un mouvement de recul et réprima un cri d'effroi : le Maître n'avait pas de visage.

Puis elle y regarda de plus près et s'aperçut que si, il avait bien un visage, mais dissimulé derrière un voile de tulle noir. Cristina discerna deux taches rouges à la place des yeux et une autre pour la bouche, qui s'étirait telle une mare de sang, comme il entrouvrait les lèvres pour parler.

« Du tissu sensible à la chaleur », comprit-elle soudain.

– Mes amis, dit le Maître, d'une voix profonde et puissante, qui fit frémir les houppelandes et les flammes dans la cheminée. Ce soir, mes amis, j'ai *besoin de vous.*

6

– Par ici ! cria Andrew. Dépêchez-vous ! Suivez-moi !

Le jeune millionnaire parcourut au pas de course le passage pour piétons couvert d'arches en plexiglas qui conduisait hors de l'aéroport Marco Polo jusqu'à un embarcadère où attendaient des *motoscafi*, tous identiques, avec leur coque blanche aérodynamique et leur intérieur élégant en acajou.

Des lumières scintillaient sur la vaste lagune. Will embrassa du regard ce paysage magique : les balises orange vif qui délimitaient les chenaux, les sillages écumants et, là-bas au loin, masqués par la pénombre, les palais et les dômes de Venise, la cité millénaire qui se désagrégeait petit à petit…

Will ressentit un frisson d'excitation. Le même qu'il avait éprouvé en montant dans le train qui le conduirait à Saint-Pétersbourg. Il était incapable d'imaginer ce qui l'attendait dans la Cité des Doges et c'était précisément ce qui l'aiguillonnait : le goût de l'inattendu, le goût de la vraie vie.

Autour d'eux, des touristes essoufflés se hâtaient vers l'embarcadère, ralentis par de pesantes valises.

– Nous y allons sur l'eau ? demanda Will.

Andrew lui sourit avec gourmandise.

– En bateau-taxi. Le seul moyen de transport digne de ce nom à Venise...

Au pilote le plus proche, Andrew lança en anglais, mais en prenant bien soin d'articuler :

– Grand Canal, *eigh-ty-you-roz* ?

Il avait raconté à Will et à Gaïa son voyage à Venise l'année précédente, à l'occasion d'une conférence sur les systèmes d'exploitation. À l'entendre, il y avait acquis une connaissance en profondeur des coutumes locales.

Le père de Gaïa avait beau être originaire d'Italie, c'était la première fois qu'elle en foulait le sol. Certes, elle parlait parfaitement la langue, tout comme l'anglais, le français et l'espagnol, sans oublier l'arabe et le mandarin, dont elle possédait plus que de vagues notions – Will l'avait vue à l'œuvre dans son apprentissage de l'arabe : il lui suffisait de lire un mot pour s'en souvenir. Sa mémoire eidétique – ou photographique – était prodigieuse.

Il ne put qu'admirer une fois encore sa maestria linguistique lorsqu'elle vint à sa rescousse pour négocier le prix de la traversée. Ce serait quatre-vingts euros, et pas un de plus ! Le pilote du *moto-scafo* ne put lui-même qu'en rire.

Dans la poche de Will, Ratty se rappela à son bon souvenir. Il se mit à vibrer avec la même efficacité que le téléphone mobile avec lequel il partageait cet étroit compartiment...

... Pendant qu'Andrew attendait que sa valise apparaisse sur le tapis roulant à bagages – et tentait sans succès de joindre Cristina –, Will avait appelé sa mère. La conversation n'avait pas duré longtemps. Sa mère lui avait paru inquiète.

« Tu connais ces gens à Venise ?

– ... Non.

– Tu feras bien attention ?

– Oui, m'man », avait répondu Will.

Gaïa, debout à côté de lui, l'avait réprimandé.

« Pourquoi ne lui as-tu pas dit la vérité, tout simplement ? Elle connaît l'existence de STORM, non ? »

Will avait dodeliné de la tête, mal à l'aise.

« Parce que je pense que ça ne lui aurait pas plu. Alors, traite-moi de lâche, si tu veux. Mais je sais qu'elle préfère ne pas savoir – ce qui n'est pas en soi un exemple de courage... »

... Le *motoscafo* démarra dans une gerbe d'écume. Les cheveux lissés par le vent, Will huma l'air de la lagune. Il se demanda soudain ce que son père aurait pensé de son escapade et de STORM. Parfois, il s'inventait des conversations avec lui. Mais les contours du visage du défunt devenaient vite flous, les accents de sa voix indistincts.

Le *motoscafo* dépassa un lent *vaporetto*, autobus flottant beaucoup moins onéreux que le bateau-taxi, mais « réservé à la plèbe », de l'avis d'Andrew. Le regard de Will se porta sur les maisons de briques de l'île de Murano, célèbre pour ses fabriques de verre, puis sur les habitations multicolores de Burano, qui se spécialisait pour sa part dans la dentelle.

– Et toi ? demanda Will en se tournant vers Gaïa, assise à côté de lui. Tu as dit à ton père où nous allions ?

Comme l'adolescente ne répondait rien, Will en conclut qu'elle avait fait semblant de ne pas l'entendre. Mais elle finit par lâcher :

– Il ne va pas très bien.

Sans autre commentaire.

À l'avant du bateau, Andrew s'échinait à entretenir un semblant de dialogue avec le pilote. Tout d'un coup, il hurla en gesticulant :

– Regardez ! C'est l'entrée du Grand Canal !

Une église apparut dans toute sa splendeur, avec son dôme couleur de lune et son grand escalier de pierres éclairé par des lumières blanches. Soudain, ils pénétrèrent dans la principale artère de la ville, bordée de *palazzi* qui se reflétaient dans l'eau sombre et moirée. Will entrevoyait de grands tableaux et des lustres accrochés dans de vastes pièces aux plafonds altiers. Des bougies à la flamme tremblante ornaient des balcons de stuc. On percevait çà et là les signes d'une vie trépidante.

– C'est vraiment giga ! s'exclama Will à mi-voix, conquis par tant de splendeur.

– Oui, on touche à la quintessence du génie humain, confirma Andrew, avant d'ajouter, dans une grande envolée lyrique : la beauté exsudée par ces façades qui s'étirent vers le ciel comme autant de fidèles aux bras tendus vers leur dieu nous met au contact de l'incontournable intemporalité de la condition humaine, n'est-ce pas, très chers ?

Gaïa ouvrit la bouche pour le ramener sur terre, mais déjà Andrew s'extasiait de nouveau.

– Vous voyez ce palais, avec le drapeau ? Eh bien, un jour, le fantôme d'un artiste assassiné en a badigeonné de rouge toutes les fenêtres.

– Comment le sais-tu ? fit Will, sceptique.

– Parce que j'ai fait quelques recherches, ce matin. Voyez-vous, pour être en mesure de vaincre ses ennemis, il faut d'abord apprendre à les connaître… Cela dit, ne vous y trompez pas : ça a l'air beau comme ça, mais la lagune est fortement polluée. En 2004, la Société nationale d'oncologie a fait savoir que, de toute l'Italie, c'est à Venise qu'on enregistrait la prévalence la plus élevée de tumeurs malignes.

– Sympa…, commenta Gaïa en se bouchant le nez.

– C'est dû aux déchets de l'industrie pétrochimique, continua de pérorer Andrew, avant d'être interrompu par un flot de paroles en italien, émanant du pilote du *motoscafo*.

Le guide improvisé se tourna vers Gaïa.

– Qu'est-ce qu'il raconte ?

– Il dit qu'on est arrivés.

– C'est tout ? Voici une langue qui n'est guère économe de la salive de ses locuteurs…

– Et tu sais de quoi tu parles…, ironisa Will.

Le *motoscafo* s'était arrêté devant un perron en pierre de taille qui menait à l'entrée flanquée de colonnades d'un palais à la façade grise. Les trois compagnons mirent pied à terre et, constatant la présence d'une lourde cloche en cuivre, Andrew observa :

– Hum… pas d'interphone.

– Et pas non plus de système de reconnaissance olfactive…, renchérit Will. Pas étonnant qu'ils aient été cambriolés !

Dès que le pilote du *motoscafo* eut déposé les bagages sur les marches, Andrew actionna la cloche.

Un long moment s'écoula, pendant lequel Will examina les hautes fenêtres de chaque étage, les murs patinés par les siècles, la pierre noircie par la pollution d'un côté, blanche comme de la craie de l'autre. Une odeur de vase empuantissait l'air, sans doute à cause des herbes qui pourrissaient à hauteur de la marche la plus basse.

Lorsque la porte s'entrouvrit enfin, Andrew lança un « *Buon giorno* » plein d'entrain.

Un homme de grande taille, aux traits anguleux, dans un costume trois pièces sombre et souffrant d'une calvitie avancée, le contemplait sans sourire. À dire vrai, sans aucune expression.

Gaïa s'avança. Elle expliqua en italien qui ils étaient et pourquoi ils étaient venus, précisant que Cristina les avait invités.

– Vous férriez mioux dé parler au Signor Angelo, répondit enfin l'homme, avec un accent marqué.

– Angelo ? chuchota Gaïa à l'oreille d'Andrew. Tu connais ?

On les fit pénétrer dans un spacieux hall d'entrée. Surplombés de plafonds cintrés, deux escaliers s'élançaient vers les étages, l'un sur la gauche, l'autre sur la droite. Emboîtant le pas au domestique, Gaïa remarqua qu'une pancarte souhaitant la bienvenue avait été repoussée dans l'ombre.

– Le palais est ouvert aux visiteurs ? s'étonna Gaïa.

Le domestique poussait déjà une autre porte en bois sculpté, à la droite de l'atrium. Après une pause, le temps de la réflexion, l'homme répondit que, oui, le musée était ouvert le premier mardi du mois.

– Suivez-moi ! lança-t-il alors en les faisant entrer dans une grande salle – la plus somptueuse qu'Andrew lui-même ait jamais vue.

Des tableaux de maître dans des cadres dorés étaient accrochés à des murs revêtus de riches tentures ; des bas-reliefs en marbre représentaient des héros antiques surpassant leurs ennemis ; des bustes sculptés ornaient des étagères miniatures ; les canapés étaient garnis de soie vert bouteille.

– Si lé Signor Angelo est encorrr débout, jé vais loui informer que vous ssêtes ssici, fit le domestique.

Lorsqu'il eut disparu, Gaïa s'exclama :

– Superclasse, la baraque !

Will s'approcha des fenêtres à plombures pour se régaler du spectacle de l'activité incessante sur le Grand Canal.

Ils n'eurent pas longtemps à attendre. La porte se rouvrit.

– Bonsoir, fit une voix riche et onctueuse. Je suis Angelo, le frère de Cristina.

Pendant plusieurs secondes, personne n'ouvrit la bouche. Angelo semblait sorti d'un autre monde. Avec sa robe de chambre de soie bleu nuit, ses pantoufles assorties, ses cheveux noirs bouclés, ramenés en arrière avec de la brillantine, et son teint hâlé, on aurait cru une star de cinéma des années quarante.

Ses yeux étincelants se posèrent d'abord sur Andrew, puis sur Will, avant de s'attarder sur le grain de la peau de Gaïa et le jais de ses yeux... pour le plus grand déplaisir de Will.

La jeune fille fut la première à rompre le silence. Elle expliqua à Angelo que Cristina leur avait envoyé un message électronique dans lequel elle leur demandait d'enquêter sur le vol du coffret et les invitait à séjourner dans le *palazzo*.

– Ma sœur n'est pas là, répondit froidement Angelo.

– J'ai essayé de l'appeler, intervint Andrew, mais elle ne répond pas sur son portable. Ni aux messages électroniques, d'ailleurs. Savez-vous où elle se trouve ?

Angelo haussa les épaules.

– Pas la moindre idée. Sur la côte ? À l'étranger ? Nous avons beau être jumeaux, elle et moi, nous ne sommes pas siamois, vous comprenez ? Chacun est libre de ses mouvements. Vous dites que vous constituez un groupe appelé STORM ? Elle a mentionné quelque chose à ce sujet...

L'ombre d'un sourire se dessina sur ses lèvres charnues.

– Quelle est la racine carrée de 5 642 ?

– *Pardon ?!* s'écria Will.

– D'après ma sœur, vous êtes de brillants scientifiques. Alors, quelle est la racine carrée de... 7 856 ?

– Hum… 88 et quelque, répondit Andrew, décontenancé.

Angelo hocha la tête.

« Comme s'il connaissait la réponse ! » pesta Andrew en son for intérieur.

– Quel est le quatrième élément de la classification périodique en partant de la droite ?

– Quelle ligne ? demanda Gaïa.

Angelo hésita.

– Onzième.

– Pas de chance, il n'y en a que neuf ! triompha Gaïa.

– Alors, la quatrième !

– L'arsenic, fit Gaïa d'une voix d'outre-tombe.

Andrew et Will échangèrent des regards impatients.

– Écoutez, *Signor*, nous sommes vraiment qui nous prétendons être, *capisce* ? intervint Andrew. Sinon, comment serions-nous au courant de la disparition du coffret et de celle de votre sœur ? D'ailleurs, lui arrive-t-il souvent de… fuguer ?

Les larges épaules d'Angelo se haussèrent derechef.

– Comprenez : moi, j'aime organiser des fêtes, regarder la télé, voir mes amis. Mais Cristina est tellement sérieuse… Elle a toujours des projets. Elle est toujours partie par monts et par vaux, en train de faire des recherches, de travailler ou je ne sais quoi d'autre !

– Mais le coffret, intervint Will, il a bien été volé ?

– Disons qu'il a disparu, concéda Angelo. Cristina prétend avoir vu un fantôme. Quelle fadaise ! Si vous voulez mon avis, c'est elle qui l'a pris. Sinon, comment expliquer que les alarmes thermiques n'aient pas fonctionné ?

– Cristina l'aurait pris ?! s'insurgea Andrew.

Mais Angelo afficha une parfaite indifférence.

– Et vos parents, ils sont toujours à Rome, demanda Gaïa. Ils ne sont pas inquiets d'avoir été cambriolés ?

À sa grande surprise, Angelo ricana.

– Mon père est en train de mettre la dernière touche à un contrat qui vaut mille fois plus que le contenu de ce coffret. Alors, ce n'est pas sa priorité. La police a mené son enquête. Que peut-on faire de plus ?

– Vos parents ont-ils vu la vidéo ? demanda Andrew. Ont-ils vu la silhouette ?

Angelo soupira.

– Ils pensent que c'est Cristina qui a fabriqué cette vidéo.

– Pourtant, les journaux ont affirmé qu'un fantôme avait également dérobé un tableau à la galerie d'art moderne, insista Andrew.

Manifestement lassé par cette discussion, Angelo leva ses mains manucurées vers le ciel, en signe d'impuissance.

– *Mamma mia*, je vous présente les faits tels qu'ils

sont. Libre à vous de croire ce que vous voulez. Si vous le souhaitez, vous pouvez rester ici quelques jours. Peut-être Cristina va-t-elle rentrer. À vous de voir.

Andrew, Will et Gaïa se consultèrent du regard et hochèrent la tête.

— Nous vous sommes reconnaissants de votre hospitalité, lâcha Andrew en prenant sur lui pour être agréable avec ce dandy gominé.

Puis, à la manière de l'inspecteur Columbo, il plissa les yeux et…

— Oh, un instant, excusez-moi ! J'ai encore une question. Quelque chose qui me trotte dans la tête depuis que votre sœur a pris contact avec moi. Et j'ai beau me raisonner, ça me travaille, ça me tracasse, pour tout dire, ça me turlupine.

Angelo, quelque peu excédé, n'eut d'autre choix que de regarder Andrew dans les yeux.

— Je t'écoute, mon garçon. Pose ta question !

Par ce tutoiement, Angelo espérait bien désarçonner Andrew, mais il n'en fut rien. Celui-ci avança d'un pas vers le dandy pommadé et lui glissa :

— Qu'y avait-il donc à l'intérieur du coffret ?

Angelo eut un mouvement de recul.

— Ah… ! expira-t-il.

Une expression étrange apparut alors sur son visage.

— Vous tenez vraiment à le savoir… ?

– Oui, *Signor*, si ce n'est pas abuser de votre patience…

Angelo inspira fortement, pinça les lèvres, et ordonna :

– Alors, suivez-moi !

Angelo reconduisit le trio dans le hall d'entrée, au pied de l'escalier de gauche.

– Pour commencer, je vais vous montrer où vous pouvez – et où vous ne pouvez pas – circuler dans notre maison. Voyez-vous, dans chaque pièce, il y a des capteurs thermiques.

Du doigt, il indiqua un pavé numérique sur le mur.

– Celui-ci est pour l'atrium. Pour des raisons de sécurité, seuls ma famille et le domestique connaissent les codes. J'ai interdiction de les révéler à qui que ce soit, même aux invités. Vous pouvez aller dans les chambres que je vais vous montrer, ainsi que dans la salle de bains et la cuisine. Mais, sans moi, nulle part ailleurs. Même notre garage est équipé d'une alarme.

– Votre garage ? s'étonna Will. Mais votre palais ne donne-t-il pas directement sur le Grand Canal ?

Un sourire condescendant déforma les lèvres d'Angelo.

– Je vais vous laisser jeter un coup d'œil, si vous voulez.

Andrew sentit une sainte colère monter en lui. Ce parvenu, cet héritier d'une riche famille, n'avait jamais rien fait de ses dix doigts manucurés et il prenait des airs supérieurs. De quel droit ?

Néanmoins, il ravala sa rancœur et suivit le petit groupe de l'autre côté d'une lourde porte en bois, dans une vaste salle éclairée par des néons. En face, tout au fond, se trouvait un portail coulissant. Et sur l'eau, six bateaux à moteur ballottaient mollement.

– Bienvenue à Venise ! lança Angelo, amusé par la réaction des nouveaux venus. Ici, on se déplace en bateau.

« Pas possible ! » songea Andrew, qui bouillonnait intérieurement.

Will contemplait les engins avec des yeux d'enfant devant un sapin de Noël. Il en reconnut au moins deux : un Hinckley habillé de Kevlar et de verre et, juste à côté, un luxueux Azimut avec un pont en teck.

Puis il suivit Andrew, qui s'était dirigé tout droit vers le clou de la collection : huit mètres de long, en forme de flèche, noir de jais avec une seule bande dorée, ce bateau ne ressemblait à aucun autre. Un concentré de puissance à l'état pur avec un intérieur tout de cuir et de fibre composite noirs, dorures en prime.

– Qu'est-ce que c'est que cette merveille ? fit Will.

– C'est le mien, répondit Angelo. Fabriqué par une vénérable compagnie de Côme, conformément à mes spécifications. Propulsé grâce à la force motrice de l'eau éjectée au niveau de la poupe, il peut atteindre soixante-cinq nœuds. Et ça, c'est du dix-huit carats. *Massif.*

Il pointait le doigt vers une grosse manette ronde, dont Will devina qu'elle servait à piloter l'engin.

– Soixante-cinq nœuds, cela équivaut à… cent dix kilomètres-heure environ, calcula Andrew. Je pensais que la limite de vitesse était fixée à quinze nœuds sur la lagune ?

Angelo lui adressa un regard si dédaigneux que les joues d'Andrew s'empourprèrent. Mais pas de colère, cette fois. Plutôt de gêne. Puis Angelo se tourna vers Gaïa.

– Je l'ai baptisé *Vénus* : la déesse de la lagune. Est-ce que ça t'intéresserait de faire un tour dedans ?

– Pourquoi pas ? répondit Gaïa d'un ton évasif.

Le beau front d'Angelo se plissa. Will se dit que la réponse réservée de Gaïa l'avait vexé. Instantanément, Angelo affecta de nouveau l'ennui.

– Venez ! lança-t-il vivement.

Avant de quitter le garage, Will ne put résister : il jeta un dernier regard vers Vénus, qui luisait dans la pénombre, les flancs marbrés comme ceux d'un cheval de course, la plus belle machine qu'il ait jamais contemplée…

Angelo entraîna Will, Andrew et Gaïa vers le premier étage, avec son couloir sombre et ses lustres éteints, puis vers le deuxième et le troisième. Au quatrième, il s'arrêta. Il pointa le doigt vers la gauche. Will dénombra quatre portes peintes en blanc avec des poignées dorées.

– Les deux premières sont vos chambres, dit Angelo. Vous y trouverez vos bagages.

Puis il tourna vers la droite, dépassa une autre porte blanche et s'arrêta. Masquant le pavé numérique d'une main, il tapa une série de chiffres. Puis il poussa la porte.

– Voici le musée de mon père.

Le décor était familier. Will le reconnut d'emblée. Mais il put en apprécier les détails beaucoup mieux que sur la vidéo. Le tableau représentait un chevalier en armure et en selle. Le papier peint était floqué. L'oiseau empaillé était une sorte de perroquet.

– C'est bien là que se trouvait le coffret ? demanda Will en indiquant la vitrine la plus éloignée de lui.

Angelo hocha la tête. Aussitôt, Will se dirigea vers la vitrine. Ses yeux se posèrent d'abord sur le tapis aux riches motifs, puis sur le sol au pied de la fenêtre. Il ne restait plus aucune trace de poudre.

En se retournant, Will s'aperçut qu'Angelo montrait à Gaïa un jeu d'échecs en gemme et qu'Andrew relaçait un de ses souliers. Tout en se rapprochant de Gaïa, Angelo précisa :

– C'est de la turquoise.

Irrité, Will regarda Andrew, qui venait de poser un doigt sur ses lèvres. Soudain, ce dernier passa la main sous le canapé et en sortit quelque chose. Juste à ce moment, Angelo se tourna pour brandir un fou en turquoise translucide vers le lustre.

– Qu'est-ce que c'est ? demanda Will en pointant un doigt vers le tapis pour attirer l'attention d'Angelo dans l'autre direction et donner ainsi à Andrew le temps de fourrer dans sa poche ce qu'il venait de trouver.

– Un tapis, répondit Angelo d'un ton glacial.

– Revenons au coffret, intervint Gaïa. Qu'y avait-il à l'intérieur ?

Elle en profita pour s'éloigner d'Angelo et se rapprocher d'Andrew.

– Un lion en or. Incrusté de pierres précieuses. Il avait une valeur toute particulière aux yeux de ma mère. Et pour Cristina. Mais mon père ne l'exposait que parce qu'il se sentait obligé de le faire, pas parce qu'il l'appréciait. Maintenant, permettez-moi de vous conduire jusqu'à vos chambres.

Juste avant de sortir du musée, Andrew croisa le regard de Will, tapota sa poche et adressa un clin d'œil à son ami.

7

– C'est un agenda électronique, annonça Andrew.

Will était assis au bord d'un lit simple, qui n'en atteignait pas moins une taille majestueuse. En fer forgé, sa tête et ses pieds croulaient sous les ornementations dorées à l'or fin.

– Et après ? s'impatienta Will.

– La mémoire a été effacée, répondit Andrew en tripotant le PDA. On peut l'allumer, mais rien à l'intérieur.

– Mettons, dit Gaïa. Mais quel rapport avec le fantôme de Cristina ?

– Je n'en suis pas sûr, fit Andrew. Toutefois, m'est avis qu'il y a là anguille sous roche.

– Il appartient peut-être à Cristina, ou à son père. Il est peut-être tombé de leur poche, suggéra Will.

– La mémoire n'aurait pas été effacée, persista Andrew.

Will secoua la tête énergiquement.

– Moi, *m'est avis* que ce PDA n'a rien à voir là-dedans. Il ne nous est d'aucune utilité.

Imperturbable, Andrew ôta ses lunettes et entreprit de les essuyer soigneusement avec une manche de son chandail.

– Bien, alors, il serait temps que nous définissions nos priorités. J'imagine que nous sommes au moins d'accord sur un point : l'objectif numéro un, c'est de retrouver Cristina. Si elle est partie à la recherche de son voleur, elle court un danger. C'est une hypothèse d'autant plus recevable que Cristina ne répond à aucune tentative de communication, par quelque moyen que ce soit. Et comme Angelo ignore où elle est, nous devons trouver des indices ailleurs.

– Des propositions ? interrogea Will.

– Son ordinateur, par exemple. Elle a peut-être envoyé un message électronique à quelqu'un pour dire où elle allait. Elle tient peut-être un journal intime. Bien sûr, nous ne pouvons pas entrer dans sa chambre sans le code…

– Nous pourrions demander à Angelo ? Si nous lui expliquions pourquoi nous voulons y accéder, il nous laisserait entrer, fit valoir Gaïa.

– Peut-être, oui, acquiesça Will. Mais j'ai tout ce matériel dernier cri avec moi, ajouta-t-il en se tournant vers Andrew. Alors, avons-nous vraiment besoin de lui ?

Un large sourire éclaira le visage de l'informaticien.

– En effet, qui pourrait avoir besoin d'Angelo alors que nous avons l'Inventeur sous la main ? Et puis, ce serait l'occasion rêvée de tester les dispositifs sur le terrain.

– Ce serait plus rapide de demander à Angelo, persista Gaïa en haussant un sourcil.

– Pas nécessairement, fit Will.

– Nous ne savons même pas où est sa chambre, fit encore observer la jeune fille.

– Dans son message, répondit Andrew, elle m'a indiqué que, ayant entendu du bruit, elle s'était précipitée « dans la pièce voisine ». Or, si vous vous en souvenez, le musée était la dernière pièce de ce côté-ci du couloir. Donc, sa chambre doit être…

– … derrière ce mur, conclut Will en désignant la cloison qui se trouvait dans le dos d'Andrew.

Will passa en revue mentalement le contenu de son fourre-tout noir. Que pourrait-il mettre à profit en la circonstance ?

– Est-ce que la Pince-à-sucre peut débrancher les capteurs thermiques ? demanda Andrew.

– Pas sans déclencher l'alarme.

– Et... Ratty ? fit Gaïa.

– Il serait repéré par les capteurs thermiques.

— Certes, mais avec la télévision en circuit fermé, ils ne verraient qu'un… rat.

Andrew fit claquer plusieurs fois sa langue contre son palais.

— Voyons, Gaïa ! Ratty ne peut pas allumer un ordi. Et si les alarmes se déclenchent, c'est nous qui serons faits comme des rats !

Mais Will ne les écoutait plus. Il contemplait la cheminée. Soudain, il sortit le Plein-la-vue de son sac, se mit à genoux dans l'âtre et se démancha le cou pour regarder vers le haut du conduit. Une fois dans cette position, il pressa sur la détente et activa le rayon laser.

— Le conduit de la cheminée n'est pas encombré, constata-t-il. C'est parfait.

Il se releva et se tourna vers ses deux compagnons.

— J'ai la solution : nous allons envoyer Ratty par la cheminée avec la Pince-à-sucre sur le dos !

Andrew et Gaïa, médusés, écarquillèrent les yeux.

— Je n'aurai qu'à l'accrocher en repliant ses tentacules autour du ventre de Ratty, et lui pourra escalader le conduit grâce à ses coussinets adhésifs ! expliqua Will.

— Mais ça ne règle pas le problème des capteurs, fit observer Andrew, fine mouche.

— Ah, mais c'est que Ratty ne redescendra pas jusque dans l'âtre de la cheminée de Cristina. La

Pince-à-sucre se décrochera, traversera la pièce jusqu'à l'ordi. Avec la télécommande, je lui ferai allumer la machine et l'une des caméras logée dans ses bras me transmettra ce qui apparaîtra sur l'écran. Les capteurs n'y verront que du feu mais nous n'aurons pas eu chaud !

Andrew et Gaïa levèrent les yeux au ciel.

– Ben quoi ? … Le feu… la chaleur… les capteurs… non ?

– Will, je t'en conjure, très cher ami : cesse de t'essayer aux jeux de langage. Tiens-t'en à tes inventions ! Cela dit, j'admets que ton plan est magnifiquement conçu.

Will inclina modestement la tête.

– Mais foin des palabres ! Passons à l'action ! s'écria Andrew. J'attends tes instructions.

Aussitôt, Will lui lança la télécommande de la Pince-à-sucre, ainsi que l'écran sur lequel s'afficherait ce que la caméra filmerait. Puis il déposa Ratty dans la cheminée et se releva en se caressant le menton.

– Je me demande si nous ne pourrions pas faire d'une pierre trois coups, dit-il alors à mi-voix.

– Nous t'écoutons, répondit Andrew, l'oreille tendue.

– Eh bien – *un* – pendant que nous essayons de trouver des infos sur l'ordi de Cristina, il serait bon – *deux* – de tenir Angelo occupé ailleurs, histoire qu'il ne débarque pas à l'improviste quand

nous serons en train de nous immiscer dans la vie privée de sa sœur. Et je me disais juste que si...
– *trois* – Gaïa acceptait d'aller lui tirer les vers du nez...

La jeune fille se raidit instantanément. Will n'aimait pas beaucoup cette idée non plus, mais... à la guerre comme à la guerre !

– ... Nous en apprendrions peut-être davantage. Voyez-vous, je trouve fort étrange qu'il ne sache rien de rien. Cristina lui a parlé de nous, alors elle a peut-être mentionné autre chose par la même occasion. Quelque chose qui pourrait nous être utile même si ça ne l'a pas frappé, lui.

– Pourquoi me parlerait-il à moi plus qu'à vous ? demanda Gaïa, la lippe boudeuse.

Andrew et Will échangèrent des regards entendus.

– Vous voulez dire... parce que je suis une fille ?

C'est Andrew qui se dévoua pour croiser le regard courroucé de l'adolescente et lui répondre.

– Ne fais pas l'innocente ! Tu sais aussi bien que moi que les lois de la biologie sont aussi immuables que celles de la physique. Et ce jeune Roméo ne demande qu'à t'épater !

La dernière chose que désirait Gaïa, c'était passer du temps avec Angelo et « l'épater ». Indiscutablement, il avait du charme, mais son arrogance la laissait de marbre. Il était tellement différent d'Andrew... et de Will. Gaïa n'était pas d'humeur à frayer avec un type comme cet Angelo de malheur. Elle avait d'autres préoccupations...

Deux jours plus tôt, son père avait été admis à l'hôpital Saint-Thomas. Sa demi-sœur, Amelia, avait fait le voyage depuis Édimbourg pour « veiller sur Gaïa ». Cette femme qui pratiquait l'exercice physique comme d'autres la religion ressemblait à un sparadrap monté sur échasses. Pour tout arranger, elle n'avait jamais aimé la mère de Gaïa. Et le comble, c'est que la jeune fille avait dû réconforter cette « demi-tante », car cette dernière se faisait du mouron pour son demi-frère. Comme si Gaïa ne s'en faisait déjà pas assez elle-même, du mouron !

Lorsqu'elle avait annoncé qu'elle quittait Londres pour quelques jours avec son baluchon sur le dos, les yeux d'Amelia avaient décoché des éclairs. Elle avait néanmoins accepté d'appeler Gaïa si l'état de santé de son père se dégradait. Jusqu'alors, le téléphone n'avait pas sonné.

Elle atteignit le rez-de-chaussée, la tête envahie par des images de son père, par sa voix aussi. Comment s'en étonner ? Elle se trouvait à vingt kilomètres à peine du lieu où il était né...

Inconsciemment, elle espérait qu'Angelo serait déjà couché. Mais lorsqu'elle approcha du garage, elle aperçut une diode électroluminescente verte sur le pavé numérique, indiquant que l'alarme thermique était désactivée.

À l'intérieur, Gaïa trouva Angelo assis, pensif, dans son bateau noir et or, un livre à la main.

Un roman ? De la poésie italienne ?

Quelque part, Gaïa en doutait.

– Bonsoir.

Il leva les yeux. Son visage s'éclaircit d'un demi-sourire.

– Tes amis ne sont pas avec toi ?

– Ils déballent leurs affaires.

– Alors, approche ! Je vais te faire visiter *Vénus*. C'est le bien que j'ai acquis le plus récemment. Le plus précieux aussi.

Le sourire se fit franc et massif, comme l'or de la manette. Comme elle hésitait, il insista d'un signe de la main.

À contrecœur, Gaïa s'avança vers le bateau, dont la coque scintillait sous l'effet de la lumière réfléchie par l'eau verdâtre. Elle découvrit avec consternation que le livre que tenait Angelo n'était autre que le manuel d'entretien.

Angelo lui tendit une main qu'elle évita de saisir. L'eau de Cologne dont il s'était aspergé se mêla soudain aux remugles d'eau croupie : Gaïa sentit son estomac se soulever. Elle se concentra sur les dorures et sur les sièges en cuir.

– Alors, comme ça, Cristina ne vous a rien laissé entendre de l'endroit où elle allait ?

Le sourire d'Angelo se rétracta aussitôt.

– Je vous l'ai déjà dit : non. La police est venue. Comme ils n'avaient aucun indice, Cristina m'a dit qu'elle avait contacté un garçon à Londres qui travaillait avec une organisation appelée STORM. Elle a mentionné que vous étiez de brillants scientifiques. Trois jours plus tard, elle est partie. Mais je vous l'ai dit : ça lui arrive souvent. Alors je ne me suis pas inquiété. Et puis, je ne suis pas son tuteur.

Il marqua une pause et ses yeux noirs se plissèrent.

– Mais dis-moi… En quoi êtes-vous si brillants ? Que font les membres de STORM, exactement ?

« Si tu allais voir là-haut, songea Gaïa, tu en aurais un exemple. Et tu ne serais pas déçu ! »

– Bon sang !

Andrew venait de comprendre que Cristina avait utilisé un codage très sophistiqué pour empêcher quiconque d'accéder à sa messagerie électronique. Il lui avait fallu six minutes pour en arriver là et il se trouvait dans une impasse.

– Peux-tu cracker ce code ? demanda Will.

– Non, c'est sa spécialité à elle, répondit Andrew sans lever les yeux. Mais je pourrais peut-être accéder aux fichiers supprimés.

– Comment ?

– Je dois pouvoir télécharger un logiciel qui me

permettra ensuite de reconstruire la table d'allocations de fichiers.

– Ce qui veut dire, en langage compréhensible ?

– Que le logiciel m'indiquera où se trouvent les fichiers qui ont été supprimés.

– Euh… quel intérêt ? risqua encore Will.

Mais cette fois, Andrew se contenta de hausser les épaules. Will dut s'en contenter, lui aussi.

Il venait d'expédier Ratty en balade sur le toit rouge du *palazzo*, le temps pour la Pince-à-sucre de s'acquitter de sa mission. Il ne restait plus à Will qu'à attendre – de préférence sans poser de question.

Son regard se promena sur les étagères qui tapissaient le mur de l'alcôve située de l'autre côté de la chambre d'amis.

Là, posé devant une dizaine de tomes consacrés à l'histoire de l'Empire romain, il aperçut un cadre en argent massif qui contenait une photo. Will se leva pour aller la regarder de plus près. À en juger par l'apparence d'Angelo, la photo avait été prise récemment. Le visage glabre, les cheveux lissés en arrière, il contemplait l'objectif d'un air maussade, un bras passé autour de la taille de ce que Will devinait être sa mère, l'autre autour de l'épaule d'une jeune fille mince. Une chevelure de jais tombait en cascade sur ses épaules. Elle avait de grands yeux en amande, rendus tourbeux par l'abus de kôhl. Des lèvres rubis dessinaient un large sourire.

Cristina, pour sûr.

Elle était belle.

Puis les yeux de Will furent accrochés par un volume très ancien, en anglais, intitulé *How to Build your own Steam Engine* – comment construire son propre moteur à vapeur. Will s'en saisit et le feuilleta. Chaque étape était décrite avec minutie. Si seulement il avait eu cet ouvrage en main dans le Dorset ! Il ne tarda pas être emporté par sa lecture. Les minutes passèrent. De temps en temps, il entendait Andrew griffonner quelque chose sur un calepin.

Puis la porte s'ouvrit d'un coup. Will sursauta.

– J'ai dit à Angelo que j'allais me coucher ! Vous n'avez pas encore fini ?

La tête d'Andrew pivota sur son cou maigrelet. Ses yeux bleus irradiaient la satisfaction.

– Si, Gaïa, nous avons terminé. Will, tu peux ramener la Pince-à-sucre. J'ai trouvé quelque chose de très intéressant…

8

– Je pense savoir où Cristina est allée, déclara Andrew, cependant que Will détachait délicatement la Pince-à-sucre du ventre de Ratty. J'ai réussi à récupérer des notes qu'elle avait supprimées. Des récits de fantômes, des articles de journaux... La dernière en date mentionne « Le Maître, *Isola delle Fantasme* ».

Gaïa vint s'asseoir face à Andrew.

– Isola delle Fantasme... l'Île des fantômes ?

– Un tel endroit existe-t-il vraiment ? demanda Will.

– Oui, j'ai vérifié dans Google. La lagune est parsemée d'une quarantaine d'îles. Certaines sont privées, comme celle-là. On n'y trouve qu'un château du XVe siècle, qui a servi d'hôpital psychiatrique pour les femmes pendant un temps. Avant la construction du château, il y avait un hospice pour les pèlerins de retour du Moyen-Orient. C'est censé être l'endroit le plus hanté de Venise. Il y a deux mois, la police a débarqué au château car plusieurs enfants étaient portés disparus. L'un d'entre eux, le fils d'un homme d'affaires du coin, avait confié à un ami qu'il allait sur l'île pour se joindre à un groupe d'illuminés pratiquant le culte des fantômes.

— Le « culte des fantômes » ? fit Gaïa, interloquée.

— Eh oui, très chère. J'ai creusé la question et il s'avère que les journaux regorgent de papiers croustillants, en particulier sur les cultes sataniques. Tout récemment, le grand prêtre d'un de ces cultes a été jeté en prison pour avoir enterré vivante une femme. Apparemment, le « Maître » de l'Île des fantômes prétend pouvoir entrer en contact avec « l'au-delà ». Et il recrute surtout des enfants qui ont perdu leur famille.

Will se tourna vers Gaïa. Les paroles d'Andrew lui étaient allées droit au cœur. En avait-il été de même pour elle ? Lui avait perdu son père. Elle avait perdu sa mère…

Mais si elle sentit le regard de Will se poser sur elle, Gaïa ne le croisa pas.

— Pourquoi n'a-t-on pas mis un terme à ce culte ? demanda-t-elle.

— Oh, la police a essayé, répondit Andrew. Il y a environ deux mois, la mer a rejeté un corps sur la plage de l'île voisine. Selon les journaux, le cadavre était défiguré et dans un tel état qu'il a été impossible de l'identifier même avec des tests ADN.

– J'en ai entendu parler, confirma Will. Mais l'article ne mentionnait pas l'Île des fantômes.

Le visage de Gaïa s'était crispé.

– Alors, personne n'a signalé la disparition de cet enfant ? C'est incroyable ! Et que veux-tu dire par « défiguré » ?

– Euh… à vrai dire, je ne sais pas trop. J'ai utilisé un moteur de traduction automatique, alors tous les doutes sont permis quant au résultat final ! Tu devrais lire toi-même les articles. En tout cas, il est dit que la police s'est rendue sur l'île et a fait chou blanc. Elle n'a trouvé que le propriétaire.

– Alors, il existe ce culte, oui ou non ?

Andrew haussa les épaules.

– Non, si l'on en croit la police.

– Mais comment es-tu sûr que Cristina est allée là-bas ?

– Je n'ai aucune certitude, mais c'est hautement probable : elle est persuadée d'avoir vu un fantôme et elle a écrit « le Maître », censément le nom du chef de ce culte.

– Alors ? Quelle est la prochaine étape ? demanda Will.

– Il me semble que les options qui s'offrent à nous sont en nombre très limité, fit Andrew d'une voix sombre.

Gaïa réfléchit un instant, puis avança qu'il serait peut-être plus sage de retourner voir la police pour lui dire que Cristina s'était rendue sur l'île.

— Je doute que les *carabinieri* y remettent les pieds, répondit Andrew. S'ils n'ont rien trouvé la première fois... Et je ne crois pas qu'ils feraient de nouveau le déplacement juste pour tes beaux yeux... Si ça se trouve, Angelo ne confirmerait même pas nos dires.

— Nous pourrions essayer...

— Non, non. La police nous dira d'attendre quarante-huit heures et de reprendre contact si Cristina n'est toujours pas de retour. Et pendant ce temps-là, si l'île est vraiment le siège d'un culte satanique et qu'elle s'y trouve, elle sera exposée à tous les dangers. Je suggère que nous allions y voir de plus près. Will, qu'en dis-tu ?

Ce dernier hésitait. Andrew était convaincu. Gaïa, pas vraiment. Il lui fallait trancher. Il finit par hocher la tête, à la grande satisfaction d'Andrew, qui se tourna alors vers Gaïa.

— Tu seras de l'expédition, toi aussi ?

— Ai-je vraiment le choix ? rétorqua-t-elle. Où est-ce ?

Andrew bomba le torse, fier de lui.

— J'ai téléchargé une carte, annonça-t-il en mettant l'oculaire en place.

Une image de la lagune se matérialisa à vingt centimètres devant lui.

– Ce n'est pas loin d'ici. Environ quinze minutes en bateau.

– O.K. On y va comment ? interrogea Gaïa.

– Nous pourrions prendre un bateau-taxi ou...

Une expression malicieuse apparut dans ses yeux bleus.

Gaïa devina sur-le-champ où il voulait en venir.

– Pas question ! s'insurgea-t-elle.

Accoudé sur le vieux bureau en acajou de son père, Rudolfo sourit – si l'on pouvait qualifier de sourire l'expression de cette bouche aux lèvres si pincées qu'elle ressemblait à une fente. Ses lourdes paupières s'abaissèrent.

Rudolfo replaça le combiné noir et griffonna deux sommes sur une feuille blanche. $1 million. $10 millions.

Un million pour le lion ailé et 10 millions pour le Klimt. C'était plus qu'assez. Le Maître serait content.

Il commanderait le nouvel équipement sans délai. S'il était expédié le soir même, il arriverait sur l'île le lendemain matin. Le Maître atteindrait peut-être son objectif, même si le temps était compté...

Et peut-être qu'alors il s'en irait.

Une pensée guère charitable, se blâma intérieurement Rudolfo. Après tout, le Maître faisait partie de la famille.

Mais le propriétaire des lieux ne pouvait nier

que, depuis son arrivée, ses activités *inhabituelles* perturbaient grandement son existence. Aimait-il le Maître ? Non. Le respectait-il ? Oui. Le révérait-il ? Non. Car il connaissait sa vraie nature. Celle d'un être obsessionnel, menteur et manipulateur.

Rudolfo n'aimait pas particulièrement les enfants. Pourtant, il avait été contrarié par le résultat de certaines *expériences* qu'avait menées le Maître. Certes, les gamins s'étaient portés volontaires et n'avaient pas subi de pression. Ils faisaient confiance au Maître. Mais bien mal leur en avait pris...

Et Rudolfo de se remémorer l'épisode qui s'était déroulé deux heures plus tôt, lorsque son parent importun avait posé les yeux sur la nouvelle recrue. La belle jeune fille aux cheveux longs et noirs.

Rudolfo regarda tout autour de lui. Le contenu familier de la pièce le rassurait. Le générateur d'infrasons. Les ouvrages de William James, Arthur Koestler et Robert Morris. Les cartes de Zener, avec leurs carrés, leurs étoiles et leurs cercles, utilisées pour mesurer le degré de clairvoyance des individus. Rudolfo avait suivi une formation en parapsychologie afin de pouvoir enquêter sur les phénomènes étranges et surnaturels.

Il ouvrit le tiroir du haut de son bureau. À l'intérieur se trouvaient les plans d'origine du château, que le Maître avait insisté pour étudier, et à bon escient, car ils lui avaient permis d'échapper à la police. Sur le dessus se trouvait un morceau de papier sur lequel était inscrit le numéro de téléphone de l'Institut de physique quantique.

Rudolfo hésita. Il saisit le combiné et composa le numéro d'un des postes du château. Il laissa sonner deux fois, trois fois, quatre fois...

– *Qu'est-ce qu'il y a ?* aboya le Maître à l'autre bout du fil.

Il avait l'air furieux d'être dérangé.

– Je... je..., Rudolfo rougit de sa propre nervosité.

Après tout, c'était quand même *son* château *à lui* !

– Euh... Hum... Maître, le lion s'est vendu pour un million de dollars et le tableau pour dix !

Il y eut une pause.

– C'est une bonne nouvelle.

Une onde de soulagement parcourut le corps de Rudolfo.

– Oui, Maître. Je commande l'équipement tout de suite.

– Très bien. Et dis-leur que c'est urgent ! Tu sais quand débute la réunion !

– Oui, Maître, je leur dirai que c'est urgent. Le matériel sera là à temps. Je suis sûr qu'ils l'expédieront par avion...

– Je me moque de savoir par quel moyen il va arriver, vociféra le Maître. Raccroche et passe la commande !

Rudolfo fut pris de tremblements. Pendant de longues secondes, il écouta la tonalité, puis replaça le combiné.

– C'est ent… entend… entendu, M… Maître…

Toujours secoué de tremblements, il composa le numéro de l'institut, situé en Suisse, non loin de la frontière italienne.

– Allô ? C'est Rudolfo. J'ai les fonds. Expédiez immédiatement le matériel pour des expériences urgentes !

On lui répondit deux mots :

– Six heures.

Le correspondant raccrocha et Rudolfo se trouva derechef l'oreille vissée à la tonalité.

Le Maître l'avait juré : dès qu'il aurait accompli sa mission, il disparaîtrait. Personne ne retrouverait sa trace. Maintenant, ils avaient l'argent et les dernières pièces d'équipement étaient en route. Ils seraient prêts à temps.

Le lendemain, le Maître réaliserait son plan. Puis il partirait et la vie reprendrait son cours normal.

Rudolfo avait la gorge nouée. Le stress, songea-t-il. Il fallait qu'il boive quelque chose. Il ouvrit la porte du bureau d'un coup de pied et se hâta vers la cuisine.

Il ne remarqua pas la silhouette d'une jeune fille aux cheveux longs et noirs, qui était tapie dans l'ombre.

9

– Dépêchez-vous !

Gaïa avait l'œil collé contre une minuscule fente dans la porte du garage, à travers laquelle elle surveillait le hall d'entrée.

Derrière elle, Will attendait impatiemment, le sac à dos noir de Gaïa sur l'épaule. Il en avait ôté les vêtements de la jeune fille avant d'y placer les dispositifs contenus dans son fourre-tout, qui était dépourvu de bretelles.

Par terre, à côté de lui, se trouvait un autre sac à dos, celui qu'Andrew avait glissé dans sa valise avant de partir de chez lui. À l'intérieur se trouvait du « matos » qui pourrait leur être utile, d'après l'informaticien.

À bord de la *Vénus*, Andrew se concentrait sur l'image virtuelle qu'il contemplait à travers l'oculaire.

– Allez, alleeeeezzzzz…, murmura-t-il. Que c'est lent !

– Tu sais que c'est du vol ? lui chuchota Gaïa, ébahie de constater qu'Andrew était capable de faire une telle entorse à ses beaux principes.

Certes, le millionnaire donnait à tous des leçons quant à la nécessité de réduire son « empreinte écologique » et il se baladait en SmarTruck. Mais de là à commettre un vol !

– Non, c'est un emprunt, corrigea Andrew, vexé.

– Quitte à emprunter un bateau, pourquoi ne pas prendre un de ceux dont la clef est sur le contact ? répliqua Gaïa.

Les deux garçons échangèrent des regards complices. La réponse à cette question n'était-elle pas… évidente ?

– Tu es sûr de pouvoir t'introduire dans l'ordi de bord ? murmura Will.

– Je t'ai dit que oui, s'impatienta Andrew. Il me faut juste un peu de temps.

– Pas trop quand même ! Angelo adore son bateau. Il pourrait revenir d'une minute à l'autre, marmonna Gaïa.

Andrew balaya ces paroles d'un revers de manche. Tout véhicule doté exclusivement d'un système de protection sans fil était exposé à toutes sortes de tentatives d'intrusion. Certes, le décodage prenait un moment. Mais il lui fallait juste encore quelques instants et…

… Le moteur se mit à gronder, formant un bouil-lonnement à la surface de l'eau. Andrew afficha un sourire triomphant.

Aussitôt, Gaïa se précipita vers le bateau et sauta à l'arrière, où elle s'installa sur la confortable ban-quette de cuir noir. Will lui lança le sac d'Andrew, puis le sien. Il releva l'ancre de veille et alla prendre place derrière la manette de commande.

Andrew releva l'oculaire jusqu'à hauteur du front et remit ses lunettes.

— Sérieusement, tu es capable de piloter cet engin ? demanda-t-il à Will.

— Je n'ai jamais essayé, avoua ce dernier en se frottant les mains.

Il n'avait jamais conduit de voiture non plus, mais il avait une fois pris le manche à balai du vieux Cessna T-37 de son père pour voler au-dessus du Dorset. De plus, la manette ressemblait à un joystick de jeu électronique : ce ne devait pas être bien compliqué ! Il appliqua une pression vers l'arrière et, comme de juste, la *Vénus* glissa à reculons.

— Au fait, on sort comment du garage ? demanda Andrew.

C'est alors qu'il entendit un cri. Il tourna la tête et découvrit Angelo, sur l'appontement de béton.

— *Mamma mia ! Ma che cazzo stai combi-nando ?*

— On sort comment du garage ?! répéta Andrew, paniqué.

Gaïa regardait autour d'elle désespérément.

– *Lo mio battello ! Ladri ! Ladri !* s'époumonait Angelo, qui avait entrepris de contourner les autres bateaux au pas de course dans l'espoir de trouver un point depuis lequel il pourrait s'élancer vers sa chère Vénus avant que ces voyous ne la lui dérobent au nez et à la barbe.

– Là-haut ! s'exclama Will.

Sur le mur près de la porte du garage, à environ un mètre vingt de hauteur, se trouvait un boîtier noir circulaire d'où sortait un bouton vert. Will fit pivoter le bateau pour que Gaïa puisse étendre la main vers le bouton et l'enfoncer. Elle ne se retourna pas. Elle ne voulait pas regarder Angelo.

– Non ! Attendez ! ordonna ce dernier, livide.

– Nous ne faisons que vous l'emprunter, répondit Andrew en guise d'excuse. Nous vous le rendrons avec des intérêts. Vous nous remercierez plus tard...

Une fois dans le Grand Canal, Will mit le cap sur la place Saint-Marc. Le moteur commença à ronronner et la *Vénus* à glisser sur les flots malodorants dans un doux clapotis. Andrew, Will et Gaïa se détendirent quelque peu : ils étaient à Venise, la nuit, dans un bateau futuriste, sur la piste d'une jeune fille disparue et de mystérieux fantômes.

– C'est le rêve, quoi, non ? commenta Andrew,

qui humait déjà l'air du large. Regardez ! Nous approchons du Rialto, le pont le plus célèbre de Venise !

Des badauds admiratifs poussèrent des cris sur leur passage et le trio leur répondit en agitant les bras... y compris Will, qui lâcha un instant le joystick. Par réflexe, les trois marins d'eau douce baissèrent la tête en passant sous le Rialto, de crainte de heurter l'arche.

Will maîtrisait parfaitement l'embarcation, à ceci près que la manette de commande était très sensible, ce qui rendait les erreurs de pilotage d'autant plus faciles à commettre. En longeant le palais Venier di Leoni, qui abrite la célèbre collection Peggy Guggenheim, Will accrocha une *palina* à spirale rouge avec l'arrière du bateau.

– Tu veux peut-être que je prenne les commandes, finalement ? persifla Andrew.

– Oh, fais-moi confiance ! C'est à peine une égratignure, grommela Will en se retournant vers Gaïa. Il y a du dégât ? demanda-t-il quand même.

La jeune fille s'agrippa au dossier de la banquette en cuir et se pencha par-dessus bord pour vérifier l'arrière de la coque.

– Pas de souci. Même pas de petit bobo.

Will darda un sourire vengeur à l'adresse d'Andrew.

– Hum... de grâce, n'oublie pas que ce bateau est

un *emprunt*, fit ce dernier en remontant ses lunettes sur son nez.

— Will ! Will !!

Cette fois, c'était la voix de Gaïa. Et elle trahissait une inquiétude aussi vive que subite.

— Will ! Accélère !! Angelo nous poursuit. Il est dans cette vedette en bois, là-bas.

Will se retourna.

— Tu peux me croire sur parole ! persista Gaïa. Plus vite !

Will inspira fortement.

— Je te rappelle que la vitesse est limitée à huit nœuds, fit Andrew d'un ton doctoral. La dernière chose que nous voulons, c'est être arrêtés par la police...

— ... Ils ne m'attraperont pas, promit Will. Accrochez-vous !

Et il poussa la manette à fond vers l'avant. Aussitôt, la *Vénus* bondit dans une gerbe d'écume, fendant les flots de sa coque aérodynamique. La vitesse qu'elle atteignit alors était presque irréelle. Will n'eut qu'à effleurer la manette pour prendre le dernier virage du Grand Canal, se faufilant entre deux *vaporetti* chargés de touristes éberlués.

Enfin, Will aperçut les lumières sur la terrasse du palais des Gritti. Ils y étaient presque ! Presque au bout du Grand Canal... Sur leur gauche se dressait fièrement le campanile de la place Saint-Marc.

– Où est Angelo ? demanda Will en hurlant pour couvrir le bruit du moteur.

Andrew se tourna vers Gaïa, qui scrutait le sillage de la *Vénus*. Elle répondit par-dessus son épaule.

– Il était là, mais je ne le vois plus. Il doit être caché par un *vaporetto*.

Malgré lui, Andrew ne put retenir un sourire.

– Vas-y, Will, mets les gaz ! Si Gaïa ne peut pas l'apercevoir, il n'a aucune chance de nous rattraper.

Et ils émergèrent du Grand Canal. Devant eux s'étendait une vaste étendue moirée, piquetée des lumières dispensées par balises et bateaux. Will poussa sur la manette de toutes ses forces et il entendit Gaïa pousser un petit cri : elle venait d'être projetée en arrière sur sa banquette et avait atterri sur le plancher les quatre fers en l'air, cependant que la *Vénus* filait telle une fusée à travers la lagune.

– Tu crois qu'une tierce personne a pu nous voir ?

Andrew s'était exprimé à mi-voix. La *Vénus* n'était plus qu'à quelques encablures de l'Île des fantômes.

Andrew l'avait repérée deux minutes plus tôt. Il avait vérifié plutôt deux fois qu'une sur la carte. Laissant Murano derrière eux, ils avaient mis le cap sur l'ouest, puis, à un jet de pierre de là, sur des terres marécageuses inhabitées qu'ils avaient longées cheveux au vent.

Ils se trouvaient désormais devant une île en forme de bosse, surmontée d'une silhouette inquiétante : celle du château. Des filets de lumière jaunâtre s'effilochaient au travers de sinistres meurtrières.

– Il faut espérer que non, répondit Will, qui surveillait la surface de l'eau par crainte de hauts-fonds.

À l'endroit où ils se trouvaient, l'île était entourée de buissons qui s'enchevêtraient jusqu'au rivage. La pente masquait le bateau, mais Will préféra quand même sauter dans le marais malodorant et arracher quelques plantes rampantes pour recouvrir au moins le pare-brise de la *Vénus*.

Gaïa n'était pas rassurée. Avait-elle bien fait de se laisser embarquer dans cette aventure abracadabrante ? STORM n'avait-il pas placé la barre trop haut, cette fois ? Mais elle mit pied à terre à son tour, non sans se pincer le nez.

– Tu penses que le bateau sera en sécurité, ici ? demanda Andrew en regardant Will amarrer le somptueux yacht. Et si quelqu'un le découvrait ?

Will leva les yeux au ciel et murmura :

– Eh bien, on nous le volerait et nous serions coincés ici pour le restant de nos jours. Ou nous utiliserions notre cerveau pour trouver un moyen de filer. Nous nous sommes déjà sortis de situations périlleuses dans le passé...

Il jaugea du regard la fiabilité de son système d'amarrage et l'efficacité du camouflage. Puis il dressa l'oreille. L'île était parfaitement silencieuse. Si quelqu'un avait détecté leur arrivée, il restait à couvert plutôt que d'envoyer un comité d'accueil.

– Tu préfères attendre ici, Gaïa ? demanda Andrew.

– Toute seule ?

– Hum... non, bien sûr, mais je me disais juste que si...

– Non, je vais avec vous !

Will se frayait déjà un chemin à travers la végétation, à l'assaut de la pente. Gaïa lui emboîta le pas. Petit à petit, les buissons se firent moins nombreux. Soudain, Will s'arrêta net. Il fouilla dans son sac à dos et en sortit le sac de soie qui contenait le Plein-la-vue, puis tendit le gadget à Gaïa.

– Prends ça. Si quelqu'un te fait des ennuis, tu n'auras qu'à le pointer vers ses yeux.

– Tu pourrais en avoir besoin toi-même, objecta-t-elle.

– Non, non, t'inquiète ! Mais ne le perds pas, hein ?

– Et moi, ô roi des inventeurs ? Quel astucieux produit de ton imagination vas-tu me confier ? demanda Andrew, qui avait extrait sa torche de son propre sac à dos, non pour l'allumer, mais parce que le fait de tenir l'objet le rassurait.

Will dut admettre que c'était une bonne idée d'avoir emporté une torche. Tout à ses créations de haute technicité, il avait négligé l'essentiel. Et comme il ouvrait la marche, c'est lui qui en aurait besoin le premier.

— Passe-la-moi, s'il te plaît !

Andrew s'exécuta sans broncher. Puis Will fouilla dans son sac en quête de la boîte de Barrington.

— Nous devrions porter les dispositifs de localisation, juste au cas où nous serions séparés.

Il en passa un à Gaïa, qui colla aussitôt la pastille sur son ventre. Andrew en attrapa un aussi.

— Je pensais plutôt à un ustensile de la catégorie armement, chuchota-t-il, désappointé. Je suis fort marri.

— Je n'ai que le pistolet à laser, s'excusa Will. Reste à côté de Gaïa : elle te protégera !

Puis il reprit l'ascension du flanc de la colline, sourd aux soupirs désespérés que poussait Andrew derrière son dos. Le millionnaire se répéta qu'à l'avenir il lui faudrait davantage asseoir son autorité sur cet « Inventeur » un peu trop présomptueux, mais il n'en souffla mot. Lui et Will s'entendaient mieux, désormais : alors, autant ne pas risquer de se le mettre à dos.

Parvenu sur le plateau, Will se mit à croupetons dans les hautes herbes. De là, ils avaient une vue dégagée du château, qui se trouvait à une vingtaine de mètres. Une bâtisse solide, noircie par les siècles. Ils ne percevaient aucun mouvement. Personne ne semblait monter la garde à l'extérieur.

De son sac, Will sortit alors la boîte à fusibles qu'il avait glissée dans la poche latérale. Avec soin, il saisit le premier des quatre Téléphones-dentaires.

– Mets-le en place ! ordonna-t-il à Andrew. Il faut…

– … Je sais, coupa celui-ci. La molaire du fond.

Will hocha la tête.

– Et souviens-toi de parler à voix basse !

– *Je te reçois cinq sur cinq*, ironisa Andrew.

Will plissa les yeux : le fait d'entendre la voix d'Andrew « en stéréo » lui faisait grincer les dents.

— Si vous avez des ennuis, ne retournez pas directement au bateau. Il aura peut-être été repéré. Retrouvez-moi ici, derrière les arbres, O.K. ? ordonna-t-il.

Gaïa hocha la tête.

– Qu'est-ce qu'on fait, maintenant ? demanda-t-elle, tellement tendue qu'elle avait du mal à articuler.

Will croisa son regard. Il comprenait ce qu'elle ressentait, même s'il ne partageait pas – pas encore – son excitation. Mais il ne voulait rien davantage que retrouver l'enthousiasme qui l'avait animé à Saint-Pétersbourg. Le sentiment d'accomplir quelque chose d'important, de risqué. De donner le meilleur de lui-même. La vie normale, à côté, c'était de la gnognotte. Il inspira une grande goulée d'air, fixa le château du regard et lança :

– Allons-y !

Le C-17 Globemaster, transporteur doté de quatre réacteurs Pratt & Whitney, déchirait le silence de la nuit. Charlie Spicer se dirigea en trottinant vers l'ouverture donnant accès à la soute. L'eau faisait flic flac dans ses chaussures et son pantalon trempé lui râpait la peau des cuisses mais, tout bien considéré, le transfert s'était déroulé sans encombre.

Il avait tenu à être présent lui-même à bord de la vedette et avait observé les membres de l'équipe manœuvrer le chargement solidement maintenu par des élingues, qui avaient ensuite été traînées jusqu'au rivage. Un hélicoptère s'était alors positionné juste au-dessus et le matériel avait été déposé à l'intérieur de deux conteneurs métalliques qui étaient désormais arrimés à l'intérieur du C-17.

Thor agita la main depuis la soute. C'était l'une

des plus récentes recrues de STASIS. Sur le plan physique, Thor (abréviation de thorium, son nom de code, emprunté à la table de classification des éléments) n'avait rien pour impressionner. Avec son long cou et ses yeux bleus trop grands pour son visage, on aurait dit une girafe. Il arborait en outre constamment une expression de surprise. Deux bosses ornaient l'arête de son nez, souvenirs d'échauffourées violentes dans le déclenchement desquelles il niait toute responsabilité.

Sur le plan intellectuel, c'était une autre paire de manches. Sorti de Cambridge parmi les tout premiers de sa promotion, il avait remporté à trois reprises la médaille Brunel de l'Institution of Civil Engineers. Il ne s'était rendu sur le terrain qu'une seule fois, à Saint-Pétersbourg, et s'était acquitté de sa mission avec les honneurs.

À mesure que Charlie Spicer se rapprochait, le rythme du battement des longs cils blonds de Thor s'accéléra.

– Tout est prêt ! hurla-t-il pour couvrir le bruit des réacteurs.

Spicer hocha la tête et lui rappela la consigne :

– Ne remets le chargement qu'à…

– … M. Barrington *en personne*, je sais, m'sieur Spicer.

Spicer opina de nouveau du chef.

– Et attends que…

– … les services de renseignement et de sécurité

locaux *et* M. Barrington soient présents. Comptez sur moi, m'sieur Spicer !

— Tu as les boutons de commande ?

— Oui, m'sieur Spicer, répondit Thor en tâtant ses poches avec application.

Spicer se sentit empli de fierté, mais aussi d'anxiété. Jusqu'à en avoir mal au cœur. Ce serait la première mission active pour ses dernières créations. Elles étaient au point. Mais il regrettait de n'avoir que dix doigts à croiser…

— Bon voyage ! lança-t-il, la gorge nouée.

Thor découvrit deux rangées de dents parfaitement alignées, exécuta un pseudo-salut militaire et Spicer recula, tête baissée. Depuis la rive du Lac n° 1, il regarda le C-17 décoller, virer et s'enfoncer dans la nuit.

Il n'était pas équipé d'armes, mais le chargement qu'il transportait était aussi dangereux qu'un Tornado G4 armé jusqu'aux volets.

10

Will consulta sa montre. Il était 2 h 5, heure locale. La brise nocturne faisait bruisser les feuilles des arbustes, tout autour. De l'endroit où il se trouvait, calcula-t-il, il lui faudrait trente bonnes secondes pour courir jusqu'au château. Il apercevait l'imposant portail : des gargouilles ravagées par le vent, sculptées dans le linteau de pierre, le contemplaient de leurs yeux morts. Bien sûr, la question était de savoir comment pénétrer à l'intérieur de l'édifice.

– Alors, nous sommes bien d'accord ? murmura Will. Nous essayons de trouver s'il y a effectivement des fantômes dans cet endroit, nous essayons de trouver Cristina et nous filons ?

Andrew remonta ses lunettes sur son nez. Finalement, il n'était pas franchement mécontent que

Will ait pris la tête des opérations car, pour sa part, il n'en menait pas large.

En l'absence de réponse, Will donna ses instructions.

– Andrew et Gaïa, partez sur la gauche ! J'irai à droite. Il existe peut-être une entrée par-derrière.

– Est-il bien prudent que nous nous séparions ? risqua le multimillionnaire en culottes courtes.

– Ne t'en fais pas ! Gaïa sera là pour te protéger ! plaisanta Will.

– Oh, mais ce n'est pas ce que je voulais dire…, protesta Andrew en rougissant telle une pivoine.

– N'oubliez pas d'utiliser le Téléphone-dentaire si besoin est. Dès que vous trouvez quelque chose, prévenez-moi !

– *Si* nous trouvons quelque chose, corrigea Andrew, tout en hissant son sac à dos sur ses épaules.

Will se demandait bien ce qu'il contenait. Avant leur départ pour Venise, Andrew n'avait pas laissé filtrer grand-chose à ce sujet. Il avait parlé d'une torche, d'allumettes étanches… puis il avait rougi jusqu'à la racine des cheveux. Mais pour quelle raison ?

L'heure n'était toutefois pas à ce genre d'interrogations, aussi Will partit-il en courant à la vitesse d'un lapin qui détale devant un setter irlandais.

Le sol était couvert d'un mélange de broussailles, d'herbes malingres et de terre molle. Il parcourut les quelques mètres rapidement, à l'écoute de sa respiration. En quelques secondes, il revécut son plongeon dans le Lac n° 2 : il n'avait rien entendu d'autre que les bulles produites par les contractions de ses poumons ; il n'avait rien vu, non plus ; mais il avait bel et bien senti ces *choses* le heurter. D'ailleurs, sa jambe droite le faisait toujours souffrir, mais il lui fallait l'oublier.

Will atteignit le mur, se retourna et entrevit Andrew et Gaïa juste avant qu'ils ne tournent le coin le plus éloigné du château. La lagune s'étirait dans les ténèbres qui dissimulaient Venise aux regards.

Là, dans l'ombre, Will se sentait en sécurité.

Mais cette impression ne dura pas.

À cent mètres de là, sur une petite plage invisible depuis la *Vénus*, Dino mit la dernière main à ce qui l'occupait.

Les véhicules étaient entreposés dans une cabane de bois proprette, tous en état de marche : Dino y avait veillé. Il y en avait trois. Un pour lui et un pour chacun des deux membres du culte chargés de la protection et de la surveillance.

La plupart du temps, ils n'avaient pas grand-chose à faire. L'île ayant la réputation d'être « la plus hantée de Venise », rares étaient les gens du cru assez audacieux pour s'y risquer. Quant à ses petites plages de sable noir, elles ne présentaient guère d'intérêt pour les touristes. Et qui d'autre y viendrait ? La police ? Elle avait essayé une fois, mais l'un des cousins de Rudolfo travaillait pour les *carabinieri* et le Maître savait récompenser largement ceux qui le prévenaient de toute visite importune...

Dino entama la remontée du sentier de gravier qui menait au château. Mais soudain, il s'immobilisa. Quelque chose avait remué. Juste devant lui. Il sortit une lampe torche de sa poche et le faisceau balaya le mur du château. Scrutant les ténèbres, Dino ne tarda pas à découvrir un adolescent un peu plus jeune que lui qui le contemplait avec un regard noir de colère.

– Hé ? Ho !

Dino se lança à sa poursuite.

– Impossible de franchir ces murs, pesta Andrew en retirant son Téléphone-dentaire, bientôt imité par Gaïa.

– Il y a forcément une entrée, suggéra Gaïa.

– Pour sûr ! Le grand portail. Mais observe bien cette architecture commune à tous les châteaux : elle a été conçue de manière à empêcher les intrusions des envahisseurs...

– Alors, on abandonne, on retourne au bateau ? fit Gaïa.

Andrew hésitait. Une partie de lui-même voulait répondre « oui ». Mais il pensait à Cristina, à leurs échanges sur le forum de discussion. Elle avait l'air si intelligente. Elle lui avait posé des questions vraiment intéressantes. Et elle lui avait paru si... charmante. De plus, si jamais il parvenait à trouver une explication plus ou moins scientifique aux phénomènes communément appelés « fantômes », il entrerait dans l'Histoire, rien moins !

– Non, on continue, répondit-il.

– O.K., murmura Gaïa en replaçant le Téléphone-dentaire à l'intérieur de sa bouche.

C'est elle qui ouvrirait la marche, désormais. Elle commença à longer la haute muraille grise. Les étoiles brillaient faiblement, aussi progressait-elle avec prudence. Le terrain était irrégulier et on n'y voyait goutte. Soudain, elle leva une main.

Andrew l'avait entendue, lui aussi, cette voix qui grésillait contre sa mâchoire : *« Je m'appelle Will. Je suis venu parce que j'ai entendu parler du Maître. »*

– Tu es venu pour le Maître ?

Dino plissa les yeux. Il ne savait trop que penser de cette découverte pour le moins inattendue. Une nouvelle recrue ? Attrapée sur place au milieu de la nuit ? Oui, décidément, ça n'était pas commun. Il décida de rester sur ses gardes...

– Qu'est-ce que tu veux dire ? demanda-t-il d'un ton soupçonneux. Comment es-tu arrivé jusqu'ici ?

Will cligna des yeux. Dino braquait le faisceau

droit sur lui. Impossible de s'enfuir en courant : il fallait attendre là, le dos contre le mur humide et froid, que Dino s'approche de lui en brandissant sa torche comme une arme.

– J'ai ap… pris qu… que le Maître vivait ici, balbutia Will, feignant la plus grande confusion. J'ai pris un bateau-t… axi… Il m'a déposé ici. Je voulais ren… rencontrer le Maître.

Will faisait tout son possible pour paraître effrayé. Il était tendu – ça oui, et sans se forcer – mais il fallait qu'il ait l'air d'un gamin terrifié et nécessiteux. L'adolescent en guenilles qui se tenait devant lui était la preuve vivante que le propriétaire du château n'en était pas le seul habitant. Peut-être même y en avait-il d'autres à l'intérieur… Il fallait absolument que Will en ait le cœur net. Pour ça, Dino devait le croire sur parole.

– Pourquoi veux-tu le rencontrer ? demanda Dino.

Le pouls de Will s'accéléra. Ainsi, le Maître existait bel et bien ! Cristina avait vu juste… et Andrew avait eu raison de lui faire confiance !

– J'ai entendu… entendu dire… qu'il communiquait avec les fantômes, répondit Will.

– Et en quoi cela peut-il t'intéresser ?

En quoi cela pouvait-il intéresser Will ? Bonne question.

– Parce que… parce que j'ai perdu quelqu'un. Un être très cher…

Et Will d'adopter la mine la plus déconfite possible, ce qui ne lui demanda pas non plus beaucoup d'effort, car la douleur qu'il avait ressentie à la mort de son père ne s'était pas encore estompée, loin de là.

Dino baissa la torche et lui adressa un signe de tête.

– Je m'appelle Dino. Suis-moi !

Will poussa un soupir de soulagement. Il avait réussi ! Dino l'avait cru !

De l'autre côté du château, Andrew et Gaïa échangèrent des regards horrifiés.

– Will, par tous les saints, sois prudent ! murmura Andrew.

Gaïa porta aussitôt un doigt à ses lèvres.

Impossible pour Will de répondre. Il se trouvait juste derrière Dino, dont les doigts noirs de crasse faisaient tourner une clef dans la serrure d'une porte en bois ménagée dans la muraille grise.

En pénétrant à l'intérieur, Dino dut se baisser pour ne pas heurter le chambranle de pierre. Will lui emboîta le pas et émergea dans un couloir humide. Face à lui se trouvait une bifurcation. D'instinct, Will se retourna pour refermer la porte, ce qui lui valut un hochement de tête approbateur de Dino, qui s'engagea sur la gauche. Il fit quelques pas, jusqu'à une autre porte, et souleva un loquet. Lorsqu'il l'eut rattrapé, Will commenta :

– Une deuxième porte à l'intérieur ! Le château est bien protégé…

Dino se retourna, surpris par ce commentaire qui était bien sûr destiné à Andrew et Gaïa.

– Alors, je vais rencontrer le Maître ? s'enhardit Will.

– Le Maître est très occupé.

– Où allons-nous, maintenant ?

Dino s'arrêta brutalement et contempla le nouveau venu.

– Tu as un téléphone ?

Will feignit l'incompréhension la plus totale.

– Euh… pourquoi ?

– Parce que, si tu en as un, il faut me le donner, répondit Dino en fixant du regard le sac à dos de Will. Il est là-dedans ?

– Non, il n'y a que quelques vêtements, fit Will d'un air évasif.

La dernière chose qu'il voulait, c'était que Dino aille fourrer son nez dans le sac à dos.

– Mon téléphone est dans ma poche.

Il plongea la main dans son blouson. Elle entra au contact d'une fourrure tiède : Ratty. Puis ses doigts cherchèrent du plastique.

– Et si j'ai besoin d'appeler quelqu'un ?

Les lèvres de Dino s'entrouvrirent pour dessiner un sourire peu engageant.

– Et qui voudrais-tu appeler ? Tu es ici. Libéré de la misère du monde. Tu es avec nous.

– Nous ? Mais… vous êtes combien, ici ?

Dino fronça les sourcils.

– Même si tu gardes ton téléphone, tu ne pourras pas t'en servir. Le Maître insiste sur ce point. Le château est équipé de dispositifs qui bloquent les signaux.

– Alors pourquoi veux-tu me le prendre ?

Dino ne sembla guère impressionné par le bon sens de Will.

– Bon, tu me le donnes, oui ou non ?

À contrecœur, Will lui tendit son smartphone. Soit le Maître n'était pas logique, soit Dino se faisait de l'argent de poche en rackettant les nouvelles recrues. À en juger par l'expression avide de son interlocuteur lorsqu'il se saisit de l'appareil, Will opta pour la seconde hypothèse.

Dino se remit en route, en faisant crisser ses baskets sur le sol. Il régnait une atmosphère oppressante dans le passage et l'odeur de moisi imprégnait déjà les poumons de Will.

– Où allons-nous ? demanda-t-il une seconde fois.

Dino secoua la tête. Il consentit seulement à répondre :

– Tu verras.

– Ça pourrait être pire, dit Gaïa d'un ton réconfortant.

– Je ne vois pas comment, rétorqua Andrew.

Ils se trouvaient sur la partie arrière du château.

– Eh bien, au moins, Will est dans la place. On dirait bien qu'il existe effectivement un culte. Alors, si Cristina est ici, il va forcément tomber dessus.

« *Exactement* », fit une voix familière.

À l'intérieur du château, Dino s'arrêta, puis se retourna vers Will.

– Tu as dit quelque chose ?

– Non, rien, je réfléchissais.

Et ce fut au tour d'Andrew de murmurer :

– Regarde, Gaïa ! La porte en bois dont Will a parlé !

C'était bien elle. Chambranle bas. Poignée en fer forgé. Gaïa leva les yeux. Les nuages qui masquaient jusqu'alors la lune révélèrent un croissant aussi pâle que le visage d'Andrew.

– Tu es prêt ? chuchota-t-elle.

Elle n'était pas dupe : en dépit des belles paroles dont Andrew les avait abreuvés au palais, c'est lui qui avait besoin d'encouragements, à ce stade. Mais elle le comprenait. Et surtout, elle avait confiance en lui. Il avait peut-être la trouille, mais il ne lui ferait jamais faux bond.

Andrew hocha la tête. Elle poussa alors la porte et pénétra la première à l'intérieur.

Une fois la porte refermée derrière eux, ils furent enveloppés d'un silence absolu. Une ampoule nue pendait dangereusement au plafond, à deux mètres d'eux, et une autre deux mètres plus loin. Gaïa frissonna : l'humidité suintait des murs sans discontinuer, comme une matière vivante.

– Dommage que nous n'ayons pas Ratty avec nous, gémit Andrew.

– De quel côté penses-tu qu'il faut aller ? lui demanda Gaïa, dans l'espoir que le fait de prendre une décision pratique aiderait le jeune millionnaire à recouvrer un peu de sa légendaire assurance. Mais il considéra l'alternative avec hésitation.

– Hum… À droite… Hum… Nonobstant, nous devrions peut-être demander à Will quel chemin il a pris ?

À en juger par la mine de Gaïa, c'était à lui de trancher.

– … O.K., fit alors Andrew. Essayons par la droite !

Le passage était étroit. Gaïa resta derrière Andrew, en partie pour l'aiguillonner, en partie pour avoir tout loisir de se persuader elle-même qu'elle n'avait pas peur.

Sur les murs nus subsistaient les traces des outils qui avaient servi à les façonner. On aurait dit des griffures creusées à l'aide d'ongles métalliques.

Au bout d'une dizaine de mètres, un autre virage à droite se présenta. Andrew s'arrêta.

– Eh bien, qu'est-ce qui te prend ? Continue ! fit Gaïa à mi-voix en le poussant vers l'avant.

Mais l'éclaireur fit de la résistance. Il s'arc-bouta

et glissa précautionneusement un œil de l'autre côté du coin. Assuré qu'il n'y avait pas de danger, il fit alors signe à Gaïa de le suivre. Le passage s'élargissait et on y respirait mieux. Mais Andrew s'immobilisa encore et Gaïa le heurta une seconde fois.

– Qu'est-ce qu'il se passe, maintenant ?

– Regarde : sur le mur de droite, là-bas, on aperçoit plusieurs tableaux…

De fait, ils découvrirent un portrait à l'huile d'une jeune femme aux joues roses et au visage poudré, dont la vaste perruque était surmontée de fleurs mauves. Plusieurs rangées de perles entouraient son cou comme une corde pour se pendre. La peinture était craquelée.

Lentement, Andrew progressa dans la galerie, inspectant les visages. Tous ces gens appartenaient à une même famille, décréta-t-il. Il reconnut la même bouche large et des yeux bridés identiques chez les femmes âgées, les jeunes hommes et même chez un enfant aux boucles noires envahissantes.

Gaïa s'arrêta pour sa part devant le portrait d'une femme en cape noire portant un masque brodé qui lui couvrait les yeux. Sur une plaque en or étaient gravés les mots *La Contessa di Grimaldi*. Quelle personne sensée se serait-elle fait tirer le portrait avec un masque ? se demanda Gaïa. Qu'avait-elle donc à cacher ?

Soudain, elle pivota sur ses talons. Elle avait

senti quelque chose la frôler. Un courant d'air glacé. Mais elle ne vit rien. Seulement un chandelier en fer forgé et une ampoule, qui diffusait une pâle lumière, bien inutile en ce lieu désert.

Ce n'était rien, songea-t-elle. Son imagination lui avait joué un tour. Normal, dans un château gothique et devant des tableaux sinistres...

Mais de nouveau, elle se figea sur place. Cette fois, son estomac se noua, elle sentit des doigts glacés lui pétrir les entrailles. Et un sentiment de nausée diffus monta en elle. Non, elle en avait la certitude, ce n'était pas une illusion.

– Andrew ! appela-t-elle.

Il se retourna vers son amie comme si de rien n'était. Il avait pourtant aussitôt reconnu l'expression de la peur sur le visage de son amie.

– Oui, je sais. C'est sidérant, n'est-il pas ?

– Tu l'as senti, toi aussi ? demanda Gaïa.

À ce moment, l'étreinte se desserra à l'intérieur de son ventre. Elle se retourna de nouveau et vit quelque chose remuer. *Une ombre grise.* Elle jouait à cache-cache devant ses yeux, cherchant à éluder ses pupilles, s'évanouissant dans le néant avant de resurgir quelques secondes après. Gaïa se rua vers Andrew et empoigna son bras.

– Il y a quelque chose ici ! Tu l'as vu ?

La jeune fille regardait en tous sens, les yeux exorbités. Mais elle ne voyait que des cadres immobiles.

L'ampoule. Les murs. Les tableaux. *La Contessa*, dissimulée derrière son masque de velours noir.

– Andrew, je crois que nous devrions ficher le camp d'ici, et en quatrième vitesse !

Mais son compagnon avait posé son sac à dos par terre. De ses doigts tremblants, il tira sur la fermeture Éclair.

– Je suis sérieuse ! insista Gaïa, en s'accroupissant devant lui. Tout ça ne me dit rien qui vaille !

– Attends ! dit-il. Juste une seconde !

– Mais qu'est-ce que tu fricotes ? s'impatienta Gaïa.

Andrew avait posé un petit instrument sur le sol, à côté de son sac. Il brancha un microphone, le souleva, actionna un interrupteur, agita le micro et plissa les yeux pour lire ce qui s'inscrivait sur un petit écran.

– Par la malepeste ! s'écria-t-il, abasourdi.

Gaïa redoubla d'anxiété et lâcha à voix haute, oubliant la consigne de Will :

– Quoi ? Qu'est-ce que tu racontes ?

Andrew lui tendit l'instrument pour qu'elle constate par elle-même ce qui s'affichait sur l'écran numérique.

– Regarde !

– Regarder quoi ? Je ne sais pas de quoi il s'agit !

Les yeux d'Andrew brillaient dans la pénombre.

– L'intensité des infrasons est supérieure à ce qui peut être capté !

– ... Des infrasons ? répéta Gaïa, perdue.

Elle le regarda avec consternation lâcher le micro et palper de ses doigts les gros blocs de pierre qui avaient été assemblés pour former le mur. Soudain, quelque chose bougea. L'un des blocs était en partie descellé. Andrew chercha une prise solide, mais en vain. Impossible de l'extraire sans les outils appropriés.

Andrew replaça alors son détecteur d'infrasons dans son sac et approcha la bouche de l'oreille de Gaïa pour lui murmurer :

– Un chercheur du Hertfordshire a enquêté sur les rapports faisant état de traces de pas de fantômes dans certaines rues souterraines d'Édimbourg. Il a envoyé des groupes de gens dans quatre endroits différents, mais sans leur révéler que seuls deux d'entre eux avaient la réputation d'être hantés. Plus de quatre-vingts pour cent de ces personnes ont éprouvé des sensations inhabituelles dans le site censé être le plus hanté. Elles ont eu l'impression qu'on les touchait ; certaines ont mentionné l'apparition d'êtres humains et d'animaux. Mais dans les sites vierges de fantômes, moins de la moitié des individus ont ressenti quelque chose.

– Et le chercheur en question a découvert des générateurs d'infrasons ?

– Dans le site le plus hanté, un grondement infrasonore était provoqué par la circulation en surface. Par ailleurs, les deux sites considérés comme hantés étaient moins humides, donc la température y était plus froide. D'autres recherches ont fait état de courants d'air qui encouragent les gens à penser qu'ils sont en présence de fantômes.

Quelque peu rassérénée, Gaïa le sonda du regard.

— Comment se fait-il que tu saches tout ça ?

— Je te l'ai dit. J'ai fait des recherches. Et n'oublie pas que mon paternel est psychiatre. Il a eu l'occasion de traiter un patient qui se croyait possédé par un mauvais esprit.

— Parce qu'il avait une indigestion d'infrasons ?

Andrew secoua la tête devant tant de légèreté.

— Mais non ! Il souffrait d'un syndrome de déconnexion… une affection du cerveau. Quoi qu'il en soit, ce que j'essaie de te faire comprendre, c'est que *quelqu'un* ici essaie de nous faire croire que ce château est hanté.

Gaïa dut admettre qu'elle ne ressentait plus aucune gêne au niveau des intestins. De plus, cette explication semi-rationnelle la rassurait.

— Et le fantôme de Cristina ? Il ne se réduisait pas à un éclair gris. Nous l'avons vu… à moins qu'il ne se soit agi d'un faux ? Et puis, pourquoi s'ingénier à faire croire à tout le monde que ce château est hanté ?

— Mais parbleu ! Parce que si nous avons réellement affaire à un culte des fantômes, il faut bien que les victimes y croient et, c'est incontournable, qu'elles puissent en apprécier la présence quasiment physique, palpable. Sinon, le culte est voué à l'échec.

Gaïa chercha une faille dans l'argumentation d'Andrew mais ne la trouva pas.

– Tu aurais pu me dire tout ça avant… !

– Je…

Manifestement, elle avait au moins trouvé une faille dans l'armure d'Andrew.

– J'ignorais ce que j'allais trouver ici. Et puis des mystères subsistent : par exemple, ce voleur fantôme chez Cristina… Enfin, ce n'est pas dans ce passage sordide que nous allons les élucider.

Il marqua une pause, comme s'il attendait une autre question, puis conclut :

– Si tu veux savoir ce que je pense de tout ça, eh bien c'est qu'il faut se garder de toute conviction en la matière.

Quiconque s'imagine que la science, dans son état actuel, peut tout expliquer, a tort.

Gaïa ne cacha pas sa surprise.

– Dans le cas présent, pourtant, tu as apporté des réponses scientifiques à nos interrogations, non ?

Un sourire mutin salua ce dernier commentaire.

– Nous avons simplement montré qu'il existait une autre explication possible.

Il se leva, lança le sac sur son dos et observa :

– Cela fait un bail que nous n'avons pas de nouvelles de Will...

Se sentant coupable de ne pas avoir pensé à lui pendant plusieurs minutes d'affilée, Gaïa se mordit l'index.

– En effet. J'espère qu'il ne lui est rien arrivé de... grave. Il nous aurait prévenus, non... ?

11

– C'est une amie qui m'a parlé de cet endroit, risqua Will. Elle m'a dit qu'elle allait vous rejoindre et que je devrais venir, moi aussi. C'était il y a quelques jours. Elle s'appelle Cristina. Est-ce qu'elle est vraiment venue ?

Dino lui lança un regard mauvais.

– Elle est encore ici ? insista Will.

Toujours pas de réponse. Dino se contenta de tirer un rideau rouge.

Will décida que ce n'était pas la bonne méthode. Dino ne lui révélerait rien. Peut-être craignait-il le « Maître », lui aussi ? Ou peut-être que Cristina avait déjà fouiné partout en quête de fantômes monte-en-l'air et s'était fait surprendre ?

Quoi qu'il en soit, Will avait pris un risque en

mentionnant son nom, mais le jeu en valait la chandelle.

Dino lui fit signe de pénétrer dans la grande salle à manger.

– Attends ici ! ordonna-t-il avant de s'éclipser.

Will n'en croyait pas ses yeux. Ainsi, c'était vrai ! S'il avait besoin d'une preuve de l'existence d'un culte, elle se trouvait là, devant lui : un petit groupe de silhouettes revêtues de houppelandes blanches, en train de se réchauffer devant des bûches rougeoyantes. Rien que des enfants.

Comment se pouvait-il que la police ne les ait pas encore retrouvés ? Les avait-elle seulement recherchés ? Et Cristina ? Se trouvait-elle parmi eux ?

Une autre question lui vint à l'esprit : personne ne dormait-il donc jamais, dans ce château ?

Will tendit l'oreille dans l'espoir de surprendre quelques-unes de leurs paroles, mais sans succès. Il n'arrivait même pas à déterminer combien il y avait de garçons et de filles. Il alla se dissimuler dans l'ombre, à l'écart, tout au fond de la salle. Quelques têtes se retournèrent brièvement, mais ne manifestèrent guère d'intérêt pour la nouvelle recrue.

Will sortit Ratty de sa poche, s'accroupit et posa le rongeur sur le sol. Ensuite, il connecta un écouteur à l'écran de contrôle. Il baissa alors les yeux en direction de la télécommande, qu'il tenait contre sa cuisse et « activa » le rat. Il lui donna pour instruction de courir tout autour de la salle, en restant dans l'ombre.

Il ne fallut pas plus de quinze secondes à Ratty pour arriver à proximité de la cheminée. Un grand panier d'osier lui offrit une couverture parfaite. Will ôta son Téléphone-dentaire de sa bouche – impossible de continuer à écouter Andrew et Gaïa jacasser tout en se concentrant sur les sons presque imperceptibles que Ratty lui transmettait. Will monta le volume à fond et entendit :

– Ils ne sont pas revenus. (Voix de fille)

– Tu en es sûre ? (Autre voix de fille)

– Pourquoi se seraient-ils portés volontaires si c'était pour partir ? Ça n'a pas de sens.

– Mais alors où sont-ils ? (Voix de garçon)

– Et s'ils…

Will voulut ajuster le micro et perdit un morceau de phrase.

– … dans l'au-delà ?

– Ils y seraient restés ? C'est possible, ça ? (Voix de la première fille, incrédule)

Et ils s'arrêtèrent de parler. Une porte s'était ouverte, non loin de Will. D'autres silhouettes de blanc vêtues firent leur entrée. Certaines se hâtèrent vers la cheminée.

La situation devenait dangereuse pour Ratty. Vivement, Will fit revenir le rongeur, le mit en position « Attente » et le glissa dans sa poche.

Il aurait eu bien du mal à donner un sens précis au peu qu'il venait de surprendre. Qui s'était porté volontaire pour quoi faire ? Et l'au-delà, était-ce le monde des fantômes ou celui des morts ? Ou les deux ?

Il se tourna vers la porte ouverte. Personne d'autre n'arrivait. Quant à Dino, il ne revenait pas. Will avait besoin de réponses. Il fallait qu'il tente sa chance.

Il sortit à grandes enjambées de la salle à manger et reprit le couloir par lequel il était arrivé, n'entendant rien d'autre que le bruit de ses pas. Il ne savait pas exactement ce qu'il cherchait, ni par où commencer, aussi opta-t-il pour la première porte qui se présentait à lui, en bois, avec une poignée en fer forgé. Glaciale au toucher.

Il retint son souffle, dans l'attente d'un craquement... qui ne vint jamais, pour la bonne raison que la porte était verrouillée. Avec un dispositif en acier moderne, nota-t-il en grinçant des dents.

Sans perdre de temps, il reprit alors sa progression dans le couloir, jusqu'à une deuxième porte. Il saisit la poignée, elle tourna à moitié... et résista. Mais la serrure était d'un ancien modèle : si la porte était identique à celle à travers laquelle il avait suivi Dino un peu plus tôt, un simple loquet devait se trouver derrière. Un espace de cinq bons millimètres séparait la porte du mur. Will ne pouvait y glisser un doigt, pas plus que Ratty une patte.

Fort heureusement, il avait quelque chose qui ferait l'affaire…

Non sans jeter un coup d'œil aux membres du culte et s'être assuré que Dino n'arrivait pas, Will farfouilla dans son sac à dos : la boîte en carton rigide se trouvait tout au fond. Il sortit alors l'écran de contrôle de sa poche et activa la Pince-à-sucre.

Aussitôt, les fines branches du robot se déployèrent. Seraient-elles suffisamment fines pour se faufiler dans l'interstice et assez habiles pour soulever le loquet ? Il n'y avait qu'un moyen de le savoir.

À l'aide de l'écran tactile, Will étendit au maximum le premier tentacule de la Pince-à-sucre. Il avait un morceau de fibre de carbone long de trente centimètres à sa disposition, mais seuls les dix derniers centimètres étaient suffisamment fins pour être insérés entre la porte et son encadrement.

Une fois à l'intérieur, la minuscule caméra située à l'extrémité se mit à tourner en tous sens. Will eut toutes les peines du monde à l'orienter de façon qu'elle effectue un demi-tour pour venir cadrer le loquet, mais il finit par y parvenir.

Trois secondes plus tard, la Pince-à-sucre l'avait soulevé.

Will se glissa à l'intérieur de la pièce et referma derrière lui. Dans l'obscurité totale, il n'apercevait plus que des étoiles vertes – le produit de l'agitation des cellules de sa rétine – et un mince filet de lumière correspondant à l'encadrement de la porte.

Remerciant Andrew en son for intérieur, il sortit la torche de son autre poche, chercha l'interrupteur et cligna des yeux lorsqu'elle s'alluma.

En premier lieu, il examina les murs. Une bibliothèque croulait sous le poids de volumes reliés plein cuir et de quatre immenses portraits à l'huile. Des yeux étroits, des cols en dentelle, de lourds colliers de perles couvrant des poitrines fermes, ces personnages lui semblaient déjà familiers.

Au fond à droite, un paravent égyptien zigzaguait dans la pénombre. À angle droit par rapport au mur, Will découvrit un sofa en cuir marron. Sur la table voisine, il nota la présence d'une tête de phrénologie en porcelaine, datant à n'en pas douter du XIXe siècle. On y distinguait les bosses crâniennes prétendument révélatrices des traits de caractère de leur propriétaire. *Goût du secret. Combativité. Amour-propre. Attrait pour la destruction…*

Will orienta le faisceau vers la droite. Lui apparut alors un bureau sur lequel trônaient une pile de magazines, une plante morte dans un pot en porcelaine chinoise et un téléphone noir à l'ancienne mode. Une grosse clef de cuivre était enfoncée dans l'un des tiroirs.

Curieux, Will s'en approcha. Il déposa la Pince-à-sucre à côté de la plante et ouvrit le premier tiroir. Sur le dessus se trouvait un morceau de papier sur lequel avait été griffonné un numéro de téléphone précédé d'un indicatif international, le

41. Mais juste en dessous, il trouva quelque chose de beaucoup plus intéressant : des reproductions de dessins d'architecte, qui dataient vraisemblablement des années 1800. Enfonçant la torche entre ses mâchoires, Will les feuilleta. C'étaient les plans d'un château.

Du château dans lequel il se trouvait.

Du moins, ça y ressemblait comme deux gouttes d'eau. Pourtant, les chambres portaient des inscriptions telles que sanatorium, électrothérapie, traitement aquatique... Will réfléchit un instant. Andrew n'avait-il pas mentionné que, pendant un temps, le château avait servi d'hôpital psychiatrique ? Quoi qu'il en soit, il y avait fort à parier que la configuration d'ensemble n'avait pas beaucoup changé et il trouverait peut-être dans ces plans des indices qui le conduiraient jusqu'aux fantômes, voire jusqu'à Cristina.

Will sortit Ratty de sa poche. Il plaça les doigts sous son ventre pour le maintenir et dirigea la caméra de l'animal vers le premier des plans. Il allait enregistrer les dessins et les examinerait de plus près lorsqu'il serait en sécurité. Will scanna toutes les pages l'une après l'autre. Il en était à la dernière lorsqu'il entendit un bruit qui lui glaça le sang.

Quelqu'un venait d'enfoncer une clef dans la serrure et était en train de la faire tourner.

Sans lâcher Ratty, Will se précipita vers le sofa

et se jeta derrière en éteignant la torche dans un même élan.

Il se contraignit alors à maîtriser le rythme de sa respiration. Inspirer doucement. Expirer lentement. Comme la fumée dans une cheminée. Comme son père le lui avait enseigné.

Une voix masculine laissa échapper une exclamation de mécontentement. Peut-être parce que la porte n'avait pas été verrouillée. Will ne voyait rien. Lorsque le plafonnier s'alluma et que ses deux ampoules éclairèrent la pièce, il se fit tout petit.

Soudain, il fut pris de panique. La Pince-à-sucre ! Il l'avait posée sur le bureau ! Il fallait absolument la récupérer…

Depuis l'arrière du sofa, Will glissa un œil en direction du bureau. Il découvrit un homme de grande taille portant une cape rouge, assis, qui lui tournait le dos. L'homme venait de saisir le combiné téléphonique.

« Maintenant ! » songea Will.

Il n'avait aucun moyen de récupérer la Pince-à-sucre avec la seule télécommande : les bras du robot feraient trop de bruit sur les dalles. Will avait besoin d'un assistant furtif, rusé et silencieux.

Il posa délicatement Ratty par terre. Puis, la télécommande en main, il expédia le rongeur vers le bureau et lui fit escalader l'un des pieds. Tout à ses grommellements, l'homme était loin d'imaginer qu'à quelques centimètres de son dos un petit rat télécommandé avec une caméra vidéo attachée sur la tête s'apprêtait à récupérer un robot en forme de pieuvre.

– Allô ? fit l'homme en se levant d'un bond.

Will ordonna à Ratty de s'immobiliser.

– Dites-lui que je veux lui parler sur-le-champ !

Et l'homme se laissa retomber dans son fauteuil.

Will se préparait à activer la Pince-à-sucre et à lui donner pour instruction de déployer ses branches afin d'aller s'arrimer au ventre rebondi de Ratty lorsque survint un événement inattendu. Le rongeur ouvrit la gueule et la referma sur la Pince-à-sucre. Will écarquilla les yeux.

Sans autre forme de procès, Ratty redescendit le pied du bureau et cavala jusqu'au sofa avec son butin dans le ventre, telle une mère kangourou.

Le cœur battant, Will retira le robot des mâchoires étroites du rongeur. Puis il regarda l'animal droit dans les yeux. De petits yeux noirs tout ronds. Ratty était télécommandé, aucun doute là-dessus, mais Will savait qu'il ne pouvait ôter à la bête tout son libre arbitre. Il n'ignorait pas non plus que le rat est un animal très, très futé.

Ratty avait-il deviné ce que son maître attendait de lui ? Non, certainement pas. Will se dit qu'il s'agissait plus vraisemblablement d'un accident. Ratty adorait mordre dans des objets divers et variés. Alors, il avait mordu la Pince-à-sucre. Pour le plaisir. Voilà tout.

Will lui caressa le sommet du crâne.

– Bon travail, l'ami ! murmura-t-il.

– Vous aviez dit six heures ! explosa l'homme en cape rouge. Nous avons une réunion ! Le matériel doit arriver bien plus tôt ! Le Maître en veut trois – il doublera votre prix !

Will entendit alors l'homme raccrocher le combiné, se lever et quitter la pièce en claquant la porte.

Avant de la refermer à clef.

12

Pendant deux minutes, Will attendit. Il se chronométra, contraignant ses membres à demeurer immobiles. Réfléchissant à ce qu'il venait d'entendre. Quel équipement ? Quelle réunion ?

Il était sur le point de se lever lorsqu'il remarqua une autre porte. Elle était cachée par la mashrabiyya, l'écran de bois égyptien ajouré. Mais depuis l'arrière du sofa, il distinguait la poignée. Will ralluma la torche d'Andrew et la braqua dessus. Il n'y avait pas non plus de clef dans cette serrure-là.

Il se leva d'un bond. Et si elle n'était pas verrouillée ?

De fait, la porte s'ouvrit avec un grincement sinistre et Will pénétra dans une autre pièce tout aussi sombre.

Immédiatement, il discerna deux autres portes :

l'une sur sa droite, l'autre dans le mur opposé, à côté d'un énorme buffet en bois dans lequel avaient été gravées des têtes de taureau. Will promena le faisceau de sa torche dans le reste de la pièce et son attention fut attirée par un bureau métallique.

Dessus, il découvrit une imprimante 3D, une lampe de bureau et un ensemble de micro-forceps. À côté de l'imprimante se trouvait une boîte en plastique. Will en souleva le couvercle et y trouva des granulés gris. Au même instant, il prit conscience que le sol n'était plus dallé mais transparent. Il s'accroupit et le tapota doucement. C'était du verre, ou du plexiglas. Sous ce matériau, le sol dallé d'origine était recouvert de croisillons métalliques disposés dans un ordre bien précis. Impossible de deviner ce à quoi ils pouvaient bien servir.

Will orienta le faisceau de la torche en direction des murs et aperçut d'autres croisillons, fichés dans la pierre à intervalles réguliers. Il y avait quelque chose sur deux de ces supports métalliques.

Des caméras miniatures.

Le cerveau en ébullition, incapable de se concentrer sur quoi que ce soit, Will se releva. Et le vide se fit dans son esprit.

C'est alors qu'il entendit du bruit.

Aussitôt, il éteignit la torche. Quelqu'un ouvrait la porte située à sa droite. Il ne pouvait se cacher sous le bureau : on le verrait immédiatement en entrant. Il n'avait guère de choix. Will appliqua son dos sur le mur glacial et plaqua son épaule contre le buffet.

Aux aguets, il tendit l'oreille. La personne venait d'entrer dans la pièce. Elle attendait, sans bouger. Mais alors, que faisait-elle ? Will percevait le bruit d'une respiration. Légère, délicate. Il ne voyait rien, la pièce restait plongée dans l'obscurité. Sa vue, qu'il tenait pour parfaite, ne lui servait à rien. Pas plus qu'elle ne lui était venue en aide au fond du Lac n° 2.

C'est alors que, du principal luminaire, jaillit une lumière blanche, éblouissante. Will ferma les yeux. Ils le brûlaient, ils devaient être incandescents.

Lorsqu'il les rouvrit enfin, ce fut pour découvrir la mystérieuse personne qui le contemplait, le visage rongé par l'incertitude.

Will ouvrit la bouche, mais aucun mot n'en sortit. Il fixait les yeux noirs, visiblement traversés d'un flot de pensées contradictoires.

Pour sa part, Cristina remarqua la tête de la Pince-à-sucre, en fibre de carbone, qui dépassait de la poche de Will. Elle fronça les sourcils. Non, c'était impossible, ce ne pouvait pas être...

– ... Andrew Minkel ? murmura-t-elle, incrédule.

Will écarquilla les yeux. *Cristina !* Il aurait dû la reconnaître tout de suite. C'était étrange d'entendre le nom d'Andrew prononcé par cette bouche aux lèvres rouge vif. Mais l'essentiel, c'était qu'elle soit là ! Cristina della Corte. Sa chevelure noire brillait dans la lumière blanche. Le photographe ne lui avait pas rendu justice. Elle était encore plus belle au naturel : sa peau couleur de caramel, l'éclat précieux de ses yeux...

– Non, moi, c'est Will Knight. Je... je collabore avec Andrew.

– Tu fais partie de STORM ? demanda-t-elle avec enthousiasme.

Will tenta de remettre de l'ordre dans ses idées. Il y parvint progressivement et hocha la tête. Cristina darda un sourire éblouissant.

– Alors, vous êtes venus ! Je suis Cristina. Andrew est avec toi ?

– Oui, quelque part dans le château...

– Vous n'êtes pas restés ensemble ? Oh, mais ce n'est pas prudent du tout... Il se passe de drôles de choses ici. J'ai contacté Andrew il y a plusieurs jours et, comme je n'avais pas de réponse de lui, j'ai cru qu'il ne m'avait accordé aucune attention.

– Il a essayé de te joindre, répondit Will. Hier soir et ce matin.

– Ils m'ont pris mon téléphone ! Comment avez-vous fait pour me trouver ? Et quand êtes-vous arrivés ?

– Nous venons d'accoster, fit Will, en prenant soin de ne pas répondre à la première question. J'ai échappé à la surveillance d'un dénommé Dino et j'ai tenté d'en apprendre un peu plus sur ces lieux.

Il laissait à Andrew le soin de justifier son intrusion dans l'ordinateur de Cristina.

– Donc, tu as remarqué les caméras. Je ne sais pas à quoi elles servent. Et là…

Cristina portait un sac noir de la main droite. De la gauche, elle souleva la boîte qui se trouvait sur le bureau et en ouvrit le couvercle.

– … Tu vois ? C'est exactement la même poudre que dans le musée de mon père. Andrew a dû t'en parler ?

– En effet, confirma Will en tendant la main.

Cristina lui confia la boîte et sortit un microscope du sac noir.

– Je l'avais caché ici pour pouvoir examiner cette poudre de plus près dès que j'en aurais la possibilité.

Will ouvrit des yeux ronds.

– C'est une antiquité ! s'exclama-t-il.

Il était en cuivre et les mots *Carl Zeiss Jena* étaient inscrits sur le revolver.

– Oui, mais c'est tout ce que j'ai sous la main. Enfin, maintenant que tu es là, tu vas m'aider, n'est-ce pas ? Au fait, que penses-tu du Maître ?

– Je ne l'ai pas encore rencontré, répondit Will. Et toi ? Tu sais qui c'est ? Comment il s'appelle ?

La jolie bouche de Cristina se déforma en un rictus de terreur.

– Non, tout le monde l'appelle « Maître ». Mais je sais qu'il se passe des choses très graves, ici. Ce prétendu culte n'est qu'une couverture. Et les fantômes, je crois que ce sont eux qui les fabriquent. Je ne sais pas ce qu'ils manigancent mais le Maître prétend pouvoir communiquer avec l'au-delà et, hier, deux de ses « recrues » sont parties avec lui et Rudolfo, quelqu'un de sa famille, et elles ne sont pas revenues.

Elle marqua une pause, avant d'ajouter :

– D'autres se sont volatilisées. Mais ici, les gens ne parlent pas. Ils disent seulement : attends, tu verras. Mais je ne veux pas voir. Je veux récupérer mon bien, découvrir quelles sont les véritables activités du Maître et rentrer chez moi.

– D'après toi, quelles sont-elles, ces activités ?

Le front délicat de Cristina se creusa de plis profonds.

– J'ignore ce pour quoi les candidats recrutés par le Maître se portent volontaires. Mais je suis convaincue qu'il a utilisé ce fantôme que j'ai vu pour dérober mon lion, qui est en or, incrusté de pierres précieuses, bref, qui vaut très cher. Mais s'il commet des vols, est-ce seulement pour l'argent ? Ou se sert-il de cet argent à d'autres fins ? Et pourquoi avoir mis sur pied ce fameux « culte » ? Pourquoi avoir des volontaires ? Je n'en sais rien.

Will resta silencieux quelques instants. Comment pouvait-on « fabriquer » des fantômes ? Les vols avaient-ils quelque chose à voir avec le « matériel » mentionné par le grand homme, au téléphone, quelques instants plus tôt ?

Cristina consulta sa montre sertie de brillants, qu'elle avait réussi à dissimuler aux regards de Đino.

– Maintenant, je crois que nous ferions mieux d'aller dans la salle à manger. Une réunion va débuter. Si j'arrive en retard, ils se demanderont où je suis. D'ailleurs, tu as dit que Dino t'avait amené ici : alors, viens avec moi ! Sinon, il te cherchera.

– Je lui ai dit que je te connaissais, précisa Will. Il le fallait. Il pense que je veux me joindre au culte. Mais il ignore la présence d'Andrew et de Gaïa. Tu sais, la troisième membre de STORM ?

– Oui, Andrew m'a parlé d'elle. Ensuite, nous reviendrons ici et nous étudierons cette poudre. À nous quatre, c'est bien le diable si nous ne tirons pas cette affaire au clair !

Au moment précis où Will faisait la connaissance de Cristina, Andrew et Gaïa faisaient eux aussi une importante découverte.

Le château ressemblait à un dédale de couloirs et de passages secrets. Après être revenus sur leurs pas, ils avaient trouvé un escalier en spirale, aux marches glissantes, qui les avait conduits jusqu'à un carrefour souterrain duquel partaient trois autres couloirs, l'un vers le nord, l'autre vers le sud-est et le troisième vers l'ouest.

– J'espère qu'on ne va pas se perdre, maugréa Andrew.

– Ne t'en fais pas, je me rappellerai le chemin.

– Tu en es sûre ?

– Demande-moi ce qui figure à la page 112 du livre de ton père sur l'archipel Bismarck...

Andrew sourit malgré lui.

– Pardon, j'oubliais ta mémoire photographique... Mais dis donc, ta tête doit être sacrément remplie, non ?

– Pas autant que la tienne, répondit Gaïa charitablement.

Le sourire d'Andrew s'élargit subitement.

– On continue par ici, alors ?

– Nous devrions peut-être essayer de rétablir le contact avec Will. Will ? Ohé ? *Will ?*

Pas de réponse.

Les deux amis se regardèrent en plissant les lèvres. Ils en avaient vu d'autres et l'heure n'était pas encore venue pour eux de s'inquiéter. Mais tout de même, ce silence prolongé avait de quoi surprendre.

Devant eux, Gaïa distingua une porte ouverte. Elle s'en approcha prudemment et jeta un coup d'œil de l'autre côté. Grâce à la lumière dispensée dans le passage, elle repéra ce qui ressemblait à un vieux chariot d'hôpital, un banc sur lequel étaient posés des vases à bec en plexiglas et un extracteur. Sa curiosité fut immédiatement piquée et elle pénétra à l'intérieur. La peinture du chariot s'écaillait et les parties métalliques étaient toutes rouillées. Enroulées autour des pieds, elle aperçut des courroies en cuir usées jusqu'à la corde, qui avaient manifestement dû faire office d'entraves pour des malades… ou des prisonniers. Il y avait aussi un lit, bardé de lanières.

– Dis donc, ça ne date pas d'hier, constata Andrew en détournant les yeux avec effroi.

Mais Gaïa se concentrait sur ce qui se rattachait à sa spécialité : la chimie. Elle reconnut toute une série d'outils familiers, parmi lesquels une petite boîte portant l'étiquette « RDX plastifié ». Elle en souleva le couvercle : une bande de cette matière explosive était collée tout au fond.

Une autre boîte en plastique blanc portait la mention *Al* – aluminium. Gaïa examina la composition exacte de son contenu, une poudre d'aluminium extraordinairement fine, puisque chaque sphère ne dépassait pas trente nanomètres, soit trente millionièmes de millimètre, de diamètre.

– Qu'est-ce que c'est ? murmura Andrew.

– Je n'en suis pas sûre.

Elle prit un des vases à bec, au fond duquel se trouvait encore une sorte de gel, qu'elle renifla.

– Alors ?

– Je ne sais pas.

– Et là-dedans, qu'y a-t-il, d'après toi ?

Andrew désignait du doigt le dessous du bureau.

Reculant d'un pas, Gaïa distingua un coffre-fort argenté doté d'une grosse porte.

– Hum… m'est avis que c'est l'endroit idéal pour dissimuler des documents secrets, dit Andrew.

Il se pencha pour en détailler l'apparence.

– Que comptes-tu faire ? L'emporter ?

Andrew leva les yeux vers Gaïa.

– Tu n'as pas parlé d'explosif il y a une minute ?

Pas si bête, songea la jeune fille. Mais il lui faudrait un détonateur…

– Je crois me souvenir que tu as emporté des allumettes étanches, non ?

Andrew hocha la tête.

– Tu les as avec toi ?

– Oui, elles sont quelque part dans mon sac.

Trois minutes plus tard, Gaïa retirait deux allumettes de la pochette et la refermait. Elle inséra ensuite la tige d'une des allumettes à l'intérieur de la pochette, laissant la tête rouge à l'extérieur.

– Si je colle cette pochette à l'explosif, nous aurons quelques secondes pour nous mettre à couvert avant que la pochette ne s'enflamme, expliqua-t-elle. Ce sera une amorce parfaite.

Andrew lui glissa un sourire complice.

– Je te reconnais bien là.

Avec soin, Gaïa retira le RDX de la boîte et l'appliqua sur le devant du coffre, juste au-dessus de la serrure.

– Tu es sûr que personne ne va entendre l'explosion ?

– Écoute, jusqu'à maintenant, nous n'avons pas croisé âme qui vive. Ferme quand même la porte !

L'instant d'après, elle craqua la deuxième allumette, mit la flamme au contact de la tête rouge qui sortait de la pochette et courut se mettre à l'abri.

Il y eut un éclair de lumière et une détonation somme toute assez discrète. Rien de plus que lors d'une expérience menée en classe de sciences naturelles...

– Tu peux rouvrir les yeux, dit Gaïa.

Se frayant un chemin au travers de la fumée, elle alla constater que l'explosif avait parfaitement rempli sa fonction. Le coffre-fort était ouvert. Impatiente, elle plongea la main à l'intérieur.

– Alors, dis vite ! Qu'est-ce qu'il y a dedans ?

– Seulement ceci..., répondit Gaïa.

Elle tenait une feuille de papier pliée en deux. Andrew tendit la main pour s'en saisir, mais elle la plaqua contre sa poitrine. À tout seigneur, tout honneur, songea-t-elle. Alors, pour une fois, à moi l'honneur !

La gorge irritée par la fumée autant que par l'attente, Andrew se mit à toussoter.

Finalement, Gaïa s'exécuta et déchiffra les inscriptions. La première ligne était en russe, une langue qu'elle ne maîtrisait pas, loin de là. En dessous, les lettres RDX avaient été rayées. Encore au-dessous, il y avait une formule chimique, accompagnée d'autres notes en russe. Si elle ne comprenait pas les mots, Gaïa saisit tout de suite le sens de la formule. Le rythme de son pouls s'accéléra.

– Alors, de quoi s'agit-il ? demanda Andrew, sur des charbons ardents, comme à son habitude.

– Le RDX est un explosif, murmura Gaïa.

– J'avais compris, merci. Mais il a été rayé, non ?

– Précisément. Remplacé par un gel fabriqué à base de nanoparticules d'aluminium et d'oxyde de fer ! Or, plus les réactifs contenus dans le gel sont de petite taille, mieux on maîtrise l'explosion. C'est une nouvelle technologie.

À mesure qu'elle prenait conscience des implications de cette découverte, elle avait pâli. Andrew n'avait pas été long lui-même à en tirer des conclusions funestes.

– Tu veux dire que quelqu'un ici est en train de concevoir une bombe particulièrement puissante ?

– Le Maître ? suggéra-t-elle.

– S'il garde la recette de sa petite concoction dans un coffre-fort, j'imagine qu'il a de grandes visées en tête…

Andrew consulta à son tour la feuille de papier.

– Tiens, tiens…, fit-il en découvrant quatre lignes de formules mathématiques compactes, rédigées en rouge au bas du verso de la feuille.

– Tu as trouvé quelque chose ?

– Je ne sais pas trop… On dirait une sorte d'algorithme pour décrire la position d'objets – de millions d'objets… Étrange…

Soudain, Andrew se figea.

– Qu'est-ce qu'il t'arrive ? demanda Gaïa.

– Tu as entendu ?

– Entendu quoi ?

– Attends, chut ! …

Andrew se précipita vers la porte pour la rouvrir.
Posant un doigt sur ses lèvres, il fit un signe de tête
en direction du passage.

Le bruit se fit de nouveau entendre.

Et cette fois, ils le perçurent tous les deux.

Un murmure sinistre. Un gémissement. Comme
si quelqu'un pleurait doucement.

C'était Cristina qui ouvrait la voie. Son sweat
à capuchon blanc passait inaperçu au milieu des
houppelandes de la même couleur. Elle se fraya
un chemin entre les petites silhouettes. Plusieurs
paires d'yeux se tournèrent brièvement vers elle.
Tout en la suivant, Will cherchait Dino du regard.
Toutefois, s'il portait lui aussi une cape, il serait
impossible de le repérer.

Les interrogations se bousculaient dans sa tête,
mais l'heure n'était pas à la réflexion. Emboîtant le
pas à Cristina, il s'était rapproché de la cheminée
et déjà un bras vêtu de blanc se levait en direction
du balcon.

– Le Maître arrive ! lança la voix d'un jeune garçon.

À l'unisson, un chœur entonna les mots suivants : « *Adoremus in aeternum, Adoremus in aeternum.* »

Cette lente mélopée produisit un effet immédiat sur Will, qui sentit son corps s'électriser peu à peu malgré lui. Ces mots, on aurait dit qu'il les portait en lui depuis l'école, qu'ils coulaient dans ses veines. Il avait appris le latin et il les comprenait : « *Nous vous adorerons toujours.* »

Mais qui ? se demanda-t-il. Le Maître ? Les proches décédés ? Et une sourde tension monta alors en lui. Il avait le choix entre se dérober et aller au fond de cette sombre machination qui se mettait en place sous ses yeux. Il choisit la seconde option, cependant que l'homme qu'il avait entrevu dans le bureau, à la bouche fendue et aux yeux bridés, faisait une entrée théâtrale au possible, revêtu d'une cape rouge vif.

Doucement, Will enfonça une main dans sa poche, fit émerger la tête de Ratty de sorte qu'elle repose sur sa paume ouverte, et activa le transmetteur vidéo numérique. Il fallait qu'il filme cette mascarade.

– Silence ! ordonna Rudolfo.

Instantanément, le babil cessa. Comme il était facile de maîtriser ces enfants ! songea le propriétaire des lieux. Quel contraste par rapport au

Maître ! Puis il s'écarta et s'inclina devant la silhouette drapée de noir qui faisait son apparition.

Le silence se fit plus lourd, plus intense aussi. Il imprégnait l'air. Will sentit son sang se glacer dans ses veines. Ses yeux ne pouvaient se détourner du masque abominable qui défigurait le Maître : des taches rouge sang se formaient aux endroits où sa chair et son souffle entraient au contact du tissu.

– Mes amis ! s'écria le Maître.

Will tressaillit au son de cette voix déformée par le masque. Le Maître étendit les bras et oscilla légèrement, comme s'il entrait en transe.

Will se tourna vers Cristina. Du regard, elle lui fit signe de ne rien dire et de ne pas bouger.

– Je sens la présence d'esprits dans cette salle, annonça le Maître d'une voix d'outre-tombe. J'entends un homme. Il est mort l'an passé. C'était un homme bon. Qui passait trop de temps à son bureau. Il avait une famille aimante. On lui en demandait trop. Sa voix est trouble. Je ne comprends pas son nom. Il commence par un « L ». Oui, par un « L » !

Le public de houppelandes blanches était suspendu à ses lèvres de sang. Les petites silhouettes étaient serrées les unes contre les autres. Will vit couler des larmes sur les joues d'une fillette qui se tenait non loin de lui. Il comprenait ce qu'elle devait ressentir, lui qui avait perdu son père. Heureusement, il n'était pas aussi malléable qu'elle.

Sinon, qui sait s'il n'aurait pas cédé aux sirènes du Maître ?

Il avait lu que cette promesse d'accession à la spiritualité sans le fardeau de la religion avait séduit les scientifiques de l'époque victorienne, qui cherchaient à libérer l'au-delà de l'emprise du christianisme, de l'islam et du judaïsme. Mais le culte proposé par le « Maître » prenait une tournure beaucoup plus sinistre.

– Lorenzo ! s'exclama un garçon dans l'assistance. Mon père s'appelait Lorenzo !

– Je le vois ! répondit aussitôt le Maître. Il veut savoir si tu études bien à l'école. Il me dit qu'il a oublié un de tes anniversaires, pendant qu'il était encore parmi nous. Il le regrette.

– Mon anniversaire, oui…, répondit le garçon d'une voix chancelante. L'année dernière. Il était en Amérique.

La foule fut parcourue de la même agitation que le poisson accroché à un hameçon.

Le Maître attirait des enfants vulnérables sur son île, en leur promettant qu'ils pourraient communiquer avec leurs défunts. Mais pour quelle raison ? Will ne pouvait songer qu'à une explication : pour qu'ils le révèrent et qu'ils se portent volontaires par reconnaissance. Mais volontaires pour quoi ? Et quel rapport avec les fantômes ?

Le Maître se mit à exhaler fortement, le visage à moitié recouvert d'une immense tache rouge.

– Ton père est encore ici. Il te voit. Il est heureux que tu souhaites entrer en contact avec lui. Il veut que tu restes avec des amis. Il veut ton bonheur. Et aussi que tu mènes une vie utile. Libre des pressions exercées par le monde extérieur. Libre de toute contrainte. Une vie autre que celle des gens ordinaires. Libérée du temps lui-même.

Will sursauta. « Libérée du temps lui-même » ? Il avait déjà entendu ces paroles. Ou du moins éprouvé un sentiment similaire. Mais une fois de plus, sa mémoire lui faisait défaut.

Il se concentra de nouveau sur l'instant présent. Le Maître tournait la tête à droite et à gauche, comme s'il cherchait quelque chose d'invisible.

– Je vois un autre esprit ! C'est une femme ! Elle a un visage plein de bonté !

Cristina se retourna, les yeux écarquillés.

– Nous pourrions nous éclipser maintenant, chuchota-t-elle. Dino est là-bas, regarde ! Il nous a vus. Si nous partons maintenant, il ne s'en apercevra pas.

Will regarda dans la direction qu'elle indiquait et reconnut à son tour Dino, dont le capuchon était à moitié relevé. À ce moment, l'assistance avança lentement vers le balcon. Deux garçons essayaient d'attirer l'attention du Maître. La salle se mit à bruisser d'agitation.

Will replaça Ratty dans sa poche et hocha la tête. L'heure était venue de trouver des réponses à toutes les questions qu'il se posait. Et il décida qu'il commencerait par résoudre le mystère de la poudre. Ce serait un bon début.

Déterminé, il suivit Cristina et partit à reculons.

13

– Monsieur !

Shute Barrington releva la tête.

Un jeune Italien portant un costume noir impec-cable se tenait dans l'encadrement de la porte du bureau temporaire de Barrington, derrière l'annexe des gardiens.

Adjacente à cette annexe, se trouvait une villa d'été aux proportions extravagantes, plantée au beau milieu d'une petite île circulaire.

Barrington y était arrivé le vendredi après-midi. La police l'avait transporté par vedette depuis l'aéroport de Venise jusqu'à l'Isola delle Mas-chere, l'Île des masques, ainsi baptisée parce que la famille propriétaire de la villa s'était rendue célèbre non seulement sur le plan politique, mais aussi pour les bals costumés somptuaires qu'elle organisait chaque année au moment du carnaval de Venise.

Dans le musée poussiéreux du premier étage, Barrington avait inspecté une série de masques antiques. Les *larva* – en latin, « ombre » ou « fantôme » – de couleur blanche, avec leur nez protubérant. Les *moretta*, en velours noir, qui restaient en place grâce à un petit bouton tenu entre les dents – à l'origine particulièrement destiné aux femmes, qui se trouvaient ainsi dans l'impossibilité de parler à d'autres hommes qu'à leur mari… Le plus connu était le *pantalone* – qui représentait le visage d'un vieil homme à barbe blanche.

Barrington avait jugé cette collection plutôt déplaisante, voire dérangeante. Il faut dire qu'il avait les nerfs à fleur de peau. Et il y avait de quoi.

– Monsieur ! répéta le jeune homme. Une livraison est arrivée. Par avion !

Barrington hocha la tête. La courte piste d'atterrissage était située derrière le palais. Il n'aurait pas voulu être à la place du pilote. La moindre erreur vous précipitait tout droit dans la lagune. D'ailleurs, Barrington avait préféré opter pour un vol régulier avec atterrissage à l'aéroport civil Marco Polo.

– Très bien, répondit-il.

– Euh… Ils refusent de nous remettre cette livraison, monsieur ! Ils vous demandent. Même le Signor Calvino n'a pas pu la réceptionner à votre place !

– D'accord. J'ai compris. J'arrive !

Le jeune homme hocha la tête à plusieurs reprises avec vigueur, puis il tourna les talons et disparut.

Un rictus moqueur déforma la bouche de Barrington : les Anglais avaient insisté pour que Shute Barrington soit du voyage. Calvino, surnommé « le Chien », en charge de la sécurité sur place en Italie, n'aimerait pas ça. On lui avait clairement fait comprendre que Barrington avait carte blanche pour prendre *toute* mesure de sécurité technologique qu'il jugerait appropriée.

Mais personne n'aime partager le pouvoir, Barrington le savait, et surtout pas « le Chien ».

D'où il tirait ce sobriquet peu flatteur, Barrington l'ignorait. Mais, de fait, Calvino ressemblait à un limier, du moins physiquement, avec ses paupières toujours à moitié baissées, ses lèvres molles et sa confortable bedaine. Calvino était bien trop gros, bien trop arrogant et avait été bien trop promu compte tenu de ses qualités réelles, aussi Barrington trouvait-il normal qu'il s'inclinât devant lui.

Lentement – pour irriter le Chien au maximum – Barrington contourna la villa. Il passa devant l'entrée de la salle de bal – où se tiendrait la « garden-party », le nom de code qui avait été donné à la « réception » qui se préparait. La sécurité avait été renforcée au maximum. Personne ne pourrait plus entrer dans le complexe sans subir une batterie de contrôles. Et seuls Calvino et Barrington détenaient la liste de ceux qui seraient autorisés à tenter de le faire. Excepté Charlie Spicer et Thor, tous les collègues de Barrington au quartier général de STASIS le croyaient en vacances.

Dans la mémoire de son PDA, il possédait non seulement la liste des invités aussi éminents que portés sur la discrétion, mais aussi le plan de cette somptueuse villa du XVIIIᵉ siècle et le détail de la manière dont sa protection était assurée.

Barrington sortit dans l'obscurité pour s'imprégner de la vue. La ville, au loin. À l'est, le château ténébreux qui dominait l'Isola delle Fantasme et son « fantôme » – *Il Fantasma*, comme l'avaient baptisé les journaux – qui ne laissait pas d'irriter cet homme qui avait pour obsession de tout comprendre, mais aussi d'assurer une sécurité sans faille à ceux qui le commanditaient.

Cela dit, Barrington en avait bien conscience, cette villa avait beau se trouver à dix minutes de la place Saint-Marc, pour quiconque aurait souhaité s'y aventurer sans autorisation, elle aurait tout aussi bien pu se trouver sur la lune. La « garden-party » serait sans précédent, la sécurité également. Barrington y veillerait.

Comme il l'avait prévu, le Chien l'attendait sur la piste d'atterrissage.

– Cet homme refuse de me remettre la cargaison, fulminait Calvino.

Les pans de sa veste marron foncé battaient dans

le vent produit par les réacteurs et ses cheveux mal peignés étaient tous rabattus du même côté.

Depuis le siège du passager, Thor agita une main.

– Bonjour, m'sieur ! hurla-t-il. Voici la livraison que vous attendiez de la part de Charlie Spicer. Sans intermédiaires, annonça-t-il fièrement.

Barrington hocha la tête.

– Je vais vous envoyer de l'aide, Thor. Les conteneurs sont derrière.

– Très bien, m'sieur.

Les yeux exorbités, Calvino demanda :

– Allez-vous enfin me révéler la nature de cette cargaison ?

Barrington lui sourit de toutes ses dents.

– Je peux faire encore mieux. Si vous attendez une demi-heure, je vous montrerai tout ça avec plaisir.

À moins d'un kilomètre de là, Will s'échinait à faire une mise au point correcte, mais ce n'était pas facile : le microscope de Cristina était bel et bien une antiquité. Et puis Will se repassait en boucle dans sa tête l'abominable petite séance à laquelle il venait d'assister ainsi que les péripéties de leur sortie « à l'anglaise » plutôt périlleuse. Cristina avait heurté un blondinet qui lui avait demandé ce qu'ils faisaient là, Will avait aussitôt répondu qu'ils exécutaient une mission que leur avait confiée Dino ; heureusement pour eux, le blondinet n'avait pas demandé son reste – manifestement, les enfants craignaient l'adolescent au visage de cire.

Debout à côté du bureau, dans la mystérieuse pièce au sol de verre, Cristina observait Will. Celui-ci avait incliné l'abat-jour de la lampe de sorte que la lumière éclaire le support en cuivre sur lequel il placerait son échantillon.

Les paumes humides, Will avait versé soigneusement quelques granulés de poudre sur une lame. Puis il l'avait glissée sur la platine. Le cuivre était doux au toucher, parfaitement poli après un siècle d'utilisation. Le revolver portait trois objectifs. Will avait choisi le 150 x et avait approché la tête de l'œilleton. Ne restait plus qu'à faire la mise au point. Pas une mince affaire avec cet antique joujou.

– Qu'est-ce que tu vois ? s'enquit Cristina avec impatience.

Sa tête allait et venait entre Will et la porte.

– Minute, papillon !

Il actionna une dernière fois la molette de l'objectif et, enfin, les granulés lui apparurent dans toute leur netteté. Il tapota alors la lame pour faire rouler les boulettes minuscules.

– Dis-moi, Cristina, ton fantôme, il ressemblait à quoi, précisément ? demanda-t-il en levant les yeux.

– Tu as vu la vidéo, non ? Alors, tu le sais aussi

bien que moi. Il n'était pas humain, ça je le jure. J'ai pensé que c'était un fantôme, maintenant, je n'en ai plus la certitude…

Will fixa de nouveau la lame et son contenu. Il avait espéré que l'échantillon se transformerait au bout de quelques secondes et reprendrait un aspect plus… classique. En effet, ce qu'il contemplait était à peine croyable. Cette matière appartenait bel et bien à la science-fiction.

Will retint sa respiration et finit par murmurer :

– Je crois que je sais ce que c'est…

Et puis non, vraiment, c'était impossible. Il secoua la tête. Ces granulés n'étaient censés voir le jour que cinq ans plus tard, au moins. Il avait lu un article à leur sujet – purement théorique, à ce stade – dans les *Annales de la micro-ingénierie*. C'était à Noël, chez Andrew.

Will releva la tête.

– Eh bien ? s'exclama Cristina.

Will ne lui prêtait plus aucune attention. Il contemplait les caméras et les réceptacles métalliques sous le sol en verre. Un autre détail lui revint en mémoire : Angelo, qui tenait un fou en turquoise sous la lumière, dans le musée de son père, cependant qu'Andrew ramassait sous le canapé un PDA *dont la mémoire avait été effacée.*

Ce ne pouvait être que ça. Aucune autre explication ne tenait la route. L'aspect des granulés. Les caméras dans la pièce où il se trouvait. Le sol en verre. Le PDA.

– Mais, enfin, quoi ! Parle, je t'en conjure ! implora Cristina. Qu'est-ce que tu vois ? Qu'est-ce que c'est ?

Il fallait se rendre à l'évidence : cette explication était la bonne. Will inspira fortement et répondit :

– *Smart dust*. De la poussière intelligente.

– De la poussière intelligente ? s'écria Cristina.

– Oui, des robots microscopiques capables de s'organiser eux-mêmes.

Will fit rouler sa chaise en arrière et pointa le doigt vers une des caméras miniatures qui restaient dans la pièce.

– En théorie, si l'on parvient à prendre une image à trois cent soixante degrés de quelqu'un ou de quelque chose, on peut ensuite modeler ces poussières afin qu'elles adoptent la forme de ce quelqu'un ou de ce quelque chose et qu'elles se déplacent de la même manière que lui. Pour contrôler ces robots, on se sert d'un réseau sans fil. On peut même faire en sorte que la peau d'un individu reconstitué virtuellement par ces robots change de couleur. Ils sont conçus pour imiter n'importe quoi et n'importe qui.

– Je comprends, fit Cristina, sidérée. Mais alors, mon fantôme, ce n'était qu'un agglomérat de ces mini-robots ?

– On dirait bien, oui...

Encore sous le choc de sa découverte, Will sentit monter en lui une sensation désagréable qui ressemblait à... de la peur. Cette nouvelle technique était étonnante, aucun doute là-dessus : il suffisait de cacher une pile de ces particules dans une pièce ainsi qu'un PDA connecté à un réseau sans fil et, plus tard, depuis un autre endroit, il était facile d'utiliser cette connexion sans fil pour donner une forme ou une autre aux particules. Par exemple celle d'un fantôme du XXIe siècle...

Will se rappela que le palais de Cristina était ouvert aux visiteurs une fois par mois. L'un d'entre eux avait pu laisser sur place les gadgets nécessaires puis, une fois le forfait accompli, effacer à distance la mémoire du PDA.

Restait tout de même une interrogation : pourquoi le Maître s'était-il contenté d'un lion – fût-il incrusté de pierres précieuses – et d'un tableau – fût-il signé Klimt ? Avec une technologie pareille, on pouvait mettre le monde à feu et à sang !

– Je vais filmer cette pièce, annonça alors Will. On dirait qu'elle n'a pas été utilisée depuis un moment. La plupart des caméras ont disparu. Or, le tableau de la galerie a été dérobé avant-hier.

Sans autre forme de procès, il sortit Ratty de sa poche sous les yeux terrifiés de Cristina, qui poussa un cri.

– Mon Dieu, un rat !

– Pas n'importe lequel, corrigea Will, vexé, en

activant la caméra vidéo. Chirurgicalement amélioré, s'il te plaît ! Télécommandé et équipé d'un matériel de transmission audio *et* vidéo.

– Télécommandé ?

– Tu as bien entendu, fit Will en orientant la tête du rongeur en direction de la poudre qui subsistait dans la boîte.

Cristina n'en croyait pas ses yeux.

– Quand je pense que mes ancêtres affrétaient des galions pour aller en Égypte recueillir des chats sauvages afin qu'ils tuent les rats qui pullulaient à Venise !

La jeune fille se mordilla la lèvre inférieure. Ce Will était plutôt joli garçon, dans le style anglais… Pâle, avec des taches de rousseur. Et elle n'était pas déçue par les membres de STORM. C'étaient vraiment des cracks ! Mais alors là ! Un rat mécanique !

– Celui-ci est plutôt mignon, admit-elle.

Mignon ? s'interrogea Will en silence. Ratty était-il mignon ? C'était un animal domestique doublé d'un outil de travail, oui. Mais « mignon » ?

Satisfait de sa vidéo, Will éteignit la caméra, puis il gratifia Ratty d'une caresse rapide.

– Je vais appeler Andrew et Gaïa, annonça-t-il alors.

Il voulait discuter de sa découverte avec Andrew. Pour être sûr de son fait.

– Mais les portables ne fonctionnent pas…

– Nous n'avons pas besoin de portable, interrompit-il.

Cristina ouvrit une fois encore des yeux ronds en le voyant sortir de sa poche le Téléphone-dentaire qu'il installa sur sa molaire. Et elle fut abasourdie de l'entendre murmurer :

– *Andrew... tu es là ?*

Depuis neuf minutes, Andrew était agenouillé devant une porte en bois. Le gémissement étrange que Gaïa et lui avaient perçu provenait de derrière cette porte, ils en étaient certains. Mais Andrew avait eu beau frapper et appeler, aucune réponse ne lui était parvenue en retour.

Gaïa l'observait en silence, tout en surveillant l'écran de son mobile. Aucune réception. Elle ignorait l'existence des dispositifs de blocage des signaux mais, de toute façon, ils se trouvaient sur une île, à l'intérieur d'un château dont les murs faisaient trente centimètres d'épaisseur. Alors, si sa tante essayait de l'appeler, elle ne le saurait même pas.

Certes, son père était hospitalisé en Angleterre : mais qu'aurait-elle pu faire d'utile à Londres ? Sans doute pas grand-chose. Bien sûr, la seule question qui valait la peine d'être posée, c'était celle-ci : pouvait-elle faire quelque chose d'utile à Venise ?

Or, cet endroit oppressant la mettait mal à l'aise,

infrasons ou pas. Et elle commençait à en avoir sa dose.

« Réfléchis à l'explosif », se conseilla-t-elle pour se changer les idées.

Les nanoparticules dites « sol-gel » étaient à la pointe du progrès, mais en même temps, elles étaient relativement faciles à fabriquer – du moins d'après ce qu'elle avait lu. La plupart des manipulations chimiques pouvaient être réalisées dans un vase à bec.

– Y a quelqu'un ? Tu m'entends ? La Terre appelle Gaïa… !

La jeune fille fut brutalement ramenée à la réalité.

– Tu pourrais peut-être essayer ? suggéra Andrew.

– Quel intérêt ? Si quelqu'un se trouvait là-dedans, il t'aurait déjà répondu.

– Écoute, tu as ouï cette plainte comme moi. Il y a forcément quelqu'un. La personne en question a peut-être peur… et elle te répondra plus facilement qu'à moi.

– Je ne vois pas pourquoi, rétorqua la jeune fille.

Andrew soupira. Gaïa ne l'aidait pas beaucoup. Il trouvait même qu'elle se comportait d'une drôle de façon. Sans doute à cause de la peur diffuse qu'elle éprouvait de croiser un vrai fantôme au détour d'un couloir…

À contrecœur, la jeune fille s'agenouilla tout de même.

– Coucou ? Y a quelqu'un ?

Pas de réponse. Andrew soupira de nouveau.

– Je vais réessayer de contacter Will, fit-il en insérant son Téléphone-dentaire dans sa bouche.

– *Will ? C'est Andrew. Tu me reçois ?*

Aucune réponse.

– ... Tu as oublié de dire « à toi », fit observer Gaïa.

– *Will, tu m'entends ? À toi.*

Toujours rien.

– *Will, si tu ne peux pas parler, ne dis qu'un seul mot, mais au moins je saurai que tu me reçois.*

Gaïa se releva et mit en place son propre Téléphone-dentaire.

– *Andrew, Gaïa, vous êtes là ?*

C'était la voix de Will !

– *Oui, nous t'oyons. Où étais-tu passé, vieille branche ?*

– *J'ai trouvé Cristina.*

– *Vraiment ? Cristina !* s'exclama Andrew, ce qui lui valut une moue réprobatrice de Gaïa, tant les vibrations produites avaient été insupportables.

– *Et vous, vous avez trouvé quelque chose ?* demanda Will.

– *Une recette pour fabriquer une bombe,* répondit Andrew. *Et nous sommes en mesure d'affirmer*

*avec un degré de certitude raisonnable que ce châ-
teau est bel et bien hanté.*

— *Une bombe ? Diable… Pour ce qui est des
fantômes, désolé de te décevoir, mais j'ai trouvé de
quoi il s'agissait. Venez me retrouver !*

— *Bien reçu !* répondit Andrew.

Sur-le-champ, il alluma son « ordinateur portable » et mit en place son oculaire.

— Et on va le retrouver comment ? demanda
Gaïa.

— Grâce au pisteur, bien sûr !

La jeune fille se sentit toute bête d'avoir posé
cette question… Andrew avait déjà appuyé sur
l'icône « Tracking » et un point rouge était visible
sur son écran de contrôle virtuel.

— *Je t'ai repéré, l'Inventeur*, annonça-t-il à Will.
Fin de transmission.

Il s'aperçut que son cœur battait plus vite qu'à
l'accoutumée. Deux raisons au moins pouvaient
l'expliquer : Will avait retrouvé Cristina, Dieu soit
loué ! Et il avait découvert de quel bois étaient faits
les fantômes… ce qu'Andrew brûlait de découvrir
à son tour.

Il s'agenouilla de nouveau devant la porte close.

— Ohé, là-dedans ! Nous allons chercher de
l'aide.

Puis il se releva.

— Tu es prête, Gaïa ?

Elle hésita un instant, car elle analysait la

situation différemment d'Andrew : « Nous avons retrouvé Cristina. Nous comprenons le phénomène des fantômes. Maintenant, nous pouvons partir. »

Andrew prit son hésitation pour de la peur.

– Ne t'inquiète pas, tu ne crains rien, fit-il de son ton le plus rassurant. Tu es avec moi...

14

Will ne pouvait détacher les yeux de la chevelure brillante de Cristina, qui encadrait ce beau visage qu'il admirait de profil.

— Tu ne crois pas que Dino va nous chercher ? demanda-t-il.

La jeune Italienne leva les yeux de l'œilleton du microscope.

— Au début, dès que je m'éclipsais, je m'attendais à ce qu'on me surveille. Mais les enfants embrigadés ne prêtent pas attention à moi. À part eux, dans le château, il n'y a que le Maître, Dino et aussi Rudolfo, son assistant, et puis deux garçons chargés de surveiller que personne ne vient fureter trop près de l'île.

Cristina inclina la tête de côté.

— Le plus embêtant, c'est Dino. Il est toujours

en train de rôder. Je suis censée me manifester à lui toutes les deux ou trois heures. Il faut aussi que je donne l'impression de m'intéresser à leur culte, que j'en apprenne les principes pour qu'ensuite on procède à mon initiation. À part ça, j'imagine qu'ils ne s'inquiètent pas trop de savoir ce que je fais : on ne risque pas de s'échapper d'une île ! Et puis une alarme se déclenche si quelqu'un quitte le château. Comme si ça ne suffisait pas, ils nous conseillent de ne pas nous promener seuls dans les passages, car on risque d'y croiser des fantômes... Et si on y croit... on reste sagement dans sa chambre.

– Tu y crois, toi, Cristina ?

– Au départ, j'avais des doutes. Maintenant, je me dis qu'il y a une explication rationnelle, scientifique à leur « existence ». Les fantômes normaux ne sont pas des voleurs !

– Non, en effet, admit Will.

Tous deux échangèrent un sourire complice, puis les yeux de la jeune fille se posèrent sur la porte. Will avait entendu du bruit, lui aussi. Il éteignit la torche et Cristina la lampe.

Il y avait des bruits de pas dans le couloir, à l'extérieur. Will se plaqua contre le mur, retenant sa respiration. De vieux gonds grincèrent, la porte s'entrouvrit. Leur dernière heure était peut-être arrivée...

– Qu'est-ce que vous fabriquez dans l'obscurité,

enfin, quoi ? Ah, j'y suis. Un petit somme réparateur, peut-être ?

Andrew ! Bien sûr...

Will ralluma sa torche et en braqua le faisceau sur le visage de Cristina, puis sur Andrew et Gaïa.

– Vous pouvez vous vanter de m'avoir fait une belle peur, tous les deux ! Cristina, je te présente les autres membres de STORM, Andrew et Gaïa.

Le jeune millionnaire se mit à cligner des yeux à n'en plus finir, ébloui bien davantage par la beauté de Cristina et par ses yeux brillant comme deux morceaux de quartz que par le faisceau de la torche. Il ne l'avait pas imaginée ainsi.

Il s'émerveilla de voir des diamants scintiller à son poignet... Il s'essuya une main – elle-même alourdie par une montre en or – sur son pantalon et la tendit timidement à Cristina.

– Je me réjouis profondément que nous t'ayons retrouvée, déclara-t-il pompeusement, avant d'ajouter : tu permets que je te tutoie ?

Elle prit sa main, hocha la tête et lui sourit. Quelles dents parfaites ! Et ce sourire à croquer ! Andrew ne pouvait détacher les yeux de ceux de la jeune Italienne.

– Tu ne te sens pas bien, Andrew ? demanda Gaïa. Je ne t'ai pourtant pas mis le Plein-la-vue dans les yeux.

– Non, mais quelqu'un d'autre lui en met manifestement plein la vue, commenta Will dans sa barbe.

– Le Plein-la-vue ? interrogea Cristina en dévisageant à son tour Andrew, avant de l'examiner de pied en cap.

Elle contempla son pantalon aux multiples poches, sa veste de toile et son T-shirt mauve avec en son centre ce qui ressemblait à une molécule…

– Oui, c'est une de mes inventions, répondit Will en feignant la modestie. Un joujou.

Andrew parvint enfin à détacher les yeux de Cristina et avisa les caméras miniatures et le microscope.

– Alors, comme ça, vous avez trouvé une bombe ? demanda Will.

Gaïa lui décrivit le gel et les nanoparticules, s'empressant de préciser :

– Cela ne veut pas nécessairement dire qu'il s'agit d'une bombe. On utilise un mélange standard d'aluminium et d'oxyde de fer pour déclencher l'ouverture des airbags dans les voitures, par exemple. Ce mélange a des propriétés hautement explosives, mais on peut s'en servir pour autre chose.

Le problème, évidemment, c'est que si ceux qui avaient réuni ces ingrédients les destinaient à un autre usage, ne présentant aucun danger, pourquoi les auraient-ils enfermés dans un coffre ?

– Nous avons aussi entendu comme une plainte

ou un gémissement qui provenait d'une pièce verrouillée.

– Une plainte ? s'exclama Cristina. Oui, moi
aussi je l'ai entendue !

Andrew s'était mis à genoux et examinait ce qui
se trouvait sous le verre.

– Regarde donc dans le microscope, lui suggéra
Will. Nous avons découvert des granulés semblables à ceux qui composaient la poudre retrouvée
chez Cristina.

Le jeune millionnaire se releva, colla son verre
de lunettes contre l'œilleton et se pinça pour s'assurer qu'il ne rêvait pas.

– C'est tout bonnement révolutionnaire !
s'exclama-t-il. Et ces caméras dans le mur ? On
dirait des machines miniaturisées, du type de celles
qui sont capables de s'organiser elles-mêmes ! Tu
sais ? Ces caméras capables de filmer à trois cent
soixante degrés, dotées d'une connexion Internet.
Le génie à l'état pur, enfin, quoi ! J'aurais dû avoir
cette idée moi-même, mais même si je l'avais eue,
je me serais dit que…

– … ce n'était pas possible, conclut Will. Je sais.

– Que veux-tu dire par « des machines miniaturisées capables de s'organiser elles-mêmes » ?
intervint Gaïa.

– Eh bien, elles sont constituées d'un ensemble
de robots d'un millimètre – des millibots ! Chacun
d'entre eux contient une puce. Ils peuvent commu-

niquer, sentir, se déplacer et même changer de couleur ! Mais surtout, ils sont capables de travailler ensemble, comme un réseau.

Pas entièrement convaincue, Gaïa fronça les sourcils.

— Mais enfin, par quel moyen se déplacent-ils ? Comment s'agglomèrent-ils les uns aux autres ? Car vous êtes bien en train de me dire que ces « millibots » peuvent se transformer en fantômes ?

— Absolument, répondit Will. J'imagine qu'ils utilisent des forces magnétiques pour se mouvoir les uns par rapport aux autres. Qu'en penses-tu, Andrew ?

— Je suis de ton avis. C'est le plus probable. Attends que je regarde de nouveau...

Il se pencha derechef sur l'œilleton du microscope.

— Non, c'est trop flou, la résolution est innommable. Mais j'imagine qu'ils doivent adhérer les uns aux autres au moyen de nanofibres. Par contre, je me demande bien qui a pu concevoir ça. Cette personne doit être dotée d'une intelligence exceptionnelle. Comment se fait-il que je ne la connaisse pas ?

— C'est peut-être « le Maître » ? intervint Will. Je ne vous l'ai pas encore dit, mais je l'ai vu.

— Ah oui ? fit Gaïa. Et alors ? Raconte ! À quoi ressemble-t-il ?

— Il portait une cape et un masque, c'est tout ce

que je peux en dire. Ah oui, et il modulait l'intonation de sa voix.

Andrew leva les bras au ciel.

– Nous ne sommes pas beaucoup plus avancés ! Il faut que nous trouvions qui se cache derrière ce déguisement.

– Je l'ai vu, moi aussi, mais je n'en ai aucune idée, avoua Cristina, qui avait suivi à grand-peine la conversation sur les mini-robots.

Seule consolation : cette Gaïa semblait tout en ignorer, elle aussi.

Pour l'heure, celle-ci était toujours aussi mal à l'aise. Les fantômes, l'absence de contact téléphonique, la bombe, la plainte derrière la porte... Ils étaient partis à l'aventure, sans trop savoir ce qui les attendait à Venise. Mais les événements prenaient une tournure qui ne lui plaisait guère. Ne s'attaquaient-ils pas à quelque chose qui les dépassait, et de loin ? Surtout, Gaïa voulait avoir des nouvelles de sa tante. Étrange qu'elle ressente désormais ce besoin avec une telle intensité. Cela avait peut-être quelque chose à voir avec toutes ces histoires de fantômes...

Elle se tourna vers Will.

– Écoutez, les garçons : nous avons retrouvé Cristina et nous savons comment sont fabriqués les fantômes. C'est pour ces deux raisons que nous étions venus ici. Et quiconque produit cette plainte est enfermé et peut-être même blessé. Nous avons besoin d'aide. Nous devrions nous servir de Ratty pour filmer les lieux et aller voir la police.

– J'ai déjà des images, répondit Will. Et non, nous ne pouvons pas partir. Ce Maître recrute des volontaires pour une certaine raison et nous ne savons pas laquelle. Ce ne peut pas être pour fabriquer des fantômes. À moins qu'il n'ait besoin de corps à filmer pour ensuite s'en servir de modèles pour ses fantômes... mais pourquoi ne pas utiliser le sien ? Il n'aurait pas besoin de dizaines d'enfants acquis à sa cause...

– C'est à la police de le découvrir, insista Gaïa. Nous en avons fait assez comme ça.

Will ne reconnaissait pas son amie. Elle qui était d'un naturel si curieux, comment pouvait-elle être à ce point détachée ? Le château hanté y serait-il pour quelque chose ?

– La police n'est bonne à rien, fit Cristina. Je m'en suis rendu compte.

– Et si quelqu'un est enfermé, nous pouvons peut-être essayer de libérer cette personne, non ?

– Nous avons retrouvé Cristina, nous avons filmé cette pièce et nous savons de quoi est faite la poudre, martela Gaïa. Il nous suffit d'aller trouver la police avec les images vidéo. Elle viendra, maintenant. Il le faudra bien. Et elle possède tout le matériel voulu pour forcer la porte du local où celui ou celle qui se plaint est en captivité.

– Le Maître prépare un mauvais coup, objecta

Cristina. J'ai entendu Rudolfo évoquer une réunion. Il a commandé du matériel. Mais de quelle réunion et de quel matériel s'agissait-il ? Mystère…

– Qu'importe ce qu'il mijote ? s'insurgea Gaïa. S'il prévoit de le faire ici, eh bien nous lui enverrons la police.

– La police est déjà venue, elle n'a rien trouvé.

– Mais elle n'avait pas eu *ça* entre les mains !

Cristina secoua la tête.

– Ils ne comprendront pas de quoi il s'agit. Nous devons essayer de découvrir ce qu'il se passe ici.

« Je vois, songea Gaïa. La *signorina* a l'habitude qu'on fasse ses quatre volontés. Eh bien, non, pas cette fois ! »

– Je ne suis pas d'accord, contra Gaïa.

Aussitôt, Cristina se raidit et se tourna vers Andrew.

– Vous avez fait tout ce chemin ! Imaginez ! Si le Maître est capable de créer tout ceci…

Et d'embrasser toute la pièce d'un geste large.

– … qu'a-t-il d'autre en tête. Et qui est-il, ce Maître, qui se cache derrière son masque ?

Puis elle se tourna vers Will.

– Si cette réunion, quelle qu'elle soit, se déroule dans une heure, quelqu'un peut-il prédire quelles en seront les conséquences ? La police arrivera trop tard !

Gaïa attendit qu'Andrew et Will battent ce raisonnement en brèche.

Elle attendit.

Ils restaient silencieux.

Puis, très lentement, Andrew ôta ses lunettes et se mit à les nettoyer avec sa manche de veste. Gaïa savait ce que cela voulait dire et son visage s'empourpra de colère. Ils prenaient le parti de Cristina contre elle !

– Je ne reste pas, annonça-t-elle.

Andrew leva les yeux vers elle.

– Gaïa, fit-il d'une voix douce, en se montrant aussi compréhensif que possible, nous sommes littéralement dans le même bateau. Nous sommes arrivés ensemble, nous devons repartir ensemble.

– Alors, partons *maintenant* ! s'écria Gaïa.

Andrew échangea un regard avec Will, que Cristina fixait elle aussi de ses grands yeux noirs. Pour sa part, Gaïa se détourna, aussi ne vit-elle pas son expression quand il déclara :

– Si fait : je crois que nous devons rester…

Il n'avait pas prononcé ces paroles de gaieté de cœur. Ils formaient une équipe, les garçons et Gaïa. Il aurait voulu qu'elle partage leur avis. C'était ça, son idée d'une équipe.

Mais elle refusait. Le sort en était jeté.

– Oui. Jusqu'à ce que nous trouvions ce qu'il advient de tous ces volontaires, renchérit Will.

Il n'avait pas oublié la conversation qu'il avait surprise dans la grande salle à manger juste après son arrivée, ni cet article de journal qui mentionnait que le cadavre d'un jeune garçon avait été retrouvé *défiguré* sur le rivage d'une île voisine.

S'était-il vraiment porté *volontaire* pour subir pareil traitement ?

– Si le Maître a créé un culte destiné à lui fournir des sujets, reprit-il, nous devons à tous ceux qui sont piégés ici de découvrir pourquoi, et ce qu'il fait. Si les fantômes ne font pas partie de l'exercice de ce culte, alors à quoi servent-ils ? À lui procurer de l'argent pour acheter ce dont il a besoin pour se livrer à des expériences, par exemple ?

Cristina hocha la tête, puis consulta sa montre.

– Il faut que j'aille à la rencontre de Dino, comme prévu. Je suis déjà en retard et si je ne viens pas, cela va éveiller ses soupçons. Pendant ce temps-là, essayez de voir si vous pouvez découvrir qui pousse ces gémissements…

– Je pourrais peut-être utiliser la Pince-à-sucre pour ouvrir la porte, dit Will en se tournant vers Cristina. Alors, c'est d'accord, on se retrouve là-bas ?

Gaïa les entendait à peine. Ses mâchoires étaient tellement serrées que la pression lui envoyait des pulsations douloureuses au niveau des tempes. Elle se décida enfin à regarder Will. Mais elle ne lut sur son visage qu'une détermination farouche à faire le contraire de ce qu'elle préconisait.

– Alors, Gaïa, qu'en dis-tu ? demanda-t-il.

– Que suis-je censée dire ? murmura-t-elle rageusement.

– Que tu vas rester avec nous…

Elle inspira fortement et lui lança cette prédiction en laissant libre cours à toute la frustration qu'elle ressentait :

– *Niente di buono !* lâcha-t-elle entre ses dents. Il ne sortira rien de bon de tout ça…

15

Shute Barrington croisa les bras sur l'acier froid du conteneur, satisfait. Le chargement semblait avoir bien supporté le voyage. Les armes avaient été mises en place et il allait faire la démonstration au « Chien » que STASIS en connaissait un rayon en matière de défense et de protection.

Bien sûr, Calvino le reconnaîtrait en son for intérieur, mais refuserait de l'admettre. Barrington soupira. Il détestait la politique de la canonnière – l'expression de la loi du plus fort.

– M'sieur !

Thor arrivait au petit trot sur le tarmac. Derrière sa tête se découpait un croissant de lune argenté.

– Laissez-moi deviner, dit Barrington au moment où Thor arrivait à sa hauteur : Calvino est occupé ailleurs.

– Non, m'sieur, il arrive.

Thor jeta un regard empreint d'incertitude à l'intérieur du conteneur éclairé par des projecteurs. Il plongea la main dans sa poche, en sortit un PDA dans une coquille rose et lut le texte d'un message.

– C'est le vôtre, Thor ?

Le visage du jeune homme adopta la même couleur que la coquille du PDA.

– Oh, non, m'sieur, c'est celui de ma copine. J'ai perdu mon téléphone hier, alors j'ai dû le lui emprunter. Désolé.

De nouveau, il regarda à l'intérieur du conteneur d'un air inquiet.

– Tout va bien, m'sieur ?

– Oui.

Thor avait beau être relativement nouveau dans la « boîte », Barrington n'avait pas son pareil pour déterminer ce qu'il se passait dans la tête de son personnel. Il le fallait. Lorsqu'on travaille à quelques mètres de quelqu'un qui met au point un explosif révolutionnaire, on doit s'assurer qu'on le comprend, qu'on peut lui faire confiance et – c'est peut-être le plus important – lorsque quelque chose le turlupine, il faut s'en apercevoir à temps.

– Mais je soupçonne, mon bon Thor, que vous vous apprêtez à me dire quelque chose qui va me faire changer d'avis.

Thor prit son courage à deux mains et se lança :

– C'est juste que… vous avez lu les articles sur le voleur fantôme, m'sieur ?

Les yeux de Barrington – d'ordinaire plissés par le doute perpétuel qui le rongeait – s'arrondirent sous l'effet de la surprise.

– Vous voulez parler… d'*Il Fantasma* ? Brrrr… !

Sensible à cette pointe de moquerie, Thor rosit de nouveau.

– Oui, m'sieur.

– Je ne pense pas qu'il nous faille trop nous inquiéter des fantômes, Thor.

– Non, m'sieur, je sais. Je voulais juste dire que…

– Te bile pas, mon gars ! Je sais ce que tu voulais dire. Ce n'était pas un fantôme. Alors, qu'est-ce que c'était ?

– Peut-être une projection, vous savez ? Et pendant ce temps-là, le vrai voleur était tapi dans l'ombre…

– Possible.

– J'ai une autre hypothèse, m'sieur.

– Je vous écoute.

– Je pensais à de la poussière intelligente. Des robots d'un millimètre. Voire des microbots.

Barrington haussa un sourcil.

– Je vois. Et d'après vous, Thor, combien de temps faudra-t-il encore à STASIS pour concevoir des millibots capables de s'auto-organiser ?

– Je ne sais pas, m'sieur… Je dirais six ans.

– Oh, Thor ! Ne soyez pas si pessimiste ! Cinq au plus…

Thor soupira.

– Comme vous voulez, m'sieur.

– Bien, cela posé, si nous ne sommes pas capables de le faire, qui d'autre le pourrait ?

– Je n'en ai aucune idée.

– Ce qui nous amène à la seule conclusion possible…

– … Il ne s'agit pas de poussière intelligente.

– Vous voyez, quand vous voulez, Thor, vous êtes futé.

– Mais… ?

Barrington enfonça le clou en hochant la tête, comme pour mieux s'en convaincre lui-même.

– Ce n'est pas de la poussière intelligente, parce que c'est impossible. Point final.

Will avait-il pris la bonne décision ? À en juger par le visage fermé de Gaïa, qui le suivait dans le corridor humide, la réponse était non.

Leurs objectifs de départ avaient cédé la place à d'autres, c'était un fait.

– *Tout va bien !*

Instinctivement, Will porta une main à son oreille. Cristina, à qui il avait donné le quatrième Téléphone-dentaire dont personne ne se servait, n'était pas encore habituée à cette fragile ingénierie.

– *Parle moins fort*, lui chuchota Will.

Elle avait demandé qu'on lui donne quinze minutes. Si Dino lui demandait où était passé Will, elle biaiserait. Pendant ce temps, Will, Andrew et Gaïa essaieraient de découvrir qui, ou ce qui, se cachait derrière la lourde porte.

Will se retourna. Gaïa, dont la peau était naturellement mate, affichait la même pâleur qu'Andrew. Elle n'avait pas ouvert la bouche depuis leur départ du labo jusqu'à l'endroit où ils se trouvaient – la petite entrée latérale à travers laquelle Will avait suivi Dino à son arrivée au château.

Will aurait voulu dire quelque chose à son amie, mais il ne savait pas quoi.

Elle n'avait pas tort. D'ailleurs, personne n'avait raison ni tort, dans ce genre de situation. Et il ne lui en voulait pas.

– Continue encore un peu, lui chuchota Andrew. L'escalier est là-bas.

Will s'apprêtait à lui répondre lorsque l'intérieur de son oreille se mit à vibrer. Cristina parlait.

– … *Maître ?*

Il se figea sur place et se retourna vers Andrew, qui affichait l'inquiétude des grands jours.

Le Maître était avec Cristina !

Mais alors, où Dino était-il passé ?

Cristina recommença à parler.

– *Je ne sais pas ce que…*

Silence.

– *Maître, non… J'ai seulement exploré les lieux. Ce château est tellement intéressant.*

Silence. Andrew plissa les yeux.

– *Mais je n'ai pas été initiée ! Je ne pourrai jamais…*

Cristina faisait de son mieux pour dissimuler son angoisse, mais ils la percevaient tous. C'était une épreuve insupportable que de n'entendre qu'une partie de la conversation et surtout de ne rien pouvoir faire pour lui venir en aide.

Will serra les poings. Il fallait qu'il sache.

– *Dis-nous ce qu'il se passe*, murmura-t-il.

– *Non, je vous le jure, Maître, je ne suis pas une espionne ! Je veux devenir membre de votre culte… Je veux parler à mon frère. Il me manque tellement, si vous saviez ! Maître, je vous en supplie, entrez en contact avec lui ! Les autres m'ont dit que vous en aviez le pouvoir ! S'il vous plaît !*

Andrew grinça des dents. Qui était ce maudit personnage ? Il était impératif de le découvrir. C'était peut-être le moment ou jamais. Cristina était devant lui ! Portait-il son masque ? Abaisserait-il sa garde ?

– *Cristina, demande-lui son nom !* chuchota Andrew. *Dis-lui que tu l'admires et que tu meurs d'envie de savoir comment il s'appelle !*

Andrew se tourna vers Will, qui le contemplait avec stupéfaction. Comme si le Maître allait abandonner sa couverture si facilement !

Le jeune millionnaire pensait toutefois le comprendre : ce Maître était puissant, brillant, et Andrew soupçonnait qu'à l'instar de tous les personnages hors norme, son ego était démesuré et qu'il brûlait d'envie de se faire connaître du monde entier. Alors, il révélerait peut-être son identité à Cristina, ne serait-ce que par défi...

– *Maître*, reprit Cristina d'une voix plus posée, *je vous admire tant et je ne connais même pas votre nom. S'il vous plaît, maintenant que nous nous connaissons, vous pourriez peut-être me le dire ? Je sais garder un secret...*

Silence. Cristina ne parlait plus.

– *Parce que je meurs d'envie de connaître le nom du génie qui peut dialoguer avec les morts. Parce que...*

De nouveau le silence.

Will fit un signe de tête à Andrew et ôta son Téléphone-dentaire de sa bouche.

– C'est dangereux, murmura-t-il. Plus elle en saura, plus elle sera exposée...

Et il replaça le dispositif dans sa bouche. Il ressentit de nouveau des vibrations. Ce que Will, Andrew et Gaïa entendirent alors leur donna la chair de poule.

– *Caspien Baraban ? C'est un nom inhabituel*, murmura Cristina.

Caspien Baraban.

Will ressentit la même sensation d'étouffement qu'au fond du Lac n° 2. Il était comme submergé, en panne d'air pour respirer. Il fixait Andrew et Gaïa. Une véritable bombe venait d'exploser à l'intérieur de sa tête. *Cette voix.* Il l'avait reconnue, même déformée par le masque. C'était tellement improbable, pour ne pas dire impossible, qu'il avait tout de suite écarté cette hypothèse.

Mais il fallait du génie pour construire les robots minuscules. Et du génie, Caspien en avait à revendre. Mais n'était-il pas censé croupir dans un hôpital psychiatrique de haute sécurité ? Shute Barrington n'avait-il pas montré des photos de l'établissement en question ?

Caspien Baraban.

Ex-membre de STORM.

Fou à lier.

Will avait rencontré « le Maître » bien des fois. La dernière fois, le pilote d'un Tigre le tractait depuis le toit d'un bâtiment en flammes, jusqu'à l'intérieur de l'hélicoptère.

Gaïa était bouche bée.

– C'est pas... p... possible ! bégaya-t-elle.

Et elle repensa à la recette de fabrication de l'explosif, écrite en rouge, et aussi aux lignes rédigées en russe, la langue des parents de Caspien.

– Barrington nous a bien dit qu'il était enfermé ? fit Andrew, interloqué.

– Eh bien, c'est qu'il nous a menti, répondit Will.

Il se remémora la séance à laquelle il avait assisté au château, aux paroles du Maître : « Libérée du temps lui-même ». À Londres, Caspien n'avait-il pas prononcé cette phrase étrange : « Seuls les gens ordinaires vivent au rythme de leur montre » ?

Les articles faisant état de l'existence d'un culte sur l'Île des fantômes et ceux qui rapportaient la découverte d'un cadavre sur une plage remontaient à environ deux mois et demi. Si Caspien était vraiment impliqué, cela voudrait dire qu'il s'était échappé presque immédiatement après avoir été capturé en Russie. Or, Barrington devait forcément être au courant. Alors, pourquoi ne leur avait-il rien dit ? Et comment Caspien s'était-il retrouvé au château ? Pour commencer, comment avait-il fait pour s'échapper ?

Des souvenirs de Saint-Pétersbourg se bousculaient aussi dans la tête de Gaïa, en un véritable tsunami mental qui balayait tout sur son passage. Caspien Baraban, l'ex-ami d'école d'Andrew. L'esprit le plus brillant de sa génération. Des cris. De la douleur. Des pleurs. Des explosions. Il les avait trahis. Il avait presque détruit le monde. Elle s'adossa au mur. Ses os et ses muscles ne suffisaient plus à la soutenir.

– Alors, maintenant, on s'en va, murmura-t-elle. Et on va chercher de l'aide.

Will prit toute la mesure de l'état de choc dans lequel se trouvait Gaïa. Lui aussi se rappelait Saint-Pétersbourg. Et il avait déjà vu cette expression sur le visage de son amie, au moment où on lui avait tiré dessus. Caspien était alors présent…

Et il était de nouveau libre, libre de remettre son génie au service du mal, sur l'Île des fantômes.

À Londres, en décembre, Caspien avait joué à saute-mouton avec la raison, frisant l'insanité. À Saint-Pétersbourg, il avait carrément déjanté.

Caspien était fou à lier.

Caspien était impitoyable.

Et maintenant, grâce à des voleurs fantômes de son invention, il était riche.

Instinctivement, Will enfonça une main dans sa poche. Ses doigts sentirent de la fourrure. La tête de Ratty remua.

– Je pense vraiment que nous devrions aller chercher de l'aide, répéta Gaïa.

– Cette fois, je suis d'accord, répondit Andrew.

Il retira le Téléphone-dentaire de sa bouche, d'une main tremblante.

– Cristina est en danger. Nous ne savons pas ce qu'il se trame dans ces murs. Barrington nous a menti. Nous devons rendre compte aux forces de police vénitiennes.

Il pivota vers Gaïa avec dans le regard une expression qui voulait dire : « Tu avais raison. Je te demande pardon. »

Mais elle détourna les yeux.

Will consulta sa montre : 3 h 50 du matin. Il prit soudain conscience qu'il avait oublié Cristina. Elle n'avait pas reparlé depuis que…

– *Cristina… ?* murmura-t-il.

Silence.

Cette fois, Gaïa croisa le regard alarmé d'Andrew.

– *Cristina ?* appela de nouveau Will.

Toujours rien.

Puis, enfin, la voix de Cristina se fit entendre.

– *Vous êtes là ? Will ? Andrew ?*

« Et Gaïa », songea Gaïa.

– *Oui, nous t'écoutons*, répondit Will.

– *Je suis dans une cellule ! Je ne peux pas en sortir. Il y a trois serrures. Le Maître a les clefs. Il m'attendait avec Rudolfo et Dino. Dino lui a raconté qu'il m'avait surprise devant le bureau de Rudolfo. Il pense que je suis une espionne.*

– *Caspien a-t-il dit autre chose ?* demanda Will.

– *Tu l'appelles par son prénom ? Vous le connaissez ? Il a dit qu'il me garderait enfermée jusqu'à ce qu'il en ait terminé avec l'affaire qui l'occupe actuellement. Et qu'il se servirait de moi comme volontaire.*

– *Il n'a pas dit de quelle affaire il s'agissait ?* intervint Andrew, qui avait replacé son Téléphone-dentaire. *Ni pour quoi tu allais te porter volontaire ?*

225

– *Non. Mais, dites-moi : vous le connaissez ?*

– *Nous l'avons déjà rencontré*, répondit Will. *Je t'expliquerai plus tard. A-t-il dit quoi que ce soit d'autre ?*

– *Non, je ne vois pas, je réfléchis.*

Une pause, et puis :

– *Ah si ! En partant, il a dit à Dino : trouve Shoe Barrington et tue-le !*

– *Shute Barrington ?* répéta Will, abasourdi. *Tu en es sûre ?*

– *Vous le connaissez aussi ? Qui est-ce ?*

Mais Will ne répondit pas. Son cœur battait trop vite, trop fort. Il avait du mal à y voir clair : Dino était à Venise et Barrington était en vacances. Alors comment Dino aurait-il pu tuer Barrington ? À moins, bien sûr, que ce dernier ne soit pas en vacances… ?

Andrew avait effectué le même raisonnement.

– Barrington est à Venise ? demanda-t-il.

– *Cristina, nous allons chercher la police*, fit Will, *et nous revenons immédiatement.*

Silence. Puis :

– *D'accord, mais dites-moi au moins qui sont ce Caspien Baraban et ce Shute Barrington ? Vous connaissez tous les malfrats du coin ?*

– *Barrington n'est pas un malfrat*, répondit simplement Will.

– *Juste avant l'arrivée du Maître, Dino m'a posé des questions sur toi. Je n'ai pas eu à lui répondre, car le Maître s'est mis à parler. Mais méfie-toi de Dino : il est très soupçonneux. Sois prudent ! D'accord ?*

Cristina avait mentionné que le château était équipé d'un système de sécurité. C'était un inconvénient majeur, mais avaient-ils le choix ? Au moins étaient-ils arrivés à bord d'un bateau extrêmement rapide. S'il était toujours là où ils l'avaient laissé, ils seraient à Venise en dix minutes.

Will examina l'encadrement de la porte étroite. Il ne vit ni fil ni alarme. Donc rien à mordre pour Ratty. Dans le coin en haut à droite de la porte, il repéra toutefois une anfractuosité : un éclat de bois avait dû sauter. À travers, il distingua un tout petit morceau de ciel étoilé. Et la voix de sa mère lui revint en mémoire, tant elle lui avait souvent dit que lorsqu'elle observait les merveilles de l'univers, ses propres problèmes lui paraissaient tout petits. « Tu parles ! » songea Will.

Sans plus attendre, il s'empara du loquet.

– Je pense que nous devons prendre ce risque, annonça-t-il aux deux autres. Vous êtes prêts ?

– Hum… si on veut, répondit Andrew.

– Ouais, affirma Gaïa avec conviction.

Will actionna le loquet et poussa la porte. Si une alarme s'était déclenchée quelque part, le son ne parvenait pas jusqu'à eux. Will partit en courant. Derrière lui, il entendit Gaïa trébucher, puis se relever. À travers la pelouse, se dit-il, puis la pente et enfin la plage avec ses buissons tout desséchés…

Il courbait la tête dans l'espoir d'être moins facile à repérer, le cas échéant. Au moins les merveilles de l'univers étaient-elles en veilleuse cette nuit-là, songea-t-il avec soulagement. En plein clair de lune, la situation eût été autrement plus périlleuse.

Parvenu au sommet du talus, Will descendit en glissade. Il reconnut alors la *Vénus*, à moitié enfouie sous de la végétation. Elle était encore là. Ouf !

Il se retourna : apparemment, personne ne les avait suivis. Will détacha les amarres et, avec l'aide de Gaïa, dégagea la coque noire du sable strié de vase. Andrew alla prendre place à l'avant et ôta les branches qui masquaient le pare-brise. Will ne tarda pas à le rejoindre, les chaussures alourdies par la boue. Il empoigna aussitôt la manette de contrôle.

– Donne-moi juste une seconde, murmura Andrew en allumant son ordinateur. Cette fois-ci, ça devrait aller vite.

Will se retourna pour tenter de percer l'obscurité. Le château était invisible. Qu'advenait-il de Cristina ? Caspien se trouvait-il toujours avec elle ?

– Dépêche-toi, chuchota-t-il.

– Je fais de mon mieux, très cher ! protesta Andrew. Mais je n'ai pas vingt doigts, je ne suis pas Vishnu.

Gaïa se retourna à son tour. Elle venait d'entendre des cris.

Les cris en question se rapprochaient, comme si la personne qui les poussait se dirigeait à vive allure du château vers la plage. Mais plus en direction de l'est.

Dino ?

– Andrew, bon sang, magne-toi ! s'impatienta Will.

– Juste une seconde, enfin, quoi ! protesta le millionnaire, dont les doigts s'activaient avec célérité sur le clavier.

– Andrew !

Le moteur, enfin, se mit en route. Mais du coin de l'œil, Will vit bouger quelque chose. Ou plutôt quelqu'un. Un jeune garçon ! Il venait d'apparaître en haut du talus.

Ce n'était pas Dino.

Il était plus jeune.

Roux.

Il avait un talkie-walkie plaqué contre sa bouche et s'époumonait :

– Il y a un bateau qui s'en va ! Ils sont trois à bord !

– Démarre ! hurla Gaïa.

Will n'avait pas besoin d'encouragements. Il enclencha la marche arrière, puis repassa en marche avant, orientant la proue de la *Vénus* de façon qu'elle se glisse entre les bancs de sable. C'est alors qu'il distingua quelque chose à l'ouest. Quelque chose qui se dirigeait vers eux.

– *Was ist das ?* demanda Andrew en soulevant son oculaire. Quelqu'un a une idée ?

Il finit par distinguer deux silhouettes qui semblaient être montées sur des échasses sauteuses. Elles se déplaçaient sur l'eau et longeaient la courbe de l'île, fonçant droit sur eux.

– En première analyse, reprit Andrew, je dirais des hydroptères.

– C'est aussi mon avis, confirma Will.

Deux garçons pilotaient chacun une de ces embarcations qui volaient littéralement au-dessus de l'eau dans une gerbe d'éclaboussures. C'était Dino qui pilotait la première. Déjà, Will parvenait à distinguer ses cheveux noirs et son visage pâle comme la mort.

Il tenait un objet dans une main.

Andrew devint livide.

– Prenez garde, très chers ! Cet énergumène a un pistolet !

16

— Je te reçois cinq sur cinq ! s'écria Will en amorçant un virage à quatre-vingt-dix degrés, ce qui eut pour effet de projeter Gaïa d'une extrémité à l'autre de la banquette arrière.

Il aurait voulu accélérer au maximum mais les hauts-fonds ralentissaient le bateau. Il ne fallait surtout pas qu'ils s'échouent sur un banc de sable, aussi Will devait-il avant tout rester calme et manœuvrer en douceur.

— Arrêtez votre moteur ! cria Dino.

Il se trouvait maintenant à moins de quatre-vingts mètres.

— Palsambleu ! Will, je t'en conjure, mets les gaz !

— Je ne peux pas, résista Will en gardant à l'œil Dino, qui avait un bras levé.

Le jeune homme au visage de cire avait les deux pieds fermement plantés sur le ski de son hydroptère, qui ressemblait à un surf des neiges. Dessous, une barre métallique se terminait par une plate-forme qui ressemblait à une ancre double. Un moteur hors-bord était encliqué sur la barre. Une autre barre montait depuis l'arrière du ski, sur laquelle était fixé un siège en plastique moulé.

Dino orientait son engin en faisant pencher son corps d'un côté ou de l'autre. Ces hydroptères étaient véloces et extrêmement agiles. Will avait déjà vu à la télévision des compétitions acrobatiques entre adeptes de ce mode de transport.

— Baissez-vous ! hurla-t-il en rentrant la tête dans les épaules, juste avant qu'un premier coup de feu ne claque.

De deux choses l'une : soit Dino ne savait pas viser, soit il n'avait utilisé son arme que pour effrayer les fugitifs. Mais Will n'en aurait pas mis sa main à couper.

— Gaïa, attrape le Plein-la-vue ! cria-t-il.

De la poche de sa veste, elle sortit le tube de métal en prenant garde à ne pas le lâcher car la *Vénus* avait accéléré l'allure et rebondissait sur la crête des vagues.

Devant eux, un *motoscafo* parti de la place Saint-Marc voguait à leur rencontre. Il n'était plus qu'à cinquante mètres.

— Gaïa !

– Ouais ?

– Vise leurs yeux !

– Sans blague ! J'y aurais jamais pensé toute seule !

De son côté, Andrew surveillait la progression des hydroptères. La *Vénus* filait à vingt nœuds – Will n'osait pas la forcer davantage – et les drôles de scooters sur échasses parvenaient difficilement à la suivre.

Mais soudain, Dino changea de tactique et se mit à zigzaguer plutôt que de s'engouffrer directement dans le sillage de la *Vénus*, ce qui ralentissait sa progression.

– Attention, je tire ! fit Gaïa en appuyant sur la détente.

Un rayon traversa le bateau.

Andrew ferma les yeux.

– Tu es censée les viser, eux, pas nous ! protesta Will.

– Ouais, mais ils sont là-bas derrière, alors à moins que tu ne fasses un virage, je vais avoir du mal !

Will modifia son cap de vingt degrés. Encore quelques secondes, et ils seraient sortis des hauts-fonds. Il pourrait alors foncer en direction du Grand Canal. À pleine vitesse, les hydroptères ne les rattraperaient jamais.

Empoignant la rambarde d'une main, Gaïa se leva à demi, s'exposant aux balles. Elle fixa du regard le visage de Dino, qui était en train d'essuyer ses yeux piqués par l'écume, le pistolet noir à la main.

De nouveau, Gaïa visa, appuya sur le bouton et un rayon laser jaillit dans la nuit. Sous l'effet de cette affreuse lumière qui blanchissait tout sur son passage, le visage de Dino ressembla soudain à une pomme à la peau fripée. Il bascula vers l'avant et tomba dans l'eau.

– En plein dans le mille ! jubila Andrew.

Avant de s'attaquer au deuxième poursuivant, Gaïa laissa passer l'élégant *motoscafo* à bord duquel se trouvaient deux dames entre deux âges portant foulards, qui ouvraient des yeux ronds. La jeune fille était toujours à moitié debout. Le pilote du deuxième hydroptère semblait encore plus expert que Dino pour sauter au-dessus des vagues produites par le sillage de la *Vénus*. Il était blond, Gaïa distinguait ses yeux verts qui lançaient des éclairs et sa main, qui tenait un autre pistolet noir.

– Gaïa ! Attent… ! entendit-elle Andrew crier avant de sentir une douleur violente dans son bras droit et de perdre l'équilibre.

– Gaïa !! hurla Andrew, horrifié.

L'adolescente tenta d'agripper le bastingage, mais sans succès. La *Vénus* partit à fond la caisse et Gaïa fut projetée à l'extérieur, dans les eaux sombres de la lagune.

On aurait dit que sa peau était au contact de la banquise. Sa chair tremblait. Elle se débattait dans les ténèbres. Ses longs cheveux enroulés autour du cou, ses vêtements collés au corps, elle avait l'impression d'être aspirée par des sables mouvants.

Elle donna des coups de pied, des coups de poing dans l'eau, étira les bras vers la surface, tant et si bien que sa tête finit par émerger à l'air libre. Mais elle parvenait à peine à respirer. Elle n'était pourtant pas restée si longtemps sous l'eau.

« Le choc », se dit-elle. Elle était sous le choc.

Mais vivante.

Par contre, la *Vénus* avait disparu de son champ de vision. Elle se retourna et aperçut alors le bateau qui faisait demi-tour. Andrew tenait quelque chose contre sa poitrine et Will lui criait quelque chose. De l'eau plein les oreilles, Gaïa n'entendait rien. Et puis soudain, un ronflement. Le ronflement d'un moteur. Le deuxième hydroptère ! Le blond fonçait droit sur elle !

Sur le bateau, Will hurlait :

– Mais lance-la, bon sang, lance-la !

Andrew, comme souvent, hésitait entre deux options.

– Tiens-la par un bout ! C'est creux… et ça va durcir !

Au terme de ce qui sembla durer des heures à Will, Andrew trouva l'extrémité qu'il convenait d'empoigner. Il regarda alors l'hydroptère et calcula qu'il devrait passer devant la *Vénus* pour atteindre

Gaïa, qui était en train de nager. Andrew décida qu'elle pouvait tenir encore une minute.

Prenant du recul et avec une magnifique torsion du buste et un geste expert du poignet, il lança la Corde-raide de toutes ses forces comme s'il déployait la lanière d'un fouet, pas en direction de Gaïa, comme Will s'y attendait, mais à plusieurs mètres d'elle, sur la trajectoire du scooter.

– Mais qu'est-ce que… ? s'étrangla Will avant de comprendre ce qu'Andrew avait en tête.

Le blondinet avisa bien l'obstacle, mais trop tard. Il partit en vol plané avant de s'enfoncer dans les profondeurs de la lagune, cependant que son engin de malheur effectuait plusieurs sauts périlleux dans les airs.

– Andrew ! appela Gaïa, qui sentait ses muscles se tétaniser sous les effets conjugués de l'effort et du froid.

Andrew enroula de nouveau la corde. Le blondinet avait déjà refait surface et tentait de récupérer son ski. Un peu plus loin, Dino essayait tant bien que mal de se remettre en selle. Et aussi incroyable que cela puisse paraître, le ronflement d'un *troisième* hydroptère se fit alors entendre au loin.

– Andreeeeewwww ! appela encore Gaïa, au désespoir.

Enfin, la corde fut de nouveau en état de fonctionner. Rassemblant toute son énergie, Andrew la lança de nouveau, cette fois en direction de Gaïa et elle durcit jusqu'à former un long bâton qui flottait sur la lagune.

Gaïa n'y voyait plus très clair et ses bras étaient à moitié gelés mais elle lutta avec ses dernières forces pour s'emparer de cette bouée de sauvetage improvisée en fibre synthétique.

– Tiens bon la rampe ! lui cria Andrew.

– Et toi, ouvre les yeux ! répondit-elle en pointant un doigt vers le troisième hydroptère.

À bord de la *Vénus*, Will avait déjà ramassé le Plein-la-vue. Le scooter n'était plus qu'à une cinquantaine de mètres. Will ajusta son arme et, du coin de l'œil, vit que Dino avait repris place sur son siège, que Gaïa était sur la Corde-raide. Il se força à attendre... encore... encore un peu...

Quarante mètres. Trente... Et Will appuya sur le bouton. Le rayon laser frappa le pilote du troisième hydroptère en plein visage.

– Touché ! s'écria-t-il. Andrew, ramène Gaïa *presto subito* !

Andrew tirait déjà sur la corde – sa spécialité ! Elle ramollissait à mesure qu'il la pliait. Dans l'eau, Gaïa se démenait comme une belle diablesse. Quatre mètres la séparaient de la *Vénus*. Plus que trois. Plus que deux...

Elle attrapa la main d'Andrew qui la hissa à bord. À travers ses lunettes couvertes de gouttelettes, elle put prendre toute la mesure du soulagement qu'il éprouvait.

– Capitaine, à fond les manettes ! lança-t-il.

Will s'était préparé pour ce moment. La poussée vers l'avant lui fit l'effet d'un coup de poing en pleine poitrine. Le nez élégant de la *Vénus* se mit à fendre les flots tel un poisson voilier, l'animal marin le plus rapide du monde.

Au contact de cette puissance brute de décoffrage, de cette vitesse entêtante, Will se sentit parcouru d'un frisson d'excitation, comme dans l'avion de son père. Mais cette fois, il était au contact direct d'une masse noirâtre qui lui résistait avant de s'aplatir devant l'impératrice des flots.

L'air et les embruns lui fouettaient le visage, le Grand Canal se rapprochait à la vitesse grand V et, derrière, plus aucune trace des hydroptères.

– Comment te sens-tu ? demanda Andrew à Gaïa.

Elle se tâta le bras.

– Aïe !

Mais il n'y avait pas de sang.

– Je crois que ça va. Je ne pense pas avoir été touchée.

– Hum… Je crains d'avoir été d'une maladresse insigne, avoua alors le jeune millionnaire en rougissant jusqu'à la racine des cheveux – une autre de ses spécialités ! J'ai voulu te pousser vers le bas pour te protéger, n'est-ce pas ? Mais le bateau a subitement viré et…

– … Et tu m'as flanqué à la baille !

– Gaïa, je… je me confonds en excuses, je me prosterne à tes pieds, je ne trouve pas de mots…

L'adolescente lui sourit et se garda de lui faire remarquer combien il pouvait être drôle quand il s'avisait de jouer les nobliaux de province, lui devant lequel le tout-Londres s'extasiait…

– T'inquiète, je sais bien que tu ne l'as pas fait exprès.

Will se retourna et lui adressa un clin d'œil.

Il n'y avait plus trace des hydroptères. Alors, en un mot comme en cent : ils étaient libres !

À cette heure de la nuit, le Grand Canal était paisible. Les gondoles funéraires dormaient sous leur housse noire. Les bateaux à moteur ballottaient au gré des ondulations de l'eau. La flamme vacillante d'une bougie refusait de s'éteindre sur un balcon.

En l'absence de toute vedette de police, Will ralentit l'allure, tout comme son cœur, qui reprenait peu à peu un rythme normal. Il se retourna vers Andrew, qui était calme, tout à ses pensées. Son sac à dos avait été trempé par les embruns, mais chacun de ses dispositifs était étanche.

Quant à Gaïa, elle admirait les palais vénitiens d'un œil embrumé.

C'est alors que le visage de Caspien Baraban revint se manifester dans l'esprit de Will. Qu'était-il en train de faire, à cet instant précis ? D'écouter Dino, qui lui décrivait les fugitifs ? De se carapater vers une nouvelle cachette ? D'avancer l'heure de sa fameuse réunion ? Et d'abord, de quel genre de réunion s'agissait-il ?

Dès qu'ils arriveraient au palais de Cristina, Will appellerait la police, puis Barrington. Il ne pouvait exclure que Shute, s'il se trouvait effectivement à Venise, y séjournait en vacances.

Mais Will en doutait.

Et s'il était là pour raisons professionnelles, pour quelles raisons, au juste ? Par ailleurs, Barrington ne pouvait ignorer que Caspien avait recouvré la liberté. Alors pourquoi ne pas avoir prévenu STORM ?

Beaucoup de questions. Aucune réponse plausible.

— Je vais essayer de joindre Cristina, annonça soudain Andrew en positionnant son Téléphone-dentaire.

» *Cristina... ? Allô... ? C'est Andrew... Tu m'entends ?*

— Nous sommes trop loin, impossible d'envoyer ou de recevoir un signal au-delà d'un rayon d'un kilomètre.

— Oh... C'est notoirement insuffisant en la circonstance.

— Jeunes hommes, vous avez dépassé le palais de Cristina, intervint Gaïa en ramenant ses cheveux en arrière.

Elle avait raison. Agacé d'avoir gaspillé de précieuses minutes, Will fit demi-tour et vint placer la *Vénus* dans l'alignement de l'étroit canal latéral qui menait au garage.

– Comment avons-nous l'intention de rentrer, question numéro un ? Sans nous faire remarquer, question numéro deux ? lança Andrew à la cantonade.

Will pointa un doigt en direction d'une caméra montée sur le mur extérieur. L'instant d'après, la porte coulissa, révélant les murs du garage.

– Reconnaissance automatique ? se demanda Andrew.

La coque de la *Vénus* contenait-elle un émetteur qui actionnait la porte par fréquence radio ?

En pénétrant dans l'antre plongé dans la pénombre, le trio s'aperçut que quelqu'un les attendait. Un jeune homme. Il était assis sur une marche. Et très, très en colère.

– Dans mon pays, fit le jeune homme en détachant bien chaque syllabe, le fait d'emprunter un objet sans la permission de son propriétaire est considéré comme un vol.

– Dans le nôtre aussi, répondit Will tout en prenant bien soin de ne pas érafler la coque de la *Vénus* en l'amarrant.

– Alors, donnez-moi une bonne raison de ne pas appeler la police ! gronda Angelo.

– En fait, c'est ce que vous pourriez faire de

mieux, mon ami, répliqua Andrew sans se démonter.

– Espèce de petit... ! lança Angelo en se levant d'un bond.

– ... Parce que nous avons retrouvé votre sœur et qu'elle a de gros ennuis.

Angelo referma la bouche et écouta le récit des dernières heures. Trente secondes plus tard, il était en ligne avec la police depuis la salle de réception.

– Vous dites que vous avez filmé l'intérieur de ce château ? demanda Angelo. Parce que j'ai un certain inspecteur Diabolo à l'autre bout du fil et il voudrait que vous lui envoyiez la bande. J'ai une adresse électronique. Et il veut parler à l'un d'entre vous.

– Vas-y, Andrew, fit Will. Il faut que j'essaie de joindre Barrington. Passe-moi ton téléphone portable.

Puis, se tournant vers Gaïa, qui frissonnait :

– Tu devrais te trouver des vêtements secs...

Will composa le numéro de Barrington et attendit.

– *Barrington, laissez-moi un message ! ... bip...*

– C'est Will. Rappelez-moi sur le portable d'Andrew. Je dois vous parler de toute urgence. Votre vie est en danger.

Le cœur battant, Will appuya sur la touche « Fin de communication ». Andrew parlait encore avec le policier, sous l'œil attentif de Gaïa.

– Je vais le faire tout de suite, inspecteur, dit-il en reposant le combiné. Dites donc, il a l'air sérieux, ce Diabolo. Il dit qu'il va effectuer une autre visite au château, mais qu'il veut d'abord voir les images. Je vais envoyer la vidéo depuis l'ordinateur de Cristina. Angelo, il me faudrait le code de sa chambre.

– Bien sûr ! répondit Angelo en griffonnant un nombre sur un bloc-notes.

– Et il veut vous reparler, ajouta Andrew.

– Will ?

C'était Gaïa. Elle tremblait de tous ses membres.

– J'ai besoin du téléphone d'Andrew. Pour appeler ma tante.

– C'est juste que j'ai demandé à Barrington de me rappeler à ce numéro, alors si la ligne est occupée...

Andrew se dressa de toute sa hauteur et fronça les sourcils à l'adresse de Will.

– Mais bien sûr que tu peux appeler ta tante, Gaïa. Tu n'auras qu'à nous rejoindre ensuite dans la chambre de Cristina. Enfin, Will, quoi, vraiment !

Gaïa se glissa dans la chambre où elle et ses deux compagnons avaient laissé leurs sacs. Elle prit d'abord le temps d'enfiler des vêtements secs, comme si elle retardait le moment de passer à l'acte. Elle aurait voulu obtenir la réponse à sa question sans devoir effectuer cet appel. Elle voulait entendre ce que sa tante avait à dire, mais pas lui parler.

Impossible, bien sûr.

– Allô ? Amelia… ?

– Gaïa ! J'ai essayé de t'appeler. Je reviens de l'hôpital…

– Comment va… ?

– Beaucoup mieux, rassure-toi !

Gaïa ferma les yeux. Sa tante continua de pérorer à l'autre bout du fil, mais elle ne l'écoutait plus que d'une oreille distraite. D'autres examens étaient prévus. Quand allait-elle revenir ? Ce n'était pas normal qu'une fille ne soit pas au chevet de son père, ni que…

Gaïa mit fin au monologue de sa tante. Soulagée parce que, même s'il l'avait négligée toute sa vie, l'homme sur son lit d'hôpital demeurait son père. Puis elle se rendit dans la pièce voisine.

En la voyant entrer, Andrew leva le nez de l'écran de l'ordinateur.

– Alors, sont-ce de bonnes nouvelles ?

Gaïa les contempla tous les deux, lui et Will, et se raidit.

– Enfin, très chère, soupira Andrew, nous sommes tes amis, hein, quoi ? Tu peux nous parler en toute confiance.

Et le jeune millionnaire remonta ses lunettes sur son nez.

– Je sais, répondit Gaïa.

Elle marqua une pause avant de lâcher, en avalant ses mots :

– Il va beaucoup mieux.

– Nous sommes ravis pour toi, n'est-ce pas, Will ?

Celui-ci hocha la tête et adressa un rapide sourire à Gaïa.

– Bon, tu l'as envoyée, cette vidéo ? demanda-t-il alors à Andrew. Il faut que j'essaie à nouveau de joindre Barrington.

Ce n'était pas de l'indifférence envers Gaïa, non. Simplement, comme elle, il se sentait mal à l'aise dès qu'affleurait l'insoutenable intimité de l'être.

– *Barrington. Laissez-moi un message ! ...* bip...

Bouillant d'impatience, Will se tourna vers Andrew.

– Tu n'aurais pas le numéro de Spicer ?

– Que nenni ! Shute ne répond toujours pas ?

– Non.

– Alors, quelle est la prochaine étape ?

– Je vais essayer le standard de STASIS, fit Will en composant le numéro de Sutton Hall.

Là, on l'informa poliment que M. Barrington ne pouvait être joint. Will demanda à parler à Charlie Spicer. On l'informa tout aussi poliment qu'il rappellerait à sa convenance.

– Écoutez ! explosa Will, un certain Caspien

Baraban prévoit d'attenter à la vie de M. Barrington ce soir même. Alors, veuillez le lui faire savoir et faites en sorte qu'on me rappelle !

Et on raccrocha.

Trépignant sur place, Will posa les yeux sur le vitrage épais, avec ses croisillons de plomb. Cette image renforça la sensation qu'il avait d'être pris au piège alors qu'il aurait tant voulu agir.

Derrière lui, il entendait Andrew dire à Gaïa qu'il était content pour elle. À quoi bon ? Gaïa ne s'ouvrait jamais à personne. Sauf une fois, dans le train pour Saint-Pétersbourg... Elle avait parlé à Will de sa mère... oh, trois fois rien mais c'était déjà ça. Il songea à sa balle de cricket noircie, à Londres. Ses doigts le démangeaient tant il avait envie de la toucher en cet instant. Qu'aurait pensé son père ? Avaient-ils agi pour le mieux ?

Peut-être auraient-ils mieux fait de rester sur l'île ? Peut-être auraient-ils dû tenter de sauver Cristina ? Le seul nom de « Caspien Baraban » semblait l'avoir paralysé. Comme quelque poison contenu dans une fléchette lancée depuis une sarbacane au fond de la jungle. Il n'avait pas pris le temps de la réflexion. Il avait juste... réagi.

Mais Will ne pouvait lutter contre cette évidence : une partie de la colère qu'il éprouvait à l'égard de Caspien avait à voir avec ces séances truquées, ce culte de pacotille. Il ne croyait pas à la vie après la mort. Mais quelque part, au fond de lui, il ne cessait d'espérer que, peut-être, c'était possible…

Il avait besoin d'air. Il alla ouvrir la fenêtre et huma les remugles du Grand Canal. Le calme régnait sur Venise et sur ses palais drapés de nuit. Will se demanda si ce n'était pas le calme qui précédait la tempête…

*

L'obscurité.

Le froid.

L'humidité.

Cristina essaya de s'abstraire du monde physique qui l'entourait. Cela faisait plus d'une demi-heure qu'elle était bouclée dans cette cellule. Très désagréable.

Elle avait conclu qu'Andrew, Will et Gaïa avaient été capturés. Elle ferma les yeux. Vit Will, son corps mince, ses pommettes russes. Andrew, avec ses lunettes de myope et son expression à l'avenant. Elle leur avait tapé dans l'œil à tous les deux, elle en avait bien conscience ! Quant à Gaïa, elle était jalouse, bien sûr ! Mais que pouvait y faire Cristina ? La plupart des filles étaient jalouses d'elle. Et quand elle sortirait de ce château maudit et qu'elle annoncerait à Will et à Andrew qu'elle voulait aller s'installer à Londres et faire partie de STORM, que dirait Gaïa, hein ?

Pas grand-chose, songea Cristina. Will et Andrew seraient d'accord et Gaïa n'aurait pas le choix.

Mais il lui fallait commencer par trouver un moyen de s'échapper de cette cellule. Il faudrait qu'elle use et abuse de son charme auprès du Maître. Il n'y était pas indifférent, pour sûr, mais il était... absorbé par d'autres pensées.

Bang !

On venait de cogner contre la porte.

Cristina était assise sur des dalles glacées, pieds et poings liés.

La porte s'ouvrit. C'était Caspien.

Le visage balafré, une crinière de jais, des yeux tout aussi noirs, il était encore plus intimidant sans son masque.

– Maître...

Il hésitait. Sous le charme, se dit-elle.

– Maître..., répéta-t-elle.

Il ne lui intima pas l'ordre de se taire, ce qu'elle considéra comme une invitation à parler.

– Pouvez-vous me dire ce qu'il se passe ? Qu'allez-vous faire de moi ?

– Tu vas entrer dans l'histoire, répondit-il avec un rictus inquiétant. Mon matériel est arrivé. Il ne va pas me falloir longtemps pour assembler ma nouvelle unité. Et je t'emmènerai dans un endroit... très beau ! Tu vas effectuer le voyage de tout une mort !

Cristina devint livide.

Une voix sortit alors de la poche de Caspien. Il en sortit un écouteur qu'il appliqua contre son oreille.

– Maître, des vedettes de police approchent de l'île !

C'était la voix de Rudolfo.

– La police ? Tu en es sûr ? Pourquoi n'ai-je pas été prévenu ?

– Je viens seulement de recevoir l'appel. Je ne comprends pas pourquoi il a fallu si longtemps.

Caspien serra les poings, ivre de rage. Comment était-ce possible ? Dino lui avait indiqué qu'il avait « disposé » des occupants du bateau à coque noire et qu'il passait à l'étape suivante. Quant au système de sécurité, il était censé être en béton ! Ou du moins, c'était ce que cet idiot de Rudolfo lui avait laissé entendre.

Mais il fallait assimiler les faits et avancer, comme son père le lui avait dit maintes fois.

– Tu sais quoi faire ! aboya-t-il. Je te retrouve à l'endroit convenu !

Il se pencha pour attraper Cristina par le bras. Mais les doigts de la jeune fille s'enfoncèrent dans sa chair. Il essaya de la soulever.

– Non, protesta-t-elle en se débattant.

Elle parvint à lui décocher un coup de coude dans l'estomac. Mais cela ne fit que décupler la colère du Maître.

– Ils sont en train de débarquer, Maître ! cria la

voix qui sortait de la poche de son pantalon. Venez tout de suite !

Cristina rassembla toute son énergie. Elle défia Caspien du regard et lui assena un deuxième coup de coude, cette fois au niveau des reins.

– Assez ! rugit-il, courbé en deux.

Il la laissa retomber et s'enfuit en courant.

*

Dans la villa de l'Île des masques, Shute Barrington attrapa la télécommande que lui tendait Thor.

Il avait les yeux rivés sur le moniteur C. L'écran était divisé en plusieurs images des diverses créations de Charlie Spicer. Elles avaient été déployées avec succès et patrouillaient désormais dans les eaux fangeuses, tout autour de l'île.

Barrington laissa échapper un sourire narquois. Il repensait à la tête du Chien lorsqu'il avait ouvert le conteneur et annoncé : « Maintenant, messieurs, bienvenue à la technologie de l'avenir : l'élasmobranche ! »

Même le vieux Chien en était resté comme deux ronds de flan.

Barrington se tourna vers Thor :

– Vous êtes prêt à procéder à un test complet des procédures de contre-attaque en cas de menace ?

Les yeux de Thor se mirent à briller.

– Oui, m'sieur !

C'est alors que Barrington sentit des vibrations contre sa jambe. Son PDA était en train de lui communiquer en morse l'identité d'un correspondant en train d'essayer de le joindre par téléphone, en l'occurrence le central du MI6.

Irrité contre sa propre invention, qui venait le perturber en cet instant si important, il redonna la télécommande à Thor.

– Monsieur Barrington ? demanda une voix féminine.

– Que puis-je pour vous ?

– Nous venons de recevoir un appel anonyme selon lequel une grave menace pèse sur la réunion. La personne a demandé que vous la retrouviez dans la salle de l'Écu au Palais des Doges dans une demi-heure.

– Moi ?

– Oui, la personne a utilisé un code de reconnaissance.

– Une de nos sources régulières ?

– Oui.

– Elle n'a pas donné son nom ?

– Nous pensons que vous devriez y aller tout de suite. Vous avez besoin de l'assistance d'un agent de terrain ?

Il le savait, ils étaient tous mobilisés à la villa. Il se débrouillerait bien tout seul.

– Non, c'est bon.

17

Samedi de Pâques,
6 heures du matin

Vues depuis la salle de réception du *palazzo* de la famille della Corte di Castello Bianco, les eaux du Grand Canal étaient encore sombres.

Will tournait en rond tel un ours en cage. Quelque chose ne collait pas. Pourquoi personne n'avait-il tenté de le joindre ? Que faisait l'inspecteur Diabolo ? Où était Shute Barrington ?

Will avait de nouveau composé le numéro de Barrington, mais sans succès. Quant à la standardiste de STASIS, elle lui avait assuré que son message avait été transmis.

À quoi lui servait-il de se trouver dans un luxueux palais pendant que, quelque part dans le monde réel, Barrington et Caspien Baraban s'activaient dans l'ombre.

Il était pris au piège. Fait comme un rat.

En parlant de rat, Will plongea la main dans sa poche. Ratty salua cette marque d'attention d'un petit coup de tête. « Mon pauvre, je sais ce que tu ressens, pensa Will. J'en ai ma claque, moi aussi. Mais nous sommes au service d'une noble cause, que veux-tu ? »

La salle de réception empestait le poisson. Andrew était allé chercher de quoi « se sustenter » dans la cuisine, mais n'avait rapporté qu'un bocal de truffes, des cœurs d'artichaut rôtis baignant dans l'huile, des sardines et du pain rassis. Le domestique des della Corte était parti chez sa mère pour le week-end pascal et, à six heures du matin, aucun restaurant n'était encore ouvert.

Andrew s'était imaginé dégustant quelque escalope de veau *al limone* ou même un *risi e bisi* – un risotto aux petits pois. Mais il lui faudrait se contenter de ces *antipasti*, qu'il dévora tout de même avec appétit sous le regard réprobateur de Gaïa qui, fine bouche, refusait d'y goûter.

La jeune fille avait retrouvé un comportement *normal*, son comportement d'avant. C'était déjà ça, et Will lui en avait d'ailleurs fait la remarque. Bien qu'il s'en défende, il aurait voulu qu'ils abordent ensemble la question de leurs pères respectifs. Mais il ne savait pas comment s'y prendre. L'un comme l'autre s'étaient murés dans le silence. Comme s'il s'agissait d'un sujet tabou.

– Quand tu as dit « avant », tu voulais dire : avant que ces gens nous tirent dessus et que je me retrouve dans l'eau glacée ? demanda Gaïa à Will.

– Hum… oui, répondit celui-ci.

Gaïa baissa les yeux.

– Oui, enfin… Je m'inquiétais à cause de papa, qui ne va pas bien, comme je te l'ai dit. Mais j'ai eu ma tante au bout du fil et elle m'a un peu rassurée. *Je te l'avais dit, non ?*

Will le devinait à son expression butée, elle n'en dirait pas plus. En tout cas, pas à ce stade. C'était bien son droit. Il décida de ne pas insister.

Il recommença à arpenter la salle de réception. De son côté, Andrew poursuivait son repas. Il déposa deux tranches de cœur d'artichaut bien grasses sur du pain dur et croqua dedans à belles dents.

Le tic-tac de la grande aiguille de l'horloge obsédait Will. Elle était noire, cette aiguille. Couleur d'ébène. Elle se détachait sur un fond couleur d'ivoire. Chaque seconde perdue rongeait le jeune garçon.

Il essaya encore une fois de joindre Barrington. À ce moment, la porte s'ouvrit et Angelo fit son apparition, dans un état de grande agitation, un mobile à la main.

– Ils sont allés directement sur l'île, sans nous ! Ils ont fait une descente !

– Comment ? Déjà ? s'exclama Will.

– Ce qui nous importe au premier chef... *munch... munch...* c'est de savoir s'ils ont sauvé Cristina, fit observer Andrew, la bouche pleine.

Angelo hocha la tête et pressa le téléphone contre son oreille pour mieux entendre son interlocuteur.

– Vous dites, inspecteur ? ... Vous l'avez retrouvée ? ... Oui, oui, bien sûr, ramenez-la directement chez nous ! Je compte sur vous !

Andrew finit d'engloutir sa tartine et s'exclama, le sourire aux lèvres.

– Que voilà une excellente nouvelle ! Nous ne pouvons que nous en réjouir, n'est-il pas ?

Aucun doute, c'était une bonne nouvelle. Mais pour l'heure, quelque chose d'autre intéressait Will encore davantage et il voulait en avoir le cœur net. Il tendit alors une main vers Angelo et le mobile.

– Je peux lui parler...

C'était un ordre, pas une question.

Angelo fut quelque peu froissé par cette marque d'irrespect, mais lui passa l'appareil sans broncher.

– Allô, inspecteur Diabolo ? Je m'appelle Will Knight. Je suis un ami d'Angelo della Corte. Il y a un adolescent sur cette île. Son nom est Caspien Baraban. Il a une cicatrice sur la joue droite. Des cheveux noirs. Vous l'avez trouvé ?

– Vous dites ? Oune cicatrice ? demanda l'inspecteur avec un accent marqué.

Will se remémora la photographie de Caspien prise à l'hôpital psychiatrique. La cicatrice était le vestige d'une blessure qui lui avait été infligée à Saint-Pétersbourg. Il ne l'avait pas volée, d'ailleurs.

– Oui, sur la joue droite, elle descend presque jusqu'à sa bouche. Il a quatorze ans. Il est très grand.

Il y eut une pause à l'autre bout du fil.

– Nous avons réouni tous les enfants. Donnez-moi oune minoute. Ils sont nombreux, attendez que jé repère ceux qui ont dé chéveux noirs, expliqua Diabolo en faisant rouler les « r ». J'y souis, ça y est. Il y en a houit : six filles et deux garçons. Mais ils ont tous l'air italiens.

– L'un d'entre eux a-t-il une cicatrice ?

– Non, aucun.

– Avez-vous trouvé un homme répondant au nom de Rudolfo ?

– Non, il n'y avait pas d'homme ici, assura l'inspecteur.

– Mais enfin, c'est impossible… !

– Jé vous assoure, monsieur Knight. Nous avons fouillé toutes les pièces : aucun garçon avec oune cicatrice, aucun homme.

Will approcha son poing de sa bouche et se mordilla la base de l'index. Ils avaient filé !

— Vous êtes sûr de n'avoir oublié aucun recoin ?

— Mes hommes ont investi tout lé château, forcé toutes les portes. Nous avons trouvé dé microscopes, dou matériel de laboratoire, cé genre dé choses. Cé Caspien a doû fouir avant notre arrivée. Quant au Maître, il a doû prendre la fouite aussi.

— Non, vous n'y êtes pas, inspecteur ! Caspien, c'est lui, le Maître ! C'est lui qui animait ce culte.

— Oune gamin dé quatorsse ans ? s'exclama Diabolo, incrédule.

— Eh oui... Et vous l'avez laissé filer, se lamenta Will.

L'inspecteur ne se démonta pas.

— Rien né dit qu'il était encore là quand nous sommes arrivés. En tout cas, il n'y est plous, jé vous l'assoure.

Cet homme qui ne doutait jamais commençait à agacer Will.

— Comment pouvez-vous en être si *sour*... euh, sûr ?

Diabolo répliqua sèchement :

— Jeune homme, jé souis inspecteur dé la police vénitienne, pas d'oune pétit village arriéré. Alors, quand jé dis quelque chosse, c'est la vérité. Mainténant, si vous voulez bien m'excousser, il y a des enfants ici qui ont béssoin dé mon attention. Certains d'entre eux sont...

Sa voix se brisa, sous le coup de l'émotion.

– Que voulez-vous dire ? demanda Will. Ils sont blessés ?

– … Blessés ? Jé ne sais pas trop. Jé dois consulter les médecins de l'ouniversité.

– Que leur est-il arrivé ? insista Will.

– Jé dois y aller, jeune homme.

– Mais… ?

– Demande-lui s'ils ont trouvé l'explosif, fit Gaïa.

– Avez-vous… ?

– Jé dois y aller, *capisce ?* Dès qué Cristina nous aura parlé, elle pourra rétrouver son frère. Je vous la ramènerai saine et sauve.

Et il raccrocha.

« Jé dois consoulter les médecins de l'ouniversité… » Parcouru d'un frisson, Will se répéta plusieurs fois cette phrase dans sa tête. Qu'avait voulu dire Diabolo ? Qu'avait fait subir « le Maître » à ses jeunes victimes ?

– Pas trace de Caspien, alors, devina Gaïa d'un ton désabusé. Le contraire m'eût étonnée.

Will secoua la tête. Andrew cligna des yeux. Son sourire s'était figé. Les cœurs d'artichaut surnageaient dans leur huile, délaissés.

– Qu'a-t-il répondu quand tu lui as demandé si les enfants étaient blessés ?

– Rien. Ou plutôt si : qu'il fallait qu'il consulte des médecins.

Andrew leva les yeux vers Gaïa. Will lut dans

leurs pensées. Il savait exactement quel souvenir était revenu les hanter : cette plainte, ce gémissement derrière une porte. Les *blessures* infligées à ces enfants constitueraient un indice aussi terrible qu'essentiel pour tenter de comprendre ce que Caspien était venu faire sur cette île.

– Alors, ce Caspien avait filé quand les policiers sont arrivés, c'est bien ça ? interrogea Angelo.

– Diabolo affirme qu'ils ont fouillé toutes les pièces et ouvert toutes les portes.

Will réfléchit un instant. Caspien attendait une livraison de matériel. Arrogant comme pas deux, il ne doutait pas de sa supériorité. Il n'était pas du genre à filer à l'anglaise avant d'avoir atteint son but.

Will se représenta mentalement le château. Les fantômes. Leurs apparitions. Les séances. Les cultes. Un vrai catalogue d'artifices ! De la poudre aux yeux pour des aveugles...

– Je pense que Caspien est encore là-bas, déclara-t-il tout à trac.

– Qu'est-ce qui te fait dire ça ? demanda Gaïa.

– Disons qu'on ne peut pas prendre le risque de considérer qu'il ne s'y trouve plus, corrigea Will.

– Mais la police a dit..., commença Andrew.

– Je suis comme Will, je ne fais pas confiance à la police, interrompit Angelo.

– Elle a quand même retrouvé votre sœur, persista Andrew.

Mais, en son for intérieur, il n'était pas convaincu lui-même du professionnalisme de la police vénitienne.

– Quand bien même, ajouta Angelo, je pense qu'elle n'est pas à la hauteur. J'ai lu dans les journaux que les gens du château avaient été prévenus de la première visite des *carabinieri*. C'est pour ça qu'ils n'ont trouvé personne... Mais ils s'étaient sans doute cachés quelque part. J'ai d'abord cru que les journaux mentaient, mais maintenant je me pose des questions : où est passé votre Caspien ? Si ce « Maître » est si puissant, on peut se demander s'il n'a pas soudoyé la police ?

Ah, *mamma mia !* Pourquoi ne m'ont-ils pas emmené avec eux ?

Will réfléchit à ce qu'Angelo venait de dire. Pour une fois, c'était, au moins en partie, digne d'attention.

– Tu crois vraiment possible qu'il soit resté sur place ? demanda Gaïa.

Will se passa la main droite sur le visage. L'enjeu était trop important. Il fallait qu'il se fie à son instinct. Le pire aurait été de ne rien faire. Caspien manigançait un mauvais coup et il avait déjà envoyé quelqu'un tuer Barrington.

La sonnerie irritante du téléphone d'Andrew se fit alors entendre. Will releva brusquement la tête. En lisant le nom qui venait d'apparaître sur l'écran, les yeux bleus du jeune millionnaire étincelèrent : Shute Barrington.

Will s'empara du mobile avec soulagement.

– Allô ? fit la voix à l'autre bout du fil.

Mais ce n'était pas celle de Barrington. Will reconnut aussitôt le ton laconique de Charlie Spicer, son adjoint.

– Bonjour. Excusez-moi, je croyais avoir composé le numéro de Shute, tout à l'heure.

– Il est en mission. Les appels sur son numéro habituel me sont automatiquement transférés.

– Où est-il ? A-t-il reçu mon message ? Parce que Caspien…

– Du calme, mon garçon ! Pas si vite ! Je reçois ton message à l'instant et j'en ai aussi un du standard.

– Je leur avais demandé de contacter Barrington, pas vous ! Je… enfin, c'est incroyable !

– Will, que se passe-t-il ? Où es-tu ? Pourquoi dis-tu que Caspien Baraban en veut à Shute ?

Cependant que Will tentait de mettre de l'ordre dans ses pensées, la sirène d'une vedette de police retentit sur le Grand Canal.

– Will, ne me dis pas que tu es à Venise ?

– Félicitations ! Vous reconnaissez toutes les sirènes de police du monde ?

– Mais non, enfin ! C'est juste que je viens de calculer ta position à partir du signal émis par ton téléphone. Qu'est-ce que tu fais à Venise ?

– Tout ce que je veux savoir, c'est si Shute se trouve ici aussi ? s'impatienta Will, que ce dialogue de sourds exaspérait. Parce que j'ai vu Caspien ce soir ! Il est sorti de l'hôpital. J'imagine que vous êtes déjà au courant. Et il a envoyé quelqu'un pour tuer Barrington.

– Bon, procédons avec ordre, répondit Spicer. Où as-tu vu Baraban ? Es-tu sûr d'avoir bien compris ce qu'il a dit : il veut *tuer* Shute ? Pourquoi diable ? Et où est-il maintenant ?

– Écoutez, Charlie, contentez-vous d'appeler Barrington et de lui répéter ce que je vous ai dit ! Chaque minute compte !

Will dansait d'un pied sur l'autre, au comble de l'énervement, sous les yeux apitoyés de Gaïa et d'Andrew.

– C'est ce que j'essaie de faire, Will, mais il ne répond pas. Dis-moi où se trouve actuellement Baraban.

Will hésita. Il possédait des renseignements très précieux pour Spicer. Il n'allait pas les lui fourguer sans rien obtenir en contrepartie. Il fallait qu'il reprenne le contrôle de la situation. Il avait le sentiment qu'elle lui échappait et c'était un sentiment qu'il avait en horreur.

Certes, il n'allait pas jouer avec la vie de Barrington et il communiquerait à Spicer tout ce qu'il savait au sujet de Caspien, mais il voulait lui aussi obtenir de quoi mener l'enquête de son côté.

– Barrington se trouve-t-il ici ? Et si oui, où exactement ? Répondez-moi et je vous dirai où est Caspien.

– Will, je ne crois pas que...

– Ce n'est pas comme ça que ça marche ? demanda le jeune garçon avec aplomb. Ce n'est pas donnant-donnant ?

S'ensuivit une longue pause durant laquelle Spicer pesa vraisemblablement le pour et le contre. Puis, d'un ton encore plus froid qu'à l'accoutumée, il lâcha :

– Barrington est à Venise.

– Où exactement ?

– Qu'est-ce que ça peut bien te faire, bon sang ? Il est place Saint-Marc, si ça t'intéresse ! *En mission*. Bon, maintenant, dis-moi où est Caspien.

Will avait obtenu l'information qu'il voulait – à condition bien sûr que Spicer n'ait pas menti.

– Je ne sais pas trop, répondit l'Inventeur. Hier soir, il était sur une île de la Lagune. La police du coin venait d'y faire un raid. Mais elle ne l'a pas trouvé. Il y est peut-être encore, mais je l'ignore. Il était à la tête d'un culte et il manigance quelque chose, mais nous ne savons pas quoi. Et j'ignore aussi comment il a appris que Barrington se trouvait à Venise et pourquoi il veut le tuer. Que comptez-vous faire, maintenant ?

– ... Je vais faire passer un message à Barrington. Et toi ?

– Je vais aller le trouver.

– Non, Will, je te le déconseille. Barrington est tout à fait capable d'assurer sa propre...

Et Will raccrocha au nez de Spicer. Le jeune garçon sentait son cœur battre à cent à l'heure et c'était ce qu'il aimait. Réagir dans l'instant, au feeling. Mais surtout, déterminer lui-même le cours de son existence.

Gaïa et Andrew le contemplaient avec appréhension, tout comme Angelo, un peu plus loin derrière.

– Très cher, nous brûlons de savoir ce que t'a révélé ton interlocuteur, dit Andrew.

– Pas grand-chose. Il a confirmé que Barrington n'était pas en vacances, mais en mission, à Venise, place Saint-Marc. Il a ajouté qu'il avait essayé de le joindre à plusieurs reprises, sans succès.

Andrew pâlit. Il retira ses lunettes et entreprit d'en essuyer les verres avec une manche de sa chemise.

– Qui est ce Barrington ? demanda Angelo.

Will ne lui répondit pas.

– Super ! intervint Gaïa. Admettons que Barrington soit déjà mort : qu'est-ce qu'on fait, maintenant ?

– Il n'est pas mort, rétorqua Will.

– Alors, pourquoi ne décroche-t-il pas son téléphone ?

Will examina les options qui s'offraient à eux. Il fallait retrouver Barrington car il se refusait à croire qu'il pût être mort. *Et* il fallait empêcher Caspien de mener à bien le plan tordu qu'il avait en tête. Le mieux serait donc qu'ils se séparent en deux groupes.

Il était 6 h 20. Dino se déplaçait furtivement dans les rues de Venise, encore silencieuses.

Il était trempé. Ses yeux le piquaient. Et il avait menti au Maître : non, il n'avait pas supprimé les occupants du bateau qu'il avait poursuivi en hydroptère. S'il avait dit la vérité, le Maître aurait été furieux de toute façon. Et là, au moins, Dino allait pouvoir mener sa mission à bien. Parce que la dernière chose qu'il souhaitait, c'était d'être rappelé et remplacé...

... Il se dirigeait vers son hydroptère lorsque Bruno, le petit roux chargé de la surveillance du château, l'avait alerté au moyen de l'alarme silencieuse : un ou plusieurs individus s'enfuyaient de l'île. Dino avait déjà attaché son sac étanche sous le siège du scooter des mers et il s'apprêtait à se rendre dans la Cité des Doges lorsqu'il s'était retrouvé embringué dans une dangereuse chasse à l'homme ! Il avait reçu ce qui ressemblait à un rayon laser surpuissant en pleine figure. Qui étaient donc ces *gamins* qui avaient accès à un laser ?...

... Il secoua la tête. Tout cela n'avait plus guère

d'importance, désormais. Il s'engagea sur les dalles grises, parsemées de plumes de pigeon, longeant les terrasses des cafés désertées, avec leurs piles de chaises qui, lorsqu'elles ne s'étalaient pas sur la vaste place pour accueillir la multitude des touristes, tenaient en équilibre instable par l'effet du Saint-Esprit.

Le poids qu'il portait lui cassait le dos. Il pénétra dans le Palais des Doges par l'entrée surmontée d'une grande arche.

C'était un décor idéal pour libérer de nouveau la création de son Maître. Seulement, cette fois, *Il Fantasma* allait dérober l'objet le plus précieux de tous – tout du moins aux yeux de son Maître. Dino aurait bien plaidé pour davantage de tableaux et de bijoux. Mais il n'était pas autorisé à exprimer ses souhaits. En présence du Maître, c'était tout juste s'il avait le droit d'ouvrir la bouche.

Le Maître le traitait presque comme un animal. Mais l'adolescent au visage de cire l'acceptait. Il faut dire que l'animal y trouvait son compte. Cette association lui donnait l'occasion de braver les journalistes et même la police…

Quels que soient les souhaits du Maître, Dino s'employait avec dévotion à y satisfaire. Or, ce matin-là, le Maître voulait que Dino suive ses ordres à la lettre. Il n'avait pas eu besoin de dire quoi que ce soit de plus.

De sa démarche féline, Dino monta l'escalier

d'or, installant au passage deux ou trois caméras miniatures grand angle sous la rampe, puis tourna à droite et se dirigea vers la Salle de l'Écu, de forme oblongue. Des cartes du monde ornaient les murs mais il n'y avait que peu de meubles. Deux énormes globes occupaient la place d'honneur. Un canapé rouge bas sur pieds se trouvait sous la fenêtre, à l'autre extrémité de la pièce. Un bureau en bois tout à fait ordinaire, sur lequel était posé un vase en céramique décoré de paons, bloquait l'accès à une porte qui s'ouvrait sur un escalier menant à d'autres pièces.

Sortant trois minuscules caméras sans fil de sa poche, Dino en colla une sur chacun des deux globes et la troisième sous le rebord du bureau. Il dissimula le smartphone qu'il avait en surplus, puis il déposa délicatement le sac à dos humide qui lui plombait les reins depuis des heures.

Le travail qu'il devait accomplir exigeait un maximum de pièces d'équipement. Quant au Maître, il lui faudrait de la force et de la solidité pour atteindre son objectif. Dino repoussa le sac derrière le canapé. Puis, très soigneusement, il déversa par terre un monticule scintillant de poussière high-tech.

18

Des reflets dansaient au plafond du garage. Angelo avait accepté d'accompagner Andrew à une condition : qu'il puisse explorer lui-même l'Isola delle Fantasme.

– Je me vois bien en aventurier, avait-il annoncé au trio. Les châteaux, ça m'excite. Avec mes amis, on ne fait jamais rien de bien excitant.

Will avait haussé un sourcil et s'était tourné vers Andrew. Si Angelo était si motivé, il pourrait peut-être les aider, après tout ? Gaïa et Will feraient équipe ensemble.

L'Inventeur laissa tomber son sac à dos sur le sol, à proximité des bateaux. Il n'avait qu'une hâte, partir à la recherche de Barrington, mais il lui fallait d'abord répartir les outils technologiques de pointe entre les deux équipes.

– Je devrais prendre ton mobile, dit-il à Andrew. Tu pourras te servir de celui d'Angelo. Je transférerai dessus les fichiers qui contiennent les plans du château. Et je pense aussi que Gaïa et moi devrions garder la veste avec écran de contrôle intégré pour que je puisse vous suivre à la trace.

Andrew n'y trouva rien à redire. Il ôta délicatement sa veste et la tendit à Will, qui se mit à fouiller dans son sac à dos. Ses doigts se refermèrent sur la boîte qui contenait la Pince-à-sucre.

– Vous en aurez peut-être besoin, dit-il à Andrew.

De la poche de sa propre veste, Gaïa ressortit le Plein-la-vue et le proposa à Andrew, qui lui répliqua :

– Non, gardez-le !

– Vous serez plus exposés que nous, fit observer Will.

« Alors, pourquoi ne proposes-tu pas d'aller fouiller le château toi-même ? » songea Andrew. Mais il connaissait la réponse à cette question. Selon toute probabilité, Caspien n'y était plus, or Will voulait de l'action. Et il en aurait à coup sûr s'il partait en quête de Shute Barrington... enfin, si celui-ci n'était pas déjà mort.

– C'est une arme ? demanda Angelo en s'accroupissant à côté d'Andrew. Je peux l'essayer ?

– Oui, c'est une arme, et non, tu ne peux pas l'essayer, répondit Andrew avec fermeté, tout en enfonçant l'éblouissant gadget dans l'une des nombreuses poches de son pantalon.

Il n'était toujours pas sûr à cent pour cent que ce soit une bonne idée d'emmener Angelo, mais bon, ce serait plus agréable d'avoir de la compagnie, fût-ce celle du frère de Cristina.

Will sortit alors du sac le casque avec ses bandes de plastique orange et ses câbles. Des souvenirs de son expédition dans le Lac de recherche n° 2 affluèrent à sa mémoire. Il se rappela la confusion et la peur qu'il avait éprouvées, et aussi le refus affiché par Barrington de lui révéler la vérité, toute la vérité. Il ressentait encore, parfois, des douleurs à l'épaule et à la cuisse.

– Tiens, Andrew, attrape ! dit-il. C'est le matériel sur lequel je planchais avec Shute.

– Le kit pour la langue ?

– Oui, tu vois, sur le casque, c'est le sonar miniaturisé. Il est relié à cette bande de plastique qui contient des électrodes : elles envoient à ta langue des impulsions qui te permettent ensuite de te repérer dans l'obscurité. Au départ, c'est conçu pour les déplacements sous l'eau, mais ça fonctionne aussi sur la terre ferme.

Andrew gratifia une fois de plus Will d'un de ces traits d'esprit dont il avait le secret :

– Merci, mais tu sais, je n'avais pas dans l'idée d'explorer la lagune de Venise dans ses moindres recoins.

Will choisit de ne pas réagir, se contentant de hocher la tête et de répondre d'une voix encourageante :

– Tout va bien se passer, t'inquiète !

– Oui, renchérit Angelo. J'imagine que ce Caspien n'est même plus là, qu'il s'est évanoui tel un fantôme.

– Oui, un fantôme, répéta Andrew, songeur. Un fantôme surgi du passé, qui n'est pas revenu d'entre les morts mais d'entre les murs d'un hôpital psychiatrique hautement sécurisé – ce qui, dans la pratique, devrait présenter le même degré de difficulté !

Andrew ramassa le sac à dos de Will et le mit sur son épaule.

– Bon, maintenant, nous ferions bien de nous mettre en route, annonça Will.

– C'est ça, tout le monde à bord ! s'écria Angelo, pas mécontent que ces palabres soient enfin parvenues à leur terme.

Il s'installa sur le siège réservé au pilote sur la *Vénus* et brandit la clef de contact électronique. Aussitôt, le moteur se mit à ronronner.

– C'est tellement plus facile quand on n'a pas besoin de forcer mon ordinateur de bord ! plaisanta-t-il, visiblement fier de son sens de l'humour.

Puis il caressa du regard son bateau, son bien le plus précieux. Et soudain, il fronça les sourcils :

la banquette arrière était humide et couverte de sable.

– Ma *Vénus* est sale ! s'exclama-t-il.

– Je ne crois pas que ça la dérange plus que ça, répliqua Gaïa du tac au tac.

– Mais enfin, c'est une dame, protesta Angelo en laissant son regard traîner sur le front de la jeune fille, qui portait encore une trace de vase. Alors, elle aime être propre.

L'espace d'un instant, Gaïa resta sans voix. Puis, au grand étonnement d'Angelo, elle éclata de rire. Content de lui, il lui sourit en retour. Il décida que Gaïa était peut-être un peu revêche de prime abord, mais qu'elle compensait ce léger inconvénient par une beauté exceptionnelle.

Andrew souhaita bonne chance à Will et à Gaïa et monta à son tour à bord de la *Vénus*, empêtré avec le sac à dos qu'il déposa sans ménagement sur la banquette sale.

– Bonne chance à vous aussi ! lança Gaïa.

En regardant Angelo et son matelot, Will se dit qu'ils formaient un drôle de couple : l'un grand et bronzé, l'autre pâle et maigrichon.

Andrew tendit le doigt vers le bouton vert et, à mesure que la porte du garage se relevait, les premières lueurs de l'aube pénétrèrent à l'intérieur du garage. C'était un matin de brouillard, aux nuances roses et grises. On distinguait à peine le Grand

Canal, noyé sous la brume ouatée qui s'accrochait à la surface de l'eau.

Angelo manœuvra la *Vénus* avec précaution et la fit reculer hors du garage. Soudain, Andrew s'écria :

— Will, j'ai une question ! Ce kit pour la langue, comment l'as-tu baptisé ?

— Il n'a pas encore de nom, répondit Will.

— Ah... c'est ce que je craignais. Je n'ignore pas ta superstition, fit-il d'une voix mal assurée. Les nouvelles inventions ne reçoivent un nom qu'une fois expérimentées avec succès lors d'une mission.

C'était vrai. Will n'avait pu qualifier de succès la première expédition pendant laquelle il avait utilisé le sonar et les électrodes, parce qu'il n'avait pas récupéré la boîte cachée dans les profondeurs du Lac n° 2.

— T'inquiète, Andrew, lui lança-t-il depuis l'embarcadère au moment où Angelo faisait demi-tour pour s'engager sur le Grand Canal. Tout va bien se passer. Et si tu te sers du casque, on lui donnera le nom de ton choix.

Entrée latérale du Palazzo della Corte,
6 h 40

Angelo et Andrew étaient partis. Will et Gaïa se trouvaient dans la rue, Gaïa accroupie, Will debout à côté d'elle. Dans la grisaille ambiante, seule une jardinière de géraniums rouges apportait une touche de couleur.

Gaïa avait enfilé la veste d'Andrew et les anneaux qui permettaient d'actionner l'ordinateur intégré. Elle était en train de se connecter à Internet.

– Tu y es ? demanda Will. Nous devons emprunter l'itinéraire le plus court, rappelle-toi !

– Minute, papillon !

Une page de résultats venait de s'afficher et Gaïa utilisa la touche de défilement pour faire son choix. Il se porta sur une carte du centre de Venise. En quelques secondes, elle découvrit le chemin à suivre pour parvenir à destination.

– En route ! Ça ne devrait pas nous prendre très longtemps.

Gaïa ouvrit la marche : ils longèrent le canal puis montèrent l'escalier de bois du Ponte Accademia. Une fois de l'autre côté, ils parcoururent à grands pas une petite place ornée de jardins luxuriants, sur laquelle trônait la statue d'un homme en pardessus. Puis ils s'engagèrent dans une ruelle latérale, si étroite que deux personnes pouvaient à peine s'y croiser. Gaïa vérifia sur le plan : Calle dell Spazier. C'était bien ça. Elle leva la tête et n'aperçut qu'une fine bande de ciel gris.

– C'est de quel côté ? s'inquiéta Will.

– Tout droit. Nous ne sommes plus très loin.

Trois minutes plus tard, au terme d'une succession interminable de minuscules ponts de pierre et de ruelles aux volets clos, ils émergèrent sur la place Saint-Marc.

Des nuées de pigeons s'égaillèrent en tous sens devant eux. Gaïa embrassa du regard ce haut lieu de l'histoire italienne. La place était gigantesque : devant elle se dressait une grande église coiffée de dômes scintillants et dont les colonnes de marbre s'irisaient de toutes les nuances de la roche. De chaque côté de la place, des magasins étaient nichés sous des arcades. À la droite de Will et de Gaïa, une tour surmontée d'un ange doré s'élançait vers le ciel : le Campanile. Il y avait peu de touristes à cette heure matinale : un petit groupe de retraités et deux ou trois religieuses, tout au plus.

— Je suis bien content que tu ne lises pas les cartes comme le font généralement les filles : de travers, commenta Will, ce qui lui valut un regard menaçant.

— Si tu ne tiens pas ta langue, tu vas t'apercevoir que je ne décoche pas non plus mes coups de poing dans la figure comme les autres filles… Bon, alors, où est-il, ton Barrington ?

Les yeux de Will allèrent d'une joaillerie protégée par un rideau de fer à un magasin d'articles de plage en passant par une boutique de verrerie.

— Je ne sais pas. Il peut se trouver n'importe où ici.

– Veux-tu que nous nous séparions ? demanda Gaïa.

Will hocha la tête.

– Je vais essayer de rappeler Spicer, pour savoir s'il a pu entrer en contact avec Shute. Tu as ton Téléphone-dentaire ?

Gaïa farfouilla dans sa poche.

– Ouais, c'est bon.

Will hésita un instant avant de tourner les talons.

– Sois prudente ! conseilla-t-il à son amie.

Puis il disparut derrière une grosse colonne.

L'espace d'un instant, Gaïa prit le temps de savourer les dernières paroles de Will. Quelques mois plus tôt, dans un labo de Saint-Pétersbourg, elle avait attendu qu'il en prononce de semblables, mais il ne l'avait pas fait.

« Concentre-toi ! » songea-t-elle. Will était parti dans une direction. Elle décida de partir dans l'autre. « Shute Barrington, à nous deux ! Où te caches-tu ? »

*

– C'est celle-là, là-bas ?

Le bras d'Angelo, recouvert d'un lainage en cachemire, était pointé dans la direction de l'Isola delle Fantasme.

Andrew hocha la tête, une main agrippée à son siège. Angelo ne prêtait aucune attention à la limite de vitesse, mais comment lui en vouloir en la circonstance ?

– Oui, c'est bien elle, fit-il d'un ton lugubre.

Pourquoi avait-il accepté la proposition de Will ? STORM, c'était une équipe. Son équipe à lui, Andrew. Tous ses membres devaient relever chaque défi ensemble.

Et puis non, au fond, il savait bien que ce n'était pas vrai et que le malaise qu'il éprouvait avait une autre origine : Will et Gaïa lui manquaient, voilà tout.

Soudain, ses cheveux retrouvèrent leur place normale sur son crâne : Angelo venait de ralentir. Andrew ôta ses lunettes et en essuya les verres avant de les replacer à la racine de son nez.

Ils étaient tout près. À vingt mètres au plus. Devant eux, la plage aux broussailles était gri-sâtre.

– Prenez garde ! chuchota Andrew. Il y a des hauts-fonds !

– Je suis vigilant, répondit Angelo.

Il les contourna avec habileté et, une fois passés les bancs de sable, il éteignit le moteur. Continuant sur son élan, la *Vénus* poursuivit sa progression vers le rivage.

Sans y réfléchir à deux fois, Angelo sauta dans l'eau.

– Allez, viens ! chuchota-t-il. Sors de là, nous devons la tirer jusqu'au sable.

Andrew, alourdi par le sac à dos, parvint à s'extraire du bateau et donna un coup de main au propriétaire de la fusée noire baptisée *Vénus*. Celui-ci enroula les amarres autour du même arbre qu'avait utilisé Will.

— Nous sommes fin prêts, murmura Angelo, manifestement enchanté de cette escapade matinale. En route !

— Je passe devant, insista Andrew, raide comme un bâton de chaise. Ne faites pas de bruit et suivez-moi !

Avec prudence, il se fraya un chemin à travers les débris qui jonchaient la plage et escalada le talus. Le château lui apparut alors dans toute son énormité, remplissant son champ de vision. Il regarda autour de lui et tendit l'oreille. Mais qu'y avait-il à voir, à part les murs de pierre marbrés de taches sombres ? Et qu'y avait-il à entendre, à part le bruissement imperceptible de la brise dans les brins d'herbe et l'appel plaintif d'un goéland ?

L'île donnait vraiment l'impression d'avoir été désertée. L'inspecteur Diabolo avait peut-être raison, après tout.

Cela dit, Andrew, comme Will avant lui, sentit que quelque chose ne tournait pas rond. Ce n'était pas un sentiment qu'il pouvait analyser d'un point de vue scientifique, mais son père psychiatre lui avait enseigné qu'il fallait parfois prêter attention aux intuitions. « Le conscient n'est pas tout, Andrew, lui avait-il dit. Fie-toi aussi à ton inconscient. Écoute-le quand il te parle. »

En cet instant précis, l'inconscient d'Andrew lui indiquait que, derrière ces sinistres murs, le danger menaçait. Mais plutôt que de le fuir, il fallait l'affronter.

– Tout va bien ? demanda Angelo, du ton de celui qui trouve le temps long.

Mettant à profit son impressionnant cerveau, Andrew avait évalué la situation et Angelo était impatient de connaître ses conclusions.

– Oui, fit le jeune millionnaire en remontant ses lunettes.

– … Alors, nous entrons ?

– Oui.

– Bien.

– Bien ? fit Andrew, étonné par l'emploi de cet adverbe en la circonstance.

– Oui, on gèle dehors, expliqua Angelo.

Angelo faisait-il vraiment montre de courage ? se demanda Andrew. À contrecœur, il décida que non. L'Italien manquait juste d'imagination. Il recherchait la chaleur quand il avait froid, à manger quand il avait faim. Le cerveau d'Angelo fonctionnait de façon binaire, en noir et blanc.

Faisait-il seulement la différence entre mort et vif ?

Puis Andrew se ressaisit : il était injuste avec

Angelo. Après tout, il avait demandé à l'accompagner sur l'île et il pourrait même se révéler utile.

Andrew reprit alors sa progression dans l'herbe humide jusqu'au mur du château. Il le longea en prenant garde à ne pas trébucher, jusqu'à l'entrée latérale. La porte était ouverte : la serrure avait dû être forcée par les hommes de Diabolo. Andrew inspira fortement et entra.

Aussitôt, il fut assailli par l'odeur d'humidité, de moisi. Des sensations familières et déplaisantes refirent jour en lui. Il se rappela cette plainte... lancinante.

– Restez près de moi ! murmura Andrew en clignant des yeux, le temps pour lui de s'accoutumer à la pénombre. Et ne parlez que si c'est essentiel. D'accord ?

– Oui, répondit Angelo en contemplant les gouttes qui perlaient sur les murs. C'est d'accord...

La première décision à prendre, pour Andrew, consistait à déterminer le sens de la visite du château. Les mystérieux gémissements presque inhumains provenaient du bas des escaliers qui se situaient sur la droite. Pour accéder au bureau, à la salle principale et à la pièce contenant le matériel de fabrication de fantômes, il fallait prendre sur la gauche.

Andrew tint le raisonnement suivant : s'il avait dans l'idée de concevoir un complexe d'expérimentation chimique, il ferait en sorte que les diverses salles fonctionnelles nécessaires soient contiguës. Et tout ce qu'il voulait oublier, il le placerait dans un recoin éloigné. Alors, si Caspien se trouvait encore dans le château – s'il s'était caché et s'apprêtait à refaire surface pour terminer sa tâche –, il se trouverait dans une salle fonctionnelle. Forcément.

Pendant quelques minutes, ils marchèrent en silence. Andrew percevait l'excitation d'Angelo : cette excursion aussi matinale qu'imprévue l'arrachait provisoirement à son ennui et à sa colère. Mais Andrew voyait cet enthousiasme d'un mauvais œil. Angelo lui faisait l'effet d'un gamin dans un parc d'attractions : pour lui, les couloirs qui suintaient et les chandeliers noirs, c'était un peu comme le train fantôme.

Andrew s'arrêta net. Ils venaient de prendre un virage et, droit devant eux, une porte était ouverte. Le passage baignait dans une lumière jaune. S'il était convaincu que la police avait vidé les lieux, Caspien se serait peut-être risqué à retourner travailler dans une de ces pièces... Andrew leva la main pour mettre en garde Angelo. Puis, très délicatement, il sortit la Pince-à-sucre de sa poche.

– Une bonne petite pieuvre, fit-il à mi-voix, tout en regrettant que ce ne soit pas Ratty.

Il déposa le robot sur la pierre froide, puis prit la télécommande dans une main et l'écran dans l'autre. Sous les yeux écarquillés d'Angelo, il démarra la machine et les petites pattes s'activèrent en cliquetant sur le sol. En quelques secondes, elle pénétra à l'intérieur de la pièce…

– Qu'est-ce que c'est que ça ? murmura Angelo.

Andrew était trop concentré sur l'écran pour lui répondre. Les tentacules jumeaux s'agitèrent et l'image devint intermittente. Mais la pièce semblait vide : on n'y apercevait que deux tables. Pas de Caspien.

– Elle est à toi, cette petite merveille ? demanda Angelo.

– C'est Will qui l'a fabriquée.

Angelo ouvrit des yeux ronds et jeta un coup d'œil sur l'écran.

– Je ne vois personne… On y va ?

Andrew acquiesça sans conviction. Mais peut-être serait-il plus facile – voire moins risqué – pour eux d'inspecter les lieux ensemble ?

Ils découvrirent ainsi cinq autres portes donnant accès à des pièces vides. Puis ils s'engagèrent dans le couloir où était accroché le portrait de la comtesse masquée. À un moment, Angelo leva les yeux vers le plafond, puis, soudain, se retourna. Andrew poussa un soupir : l'héritier de la famille della Corte faisait moins le faraud. Visiblement, le courage n'était pas son *forte*.

– Tout va bien ? demanda Andrew d'un ton innocent.

Angelo sursauta.

– C'est juste que j'ai éprouvé une sensation…
étrange. On dirait que cet endroit est…

– Hanté, peut-être ? s'amusa Andrew.

– Oui…

Le jeune millionnaire se réprimanda alors en
silence. Ce n'était pas le moment de jouer au chat
et à la souris avec Angelo, même si c'était tentant.

– Il s'agissait d'infrasons, expliqua-t-il comme si
de rien n'était. Sans doute combinés à un générateur
de courant d'air. Ne vous en faites pas, Angelo.

– Je ne dois pas m'en faire ?

– Non, ayez confiance en moi et ralliez-vous à
mon panache naturel ! En route !

Andrew l'entraîna jusqu'à un autre virage à angle
droit, au tournant duquel apparaissait encore une
porte ouverte. Décidément, Diabolo et ses hommes
avaient été consciencieux. Andrew s'approcha à
pas de loup. Pas de lumière, cette fois. Il frissonna
– sans doute l'effet d'infrasons, mais il n'en ressentit
pas moins un profond malaise.

Il plongea une main dans sa poche, pour en
extraire le Plein-la-vue. Lorsqu'il fut parvenu au
seuil de la porte, il l'alluma et déclencha un tir de
laser à l'intérieur.

Le temps d'un éclair, il constata que cette
pièce-là était vide, elle aussi. Mais l'intensité du
rayon lumineux n'avait pas été aussi forte que les
fois précédentes. Andrew secoua l'appareil. Il était

pourtant impossible que les batteries commencent déjà à se décharger…

Il alluma alors le plafonnier et se rendit compte qu'il s'agissait du bureau décrit par Will. Il repéra la tête de phrénologie en porcelaine et le canapé recouvert de soie damassée, et aussi une pile de cartons, repoussés contre le mur.

Prudemment, Andrew toucha l'un des cartons, encore humide. Sur la plus grande boîte, il aperçut un cachet et une adresse, en Suisse. Elle avait été livrée par porteur spécial. Sous le mot « FRAGILE », Andrew lut aussi l'étiquette d'expédition où figuraient les adresses du destinataire – le château – et de l'expéditeur : *Institut für Quantum Physik*. Institut de physique quantique.

– Nous devrions continuer la visite, suggéra Angelo. Il n'y a personne ici.

– Un instant ! répondit Andrew en rempochant le Plein-la-vue.

Pourquoi diable Caspien avait-il fait appel à un institut de physique quantique ? Ces cartons contenaient-ils le fameux matériel que Will et Cristina l'avaient entendu commander ? Et de quel matériel s'agissait-il ? À quelles fins était-il destiné ?

Andrew donna des coups de genou dans chacune des boîtes. Elles étaient vides. Peut-être Caspien avait-il eu le temps de fuir l'île avec leur contenu ? Avec précaution, Andrew souleva les rabats de la boîte la plus proche.

– Qu'est-ce que tu fais ? murmura Angelo.

Andrew regarda à l'intérieur : il n'y avait rien.

– Qu'est-ce que tu cherches ? persista Angelo.

Mais Andrew n'en était pas sûr lui-même. N'importe quoi. Quelque chose. Son œil se posa de nouveau sur l'étiquette d'expédition. Elle était protégée par une cellophane maintenue en place par du ruban adhésif. Il la détacha, la déplia et lut l'adresse, le nom du transporteur, la date et l'heure à laquelle le colis avait été collecté. Andrew retourna alors la feuille de papier et découvrit sur le verso une note que quelqu'un de l'Institut avait écrite à l'encre noire. Elle était destinée à Caspien – qui de toute évidence ne l'avait pas lue. Mais ce détail n'avait aucune importance. Par contre, le contenu de cette note présentait un intérêt majeur.

Pendant un moment, Andrew dut se creuser la cervelle pour comprendre exactement le sens de ce message. Puis il se rappela les lignes écrites en rouge au bas du document caché dans le coffre ! L'algorithme !

« Impossible, songea-t-il alors. Non, on ne peut pas y arriver. »

– Alors, de quoi s'agit-il ? dit Angelo.

Mais Andrew ne pouvait ni parler, ni bouger. Il bouillait intérieurement. Les lignes écrites au bas du document secret avaient marqué son cerveau au fer rouge. C'étaient des lettres de sang.

– Alors ? répéta Angelo. Mais de quoi s'agit-il ?

Les oreilles d'Andrew ne percevaient plus les bruits extérieurs, comme si elles étaient remplies de coton.

– Andrew !

Angelo le prit par le bras et le secoua.

– Andrew, qu'est-ce qui ne va pas ? Parle ! Je t'en conjure ! Parle !

Petit à petit, Andrew prit toute la mesure de ce qu'il venait de comprendre. C'était tellement monstrueux qu'il parvenait à peine à le concevoir.

Il s'écoula encore de longues secondes, puis, très lentement, il leva la tête vers Angelo.

19

Einstein. Newton. Bohr.

À la liste des plus grands génies de la physique
que le monde ait connus, faudrait-il ajouter un
nom ? se demandait Andrew. Inscrit en lettres d'or
au panthéon des prix Nobel ? Celui de Caspien
Baraban.

Le jeune millionnaire était en proie à des émo-
tions contrastées : une admiration mêlée de terreur ; un sentiment d'horreur absolue devant tant de
génie dévoyé. S'il avait bien compris ce qu'il venait
de lire et s'il était vraiment possible de réaliser le
plan de Caspien, alors le monde tel qu'Andrew le
connaissait ne serait plus jamais le même.

— Angelo, est-ce que nous avons un signal ?

— Quel genre de signal ?

– Pour votre téléphone ! Est-il en état de fonctionner ?

Angelo vérifia aussitôt, mais secoua la tête.

Andrew s'en saisit, le front plissé. Aucun signal, et ils étaient trop loin pour utiliser le Téléphone-dentaire. Pourtant, il fallait qu'il prévienne Will et Gaïa ! Il devait absolument leur dire ! Il devait...

– Andrew ?

Andrew cligna des yeux mais sans réellement regarder Angelo. Ils avaient les plans du château et Caspien se trouvait encore sur l'île, Andrew en avait désormais la certitude. Mais où ?

L'esprit en ébullition, il fit défiler les images en noir et blanc.

L'aile est.

La pièce d'où émanaient les bruits étranges.

Des passages qui ressemblaient à des veines dans le corps froid et en décomposition du château.

Le bureau, où il se trouvait.

La salle à manger.

« Où te caches-tu ? » demanda Andrew en silence. Apparemment, dans aucune de ces pièces ni derrière aucune de ces portes. La police avait fait son boulot méthodiquement, Diabolo l'avait juré. Et Andrew comprenait qu'il s'en soit convaincu, car la réputation des policiers était en jeu : s'ils avaient ramené tous les enfants disparus, Diabolo et ses hommes seraient des héros ; mais s'ils en avaient oublié quelques-uns – qu'on découvrirait plus tard –, ils seraient présentés dans tous les journaux comme des incompétents notoires.

Une fois de plus.

Pourtant, quelque chose leur avait forcément échappé, mais quoi ?

Andrew en arriva à la dernière page des plans. Au premier abord, il ne fut pas très sûr de ce qu'il voyait.

– Mais comment ferait-il… ? lâcha-t-il à haute voix.

– Comment qui ferait-il quoi ? interrogea Angelo, qui prenait sur lui pour masquer son anxiété.

Andrew se comportait de façon extraordinairement bizarre et ne lui expliquait rien, ce qui ne faisait qu'aggraver la situation. Le jeune millionnaire fronça les sourcils en contemplant l'écran.

– Si j'en crois ce que je vois, il y a dans ce château des caves et des cachots souterrains.

– Des cachots souterrains ! s'écria Angelo.

– Oui, dans la partie arrière du château. Mais regardez…

Andrew leva l'écran pour qu'Angelo puisse voir et ce dernier fit de son mieux pour donner l'impression qu'il comprenait de quoi il s'agissait.

– Euh… je t'écoute, Andrew.

– Selon ce plan, les caves se situent sous l'eau. Mais elles sont inondées depuis des années. En tout cas, elles se trouvent au-dessous du niveau de la mer…

« Submergées, comme la moitié de Venise »,

songea-t-il. Mais étaient-elles habitables ? Ou permettaient-elles d'accéder à d'autres pièces secrètes à l'intérieur du château ?

Ce n'était pas impossible. Et ce n'était certainement pas plus improbable que le contenu de la note griffonnée au dos de l'étiquette d'expédition. Caspien n'avait pas encore inventé de dispositif pour se rendre invisible. Et il possédait toujours un corps. Il avait une masse. Il occupait un espace au sein du monde. Et cet espace ne pouvait que se trouver *quelque part* au sein de ce château. Quelque part où la police n'aurait jamais eu l'idée de regarder.

— Bon, mettons que ces caves soient sous l'eau, raisonna Angelo. Dans ce cas, ton ami ne peut pas y être.

Andrew se concentrait sur les plans.

— Je ne suis pas de votre avis. Il pourrait très bien s'y trouver si…

— Si quoi ?

Andrew revint à l'avant-dernière page des plans. De nouveau, il souleva l'écran, qui diffusait une image pâle et fantomatique dans la pénombre.

— S'il pouvait nager. Ou se déplacer sous l'eau…

7 heures du matin

Le soleil était bel et bien levé. Très bientôt, la « *garden party* » débuterait. Surveillés de près par les créations de Spicer, les délégués allaient arriver à bord des patrouilleurs lance-missiles équipés de vitres-miroirs, puis gagner la salle de bal en passant une série de contrôles de sécurité que Shute Barrington lui-même avait conçus. Calvino, « le Chien », s'en pourléchait déjà les babines.

Pour l'heure, Barrington se promenait dans le luxueux Palais des Doges, dans une pièce richement décorée de peintures représentant des cartes dont le tracé était légèrement erroné, il fallait bien le reconnaître.

À travers une fenêtre entrouverte, Barrington entendit dans le lointain la sirène d'un bateau-ambulance. Il apercevait un enchevêtrement de toits de tuiles rouges et d'antennes de télévision. Quelques rais de lumière pénétraient dans la pièce, derrière lui, par une lucarne.

Son PDA se mit à vibrer.

C'était encore Charlie Spicer.

« Pas maintenant », songea Barrington.

Spicer l'avait appelé une bonne demi-douzaine de fois pendant la nuit pour s'assurer que ses précieux dispositifs fonctionnaient sans accroc. Barrington en avait sa dose…

Il laissa le téléphone sonner. Puis le silence se fit de nouveau. Il sentait le poids rassurant de son cribleur – *smart gun* modèle spécial STASIS – dans l'étui qu'il dissimulait sous son blouson de cuir.

Il consulta sa montre. « J'attends encore cinq

minutes, songea-t-il, et je reprends la vedette pour l'île. »

Il s'appuya sur les lambris, au-dessous des cartes. Il prit son PDA pour voir si les créations de Spicer avaient quelque chose d'intéressant à transmettre, mais il ne vit qu'une image fuligineuse, au milieu de laquelle on distinguait tout de même la coque d'un bateau patrouilleur. Barrington adorait épier la vie des autres.

À des fins strictement professionnelles, bien entendu.

Ce qu'il ignorait, c'était que l'espion était lui aussi espionné. Trois caméras miniatures suivaient ses moindres mouvements.

Sur l'Île des fantômes, dans une salle que les résidents du moment avaient baptisée « Laboratoire B », les images transmises par ces caméras venaient d'apparaître sur un écran.

À trois mètres de Barrington, à l'abri des regards, un smartphone s'était déjà connecté à Internet. Et à dix mètres de l'espion espionné, Dino se tenait tapi dans l'ombre de l'escalier géant qui montait depuis la grande cour. Il avait pour mission de se procurer un objet et d'en transmettre le contenu au Laboratoire B !

— En douceur, chuchota Caspien Baraban, à l'abri dans sa cachette lointaine. En douceur et avec doigté.

Il était très calme. Mais plus tôt ce matin-là, il

avait cédé à une colère noire lorsque la police était arrivée. Il n'avait même pas encore eu le temps de tester sur la fille, Cristina, sa technologie suprême. Il présumait que les membres du culte avaient été capturés, mais ça, c'était moins grave : il n'avait plus besoin d'eux. De surcroît, ils ne pourraient pas révéler l'endroit où Caspien se terrait, il en avait la certitude absolue.

Ce qui importait pour l'heure, c'était de surmonter la perte de la fille. Tourner la page. Et rester en mouvement, pour que jamais personne ne puisse l'attraper…

Caspien contempla ses patins à roulettes motorisés, qui lui permettaient de déplacer son fantôme à travers son univers coupé du monde.

– Lumières ! ordonna-t-il.

Aussitôt, le cachot fut inondé de lumière blanche.

– Caméras !

Son pouls s'accéléra. Ce matin-là, il allait envoyer une onde de choc à travers Venise. Elle entrerait dans l'histoire – mais pas seulement pour ses palais majestueux, ses desserts succulents ou le niveau de sa lagune, qui ne cessait de s'élever. Non, dans le récit définitif des plus grands accomplissements de la science et de la technologie, Venise constituerait le décor du *Chapitre Un*…

Mais ça, ce serait pour plus tard. Caspien n'en était qu'à la première étape. Ou fallait-il parler de la *Partie A* ? Ou d'un *Prologue* ? Il n'arrivait pas encore à se décider sur ce point.

— Vous êtes prêt, Maître ? demanda Rudolfo d'une voix de crécelle, étouffée derrière un rideau de velours rouge.

Caspien eut envie de lui répondre : « D'après toi, imbécile ? » Mais il ne voulait pas se laisser détourner de la profonde satisfaction qu'il s'apprêtait à éprouver par la bêtise d'une tierce personne. Il se contenta donc d'ordonner :

— Moteur ! Ça tourne !

Dans la Salle de l'Écu, la tête de Shute Barrington effectua une rotation de quatre-vingt-dix degrés. Il s'était jusqu'alors concentré sur son PDA, mais son attention venait d'être attirée par un drôle de bruit qui semblait provenir… de derrière le canapé rouge. Comme le glissement d'un objet mécanique.

Barrington était rapide.

Mais à deux kilomètres de là, Caspien, qui observait tous ses mouvements, l'était encore davantage.

Avant que Shute ait le temps de faire un deuxième pas en avant, la *chose* se matérialisa sous ses yeux. Vaporeuse, de plus en plus volumineuse, comme si elle enflait en absorbant l'air ambiant !

Barrington se figea sur place, les yeux exorbités.

— Non, murmura-t-il. Non !

Puis, entre ses dents, il ajouta :

— Toutes mes excuses, Thor, vous aviez raison…

On aurait dit un être humain. La chose en avait adopté la forme. Mais que dire de son visage ? Ses yeux ne faisaient qu'un, il avait la peau translucide d'un fœtus. Et cette peau scintillait, ourlée de reflets argentés et roses. C'était stupéfiant.

Barrington se demanda alors s'il s'agissait d'un homme ou plutôt d'un... garçon. Mais était-ce véritablement un fantôme ?

Non. Barrington ne pouvait en douter : c'étaient des millibots qui s'assemblaient d'eux-mêmes. Voilà donc à quoi ressemblait *Il Fantasma* ! À un grand jeune homme musculeux.

Et si on lui avait demandé quelle était l'identité de ce jeune homme, Barrington en aurait mis la main au feu sans hésiter.

Baraban. Qui d'autre ? Baraban était libre. Après s'être enfui de l'hôpital, il s'était évanoui dans la nature ! Se pouvait-il qu'il se trouve à Venise ? Ce qui appelait une autre question : où était le mystérieux informateur qui avait appelé le MI6 ? Était-ce Caspien qui avait convoqué Barrington dans la Salle de l'Écu ? Mais comment avait-il procédé ?

Shute avait l'esprit vif et, si les questions s'amoncelaient dans son esprit en ébullition, un tir groupé de réponses ne tarda pas à suivre. Il se rappelait qu'en janvier, quelqu'un s'était introduit dans le réseau de STASIS. Le Département de l'informatique avait parlé d'un hacker amateur qui avait eu de la chance mais n'avait pu accéder à aucun dossier essentiel.

Barrington se demanda soudain si le hacker en question ne s'appelait pas Caspien et si ce dernier n'était pas parvenu à dérober des codes de communication sécurisés tout en effaçant les traces de son passage une fois son forfait accompli.

Mais l'heure n'était pas aux supputations. Il se trouvait en effet en situation délicate. Le *fantôme* le regardait de ses yeux aveugles et sa poitrine se gonflait et se dégonflait à tour de rôle, comme s'il respirait. Barrington connaissait le procédé. Il avait lu un article à ce sujet dans les *Annales de la micro-ingénierie*. Quelque part, dans un endroit distant, des caméras filmaient un être humain – si tant est qu'on puisse qualifier Baraban d'être humain. Elles enregistraient ses mouvements en trois dimensions et les données emmagasinées étaient utilisées pour recréer ces mouvements *ici même*, devant les yeux ébahis de Barrington.

Mais pourquoi ? Que lui voulait Caspien ?

L'homme de STASIS ne pouvait imaginer qu'une seule réponse à cette dernière question, d'une évidence criante : il y avait certainement un lien avec la *réunion*. La « *garden party* », comme il était censé l'appeler.

Pendant ce temps, une autre partie du cortex de Barrington élaborait un plan, une contre-attaque pour ainsi dire. Son pistolet ne lui serait d'aucune utilité : s'il tirait dans le fantôme, les minuscules robots s'assembleraient automatiquement derechef. Et pour causer des dégâts dignes de ce nom, il lui faudrait une grenade, pas six malheureuses cartouches de neuf millimètres.

– Caspien ? appela Barrington, en s'efforçant de masquer sa surprise. Caspien Baraban ! C'est bien toi ? Tu m'entends ?

Barrington parcourut du regard toute la pièce, dans ses moindres recoins. Il savait que des caméras y étaient dissimulées. Justement, il venait de détecter une étincelle sur l'un des globes ! C'en était peut-être une. S'il repérait les caméras, il pourrait rendre le fantôme aveugle.

Lentement, feignant la confusion, Barrington se dirigea vers le globe. La *chose* demeurait immobile. Que faisait donc Baraban ?

Comme en réponse à cette interrogation, le fantôme mécanique remua. Plus exactement, il se précipita vers Barrington, fendant l'air en produisant des mini-éclairs. Sans même avoir le temps de dire ouf, Barrington se retrouva plaqué contre un mur par une main puissante. Cette *chose* avait de la moelle ! La tête du fantôme se pencha vers lui. Des yeux aveugles le fixèrent longuement. Barrington se dit qu'il vivait là une expérience singulièrement déplaisante.

Mais il lui fallait rassembler ses propres forces et réagir. Comme la caméra n'était pas suffisamment proche pour qu'il puisse l'atteindre, il mit en application la seule idée qui lui venait. Il serra le poing et frappa.

Son poing entra en collision avec la tête de la *chose* et... passa au travers. Bouche bée, Barrington regarda la tête se désintégrer tel un essaim d'abeilles, avant de se réorganiser en une image virtuelle de Baraban.

Instantanément, Barrington mesura à quel point sa chair et son sang étaient vulnérables, impuissant qu'il était face à cette machine high-tech dont la main lui enserrait douloureusement le poignet.

Le PDA !

Tout s'était passé trop vite. Il l'avait encore à la main quand il avait voulu déterminer l'origine de cet étrange bruit de glissement mécanique. Et voilà que le fantôme se l'était approprié !

Barrington lâcha un juron. Il avait trouvé plus malin que lui. Certes, l'effet de surprise avait joué à plein, mais il aurait dû avoir la ressource de penser à quelque chose de plus percutant qu'un coup de poing ! Ce qui ne l'empêcha pas, faute de mieux, d'en asséner un autre à son agresseur. Celui-ci recouvra aussitôt sa forme d'origine et plongea une main miroitante à l'intérieur du blouson de Barrington pour en extraire le *smart gun made in STASIS*.

Puis la machine diabolique conçue par Caspien recula. Barrington appela son cerveau à la rescousse, mais celui-ci refusa d'obéir pendant de longues secondes, Soudain, une colère intense monta en lui et fit voler en éclats les barbelés imaginaires qui lui ceignaient la poitrine. Était-il tombé sur la tête ? Il fallait absolument qu'il récupère son PDA ! Caspien ne devait pas mettre la main dessus.

Barrington plongea vers l'avant, avec une seule idée en tête : s'il pesait sur lui de tout son poids, ce fantôme constitué de milliers de particules aussi légères que l'air ploierait-il ?

Il obtint la réponse à cette question un moment plus tard. Lorsqu'il se jeta sur le fantôme, ce dernier pointa le cribleur sur Barrington et fit feu.

QG de STASIS, Sutton Hall (Oxfordshire, Angleterre)

— Et pan dans le mille ! s'écria Charlie Spicer en décollant de son fauteuil. Allez, alleeeeeezzzz ! implora-t-il. Donne-moi sa position ! Localise-moi le patron !

Une étoile mauve clignotait sur son écran. Le réseau STASIS était configuré de manière à enregistrer immédiatement toute utilisation d'un cribleur de la maison.

Les doigts tremblants, Spicer composa le numéro de Thor à Venise. Il savait désormais où se trouvait « le patron ». C'était tout ce qui comptait. Il n'allait certainement pas se mettre la rate au court-bouillon en se demandant pourquoi Shute avait utilisé son cribleur.

Du coin de l'œil, il constata que l'étoile mauve avait doublé de volume : deux coups avaient été tirés. Sur-le-champ, il ordonna à Thor d'aller voir sur place ce qu'il se passait. Puis il composa un autre numéro.

– Will ? Tu es toujours sur la Piazza ? Alors, fiche le camp. Le cribleur de Barrington vient d'être actionné deux fois.

– Le quoi ?

– Son *smart gun*...

– Où ça ?

Spicer hésita. Will n'allait tout de même pas se jeter dans la gueule du loup. En lui disant la vérité, il le protégerait donc. En la lui dissimulant, il risquait de mettre le garçon dans de sales draps.

– Au Palais des Doges. Alors, éloigne-t'en le plus possible !

À Venise, en entendant cette nouvelle, Will ne fit ni une ni deux : il installa son Téléphone-dentaire.

– *Gaïa ! Barrington est dans le Palais des Doges, à côté de la basilique !*

Dès qu'il eut émergé des arcades, il se trouva exposé à tous les vents, au pied du campanile. Il n'y avait pas grand monde à cette heure, mais il fut quand même heurté par un serveur de bar trop pressé.

Will prit le temps de réfléchir. Barrington avait utilisé son arme, alors de deux choses l'une : il était soit hors de danger soit dans une situation critique. Mais Will n'avait aucun autre moyen de le savoir que d'aller vérifier sur place...

Il partit en courant vers le Palais, franchit l'entrée surmontée d'une arche et pénétra dans une cour déserte, entourée de statues. Mais il n'y avait pas trace de Barrington.

Ce fut alors qu'un écho lui parvint aux oreilles depuis l'escalier qui se trouvait sur sa droite : celui d'un grognement. Will grimpa les marches quatre à quatre et accéda à la loggia, d'où il avait une vue d'ensemble de la cour et de ses deux puits identiques. Il hésita. Tendit l'oreille. Retira son Téléphone-dentaire. Tendit de nouveau l'oreille.

Il perçut un autre grognement ! Il venait de là-bas... Will repartit en haletant et tourna à droite pour s'engager dans la Salle rouge. C'est là qu'il le découvrit.

Barrington.

Par terre, juste devant la porte, pâle comme un linge, se tenant la jambe et grimaçant de douleur. Will embrassa du regard les cartes, les globes, le bureau, le canapé, le sang. Il gouttait de l'épaule de Barrington et aussi de son mollet.

– Will ! s'écria-t-il, éberlué. Mais qu'est-ce que tu fabriques ici ?

— Vous êtes blessé !

— Je vois que tu n'as pas perdu ton sens légendaire de l'observation, fiston. Ce qui ne me dit pas ce que tu fais ici.

— Et Caspien, où est-il ? demanda Will.

— Comment ça, Caspien ? Pourquoi me poses-tu cette question ?

— Parce que je l'ai vu, expliqua le jeune garçon.

Il attendrait plus tard pour reprocher à Barrington de l'avoir tenu dans l'ignorance des faits et gestes du susmentionné. Il ôta son blouson et en noua les manches juste au-dessus de l'endroit d'où s'écoulait le sang, à mi-chemin du pied et du genou de Barrington.

— Où ça ?

— Sur l'Isola delle Fantasme.

— Voyez-vous ça ! ironisa Barrington. Allez, raconte !

Will serra bien fort le nœud qu'il avait réalisé avec ses manches et débita son récit.

— STORM a été contacté par une jeune Italienne parce qu'elle avait surpris un soi-disant fantôme – dont nous savons désormais que c'est une création de Caspien – en train de voler quelque chose chez elle. Nous avons trouvé sur l'île le matériel dont Baraban se sert pour produire cette illusion. J'y étais la nuit dernière. Cette fille, qui s'appelle Cristina, y était aussi et elle a entendu Caspien demander à un certain Dino de vous trouver et de vous tuer. Caspien manigance un mauvais coup, mais je ne sais pas quoi. La police a fait une descente sur l'île il y a une heure. Il ne s'y trouvait plus.

Barrington grimaça de nouveau. Après Saint-Pétersbourg, son chemin croisait encore celui de STORM : cela devenait une habitude. Le plus étonnant était que Will était au courant pour les millibots, qu'il avait localisé Caspien et savait même que ce casse-pieds de premier ordre avait décidé d'occire le patron de STASIS.

– Il faut que je vous emmène à l'hôpital, dit Will.

Barrington prit appui sur son bras valide pour placer sa jambe dans une position moins inconfortable.

– Je ne peux pas y aller. Pas encore. Ce fantôme infernal m'a subtilisé mon PDA, or il contient des données vitales. Alors, il faut à tout prix que je le récupère !

Les questions se bousculaient dans l'esprit de Will.

– Mais pourquoi êtes-vous, ici au juste ? Et où est passé le fantôme ? C'est sur lui que vous avez tiré ?

– Négatif : c'est lui qui a tiré sur moi, avec mon arme, dit-il en essayant de se relever, sans succès.

– Ne bougez pas ! Vous allez perdre encore plus de sang.

Et de lâcher une nouvelle salve de questions.

– Quelles données si importantes votre PDA contient-il ? Pourquoi êtes-vous ici ? Que fait Caspien à Venise ?

Barrington ouvrit la bouche pour le stopper dans son élan, puis se ravisa subitement et ordonna à Will de se cacher.

– *Maintenant, fiston !* Voilà l'ectoplasme robotisé qui revient.

Will remit aussitôt en place le Téléphone-dentaire.

– *Gaïa, tiens-toi à l'écart du Palais ! Nous sommes dans une salle avec des cartes. Le fantôme arrive et il a le cribleur de Shute.*

Puis il gagna en courant l'autre extrémité de la salle, de forme oblongue, et se jeta derrière le bureau. Le meuble ne lui offrirait qu'une protection limitée, mais ce serait mieux que rien. Puis, avec précaution, il jeta un coup d'œil par-dessus.

Une microseconde plus tard, l'esclave inhumain de Caspien réapparut. Et ce qu'il tenait dans une main n'était pas le PDA de Barrington, mais son cribleur. *Il Fantasma* vint se placer juste devant le blessé, qui tentait désespérément de se mettre debout en prenant appui sur le mur. Will constata que les manches de son blouson ne constituaient pas un garrot idéal. Du sang coulait sur le sol dallé.

Barrington était gravement blessé, mais il n'était pas mort : était-ce la raison pour laquelle le fantôme avait rappliqué ?

– Baraban, tu m'entends ? appela Barrington, tentant de faire diversion. Cette machine est absolument géniale. Nous devrions discuter, toi et moi ! Ensemble, nous pourrions changer le monde avec ce joujou !

La tête du fantôme remua de droite et de gauche. Ses yeux se tournèrent vers le bureau. *Vers Will.* Se pouvait-il que Caspien l'ait repéré ?

Soudain, il repensa à Andrew, en train de farfouiller sous le canapé, dans le palais de Cristina. Ce fantôme était animé par un réseau sans fil. Quelque part dans cette salle, il devait y avoir un PDA ou un smartphone qui assurait la connexion. Mais Will eut beau scanner l'endroit, il était vide à l'exception des globes, du canapé, du bureau et... du vase au-dessus de sa tête.

Le fantôme se mit à avancer dans sa direction, pointant son arme tantôt sur Barrington, tantôt sur le bureau, comme s'il hésitait quant à sa cible. Barrington se remit à parler. Mais Will ne l'écouta pas car la voix de Gaïa venait de faire irruption dans son oreille :

– *Will, je suis dans un escalier à l'arrière du Palais. J'entends Shute. Je dois me trouver juste à l'extérieur de la salle où vous êtes. Que se passe-t-il ?*

De fait, elle était si proche qu'il l'entendait derrière la porte, située tout près du bureau. Le fantôme l'avait dans son champ de vision : si Will bougeait, le fantôme le verrait. Mais Gaïa ne serait pas nécessairement perçue par Caspien. Il fallait l'espérer.

– *En ouvrant la porte, tu verras un vase sur un bureau,* murmura-t-il. *Si tu vois un téléphone à l'intérieur, éteins-le !*

En fond sonore, Will entendait Barrington, qui continuait d'essayer de sauver sa peau.

– Caspien ! Tout cela est ridicule ! Je pourrais faire beaucoup pour toi ! Tu es la plus grande intelligence de ta génération : crois-tu que j'aie envie de t'enfermer ?

Mais si Caspien entendait Shute, il restait de marbre.

Will sentit son sang se glacer dans ses veines : glissant sur le sol dallé comme s'il était monté sur patins à roulettes, le fantôme était venu se placer juste devant lui et braquait son arme *droit sur lui.*

– Will ! s'exclama Barrington, horrifié.

Le temps sembla alors s'écouler au ralenti. Du coin de l'œil, Will vit une silhouette noire s'engouffrer par la porte et plonger la main dans le vase. Will se releva à moitié et elle le fixa du regard, un téléphone à la main. Puis elle éteignit l'appareil.

Le temps reprit alors sa cadence normale.

Barrington se tenait toujours la jambe, son visage livide exprimant *en temps réel* sa stupéfaction. Quant à Gaïa, elle se tenait toujours non loin de la porte, le téléphone à la main, les yeux rivés sur ceux de Will.

– Gaïa ! lança Barrington depuis l'autre bout de la pièce. Mais qu'est-ce que tu viens de faire ?

Le sol était désormais couvert de milliers de granulés gris minuscules : de la poussière intelligente.

Non sans difficulté, Barrington se remit enfin debout et traversa la salle en boitant. Il se pencha pour ramasser son arme et, de sa jambe valide, ne résista pas au plaisir d'écraser certains des robots.

Will contemplait Gaïa avec admiration. Une minute de plus et il aurait peut-être été tué. Et Shute aussi.

– Expliquez-moi ce qui vient de se passer ! ordonna Barrington.

Will dut s'arracher à la contemplation des yeux pétillants de bonheur de Gaïa.

– Caspien utilise des PDA ou des smartphones pour créer une connexion sans fil qui lui permet ensuite de contrôler le fantôme à distance, dit-il. Je ne voyais qu'un endroit dans cette salle où il aurait pu en dissimuler un : le vase.

– Alors moi, je l'ai sorti du vase et je l'ai éteint, conclut Gaïa.

– Suis-je bête ! constata Barrington avec le plus grand sérieux. C'est très ingénieux...

Il parcourut la pièce du regard : les caméras demeuraient en place. Caspien les observait sans doute encore, mais il ne pouvait plus leur nuire. Sans sa connexion, pas de fantôme.

– Mon seul problème, commença Barrington...

– ... À part votre jambe et votre épaule, intervint Gaïa.

– Oui, certes, mais ne t'en fais pas : l'infirmier de service, M. Knight, m'a fait un garrot, répliqua Barrington sans même remercier Will. Mon seul problème, disais-je, c'est que ce satané paquet de sucre en poudre m'a dérobé mon PDA et l'a emporté je ne sais où. Et j'imagine qu'à l'heure qu'il est ce PDA et les données qu'il contient sont en route vers la cachette de notre ami russe.

– Et alors ? demanda Gaïa.

Elle s'accroupit et examina la jambe de Barrington. Elle avança une main pour la palper mais il la repoussa.

– Et alors, c'est très, très ennuyeux.

– Pourquoi ? insista Will.

Barrington hésita avant de répondre. Le moment n'était peut-être pas bien choisi pour appliquer la loi sur les secrets officiels. Mais il était possible que Caspien ait installé des micros dans la salle.

– Si Caspien nous entend...

Aussitôt, Will consulta sa montre.

– Papa m'a fait cadeau de cette montre : elle détecte les micros et il n'y en a pas ici.

– Tu en sûr ?

– Je vous le garantis, confirma Will.

Barrington hocha la tête, convaincu. Il inspira fortement.

– Vous vous êtes rendus sur l'Île des fantômes, comme on l'a surnommée. Avez-vous remarqué l'existence d'une petite île plutôt coquette à l'est ? Sur cette île, en cet instant, se déroule une réunion top secrète. Et quand je dis top secrète, je suis en deçà de la vérité. Les responsables du renseignement du Groupe des Huit sont présents, ainsi que des représentants de la Syrie, de l'Iran, de l'Iraq et de l'Afghanistan. C'est un événement sans précédent, commenta Barrington.

Gaïa et Will échangèrent un regard. L'occasion était rêvée pour STORM de faire des étincelles. Ils écoutèrent la suite avec le plus grand intérêt.

– L'objectif de la réunion est de conclure des accords préalablement à la réunion officielle du G8 cette semaine. Si les participants font du bon boulot, nous pourrons peut-être mettre la main sur certains des plus dangereux terroristes de la planète, comme ceux qui sont derrière l'attentat à la bombe de Paris. Mais si la réunion échoue, la stabilité du monde entier sera menacée. Si quoi que ce soit devait arriver à ces seize personnes, les troubles qui en résulteraient seraient tels que l'anarchie prendrait le pas sur la démocratie et que plusieurs guerres éclateraient. Certaines nations n'attendent que ça : des assassinats sur le sol européen ! Lors d'une réunion bénéficiant de toutes les mesures de protection les plus sophistiquées !

S'agissait-il de la réunion dont Caspien avait parlé ? s'interrogea Will. Son « matériel » allait-il lui servir à attenter à la vie des chefs du renseignement ?

– Caspien a bien évoqué une telle réunion et il a commandé du matériel, mais nous ne savons pas quoi.

– Dans quel but voudrait-il perturber cette réunion ? demanda Gaïa, sceptique.

Barrington remua la jambe et grimaça.

– J'ai plusieurs théories, commença-t-il. Mais pour l'heure, il nous faut répondre en priorité à la question suivante : comment pourrait-il y parvenir ?

– J'ai trouvé de l'aluminium et de l'oxyde de fer sur l'île, dit Gaïa.

– De quoi faire un beau feu d'artifice. Cela dit, reprit Barrington, même si Caspien a la bombe et même s'il obtient mon PDA, il n'aura aucun moyen d'approcher de cette île. Elle est inaccessible, car nous avons mis en place un système de sécurité que j'ai moi-même conçu. Maintenant, l'un de vous deux aurait-il un téléphone ? Et si oui, pourriez-vous me le prêter avant que je me vide de mon sang ?

20

Inconcevable.

C'était tout bonnement inconcevable. Caspien avait bien eu un doute : lorsque Dino l'avait informé qu'il avait pris en chasse deux garçons et une fille à bord d'un bateau impossible à identifier, Baraban avait tout de suite pensé à Will, Andrew et Gaïa – les membres de STORM. Mais Dino lui avait menti : il n'avait pas détruit leur bateau !

Les yeux noirs de Caspien demeuraient fixés sur une image « gelée » : celle de l'intérieur du Palais des Doges. On y voyait Will Knight, blême, le *smart gun* de STASIS braqué sur sa poitrine.

Puis le regard de Caspien se porta sur l'écran de contrôle suspendu au mur de pierre. Dino l'avait appelé quelques minutes plus tôt pour l'informer qu'il allait transmettre le contenu du PDA de

Barrington. Caspien avait commencé par le maudire pour sa propension au mensonge, puis il s'était arrêté. Que cela lui plaise ou non – et c'était non –, il avait besoin de Dino à ce moment précis.

Les données apparurent sur l'écran. C'était une bonne prise !

– L'Île des masques, lâcha Caspien avec morgue. Maintenant, je connais tous vos secrets. STORM ne pourra pas m'arrêter.

Sitôt fait ce constat, il chassa STORM de son esprit. C'est qu'il avait beaucoup de travail à accomplir. D'abord, il devait déterminer les coordonnées précises de l'endroit où se trouvait la salle de réunion – et ce grâce aux données du PDA. Ensuite, il devrait tester le matériel. Enfin, il lui faudrait changer le monde.

Un programme chargé pour une seule matinée.

Mais avant toute chose, il fallait terminer une tâche dont l'exécution était vitale. Contrairement à ses plans, Barrington n'était pas mort. Or, Caspien voulait se venger de l'homme qui, selon lui, était à l'origine de l'action qui avait entraîné la mort de son père. Et quel plus délicieux moyen de procéder que par l'intermédiaire d'un fantôme mécanique, avec le propre cribleur de Barrington ?

Mais Baraban avait une autre raison nécessaire et suffisante de supprimer Shute : celui-ci risquait de prévenir les participants à la réunion et de faire capoter les plans du génie du mal.

Soudain, Caspien eut une idée lumineuse.

Trois semaines après s'être enfui de la prison psychiatrique, il avait réussi à s'introduire dans le réseau informatique de STASIS grâce à un virus contenu dans une pièce jointe au message électronique qu'il avait adressé à l'une des assistantes de Barrington – une femme qui était venue lui rendre visite à l'hôpital. Conformément aux plans de Caspien, cette idiote avait lu ledit message sur son PDA et ouvert la pièce jointe. Et comme le virus était inconnu des logiciels de STASIS, il n'avait pas été repéré !

Caspien avait volé tous les codes d'accès sur lesquels il avait pu mettre la main et recherché dans le réseau des renseignements susceptibles de lui être utiles. C'est de cette manière qu'il avait découvert que la « *garden party* » aurait lieu à Venise. Une fois récoltée l'information dont il avait besoin, il était sorti du réseau comme il y était entré, mais en effaçant très soigneusement ses traces.

Impossible de dissimuler le fait qu'il s'était immiscé dans les défenses du réseau, mais il avait pu se faire passer pour un hacker amateur, et aussi donner l'impression que diverses régions du réseau étaient restées inviolées.

Caspien y pénétra de nouveau en utilisant l'identifiant et le mot de passe d'un agent qui travaillait pour STASIS depuis quinze ans et se trouvait en mission à Moscou avec des agents de terrain du MI6. Il accéda alors à la Liste rouge.

Les alertes inscrites sur Liste rouge déclenchaient une réponse ciblée, obéissant à des procédures très strictes. Et les procédures auxquelles songeait Caspien mettraient Barrington hors d'état de lui nuire pendant au moins une heure…

Ses doigts se mirent à danser sur le clavier : « ALERTE : Preuve que Shute Barrington payé par Gouvernement russe. Agent double. Menace élevée. »

Un sourire plein d'amertume se dessina sur les lèvres de Caspien. Il appuya sur la touche « Entrée ».

Trois secondes plus tard, partout dans le monde, les étoiles indicatives d'une alerte classée Liste rouge se mirent à clignoter sur les ordinateurs de STASIS.

— Je ne comprends pas, dit Angelo.

— Je ne suis pas sûr qu'il y ait grand-chose à comprendre, répondit sombrement Andrew.

Et il se mit à tousser. L'air empestait. Ils se trouvaient dans une pièce inondée, dans le coin nord-ouest du château. Des marches auxquelles s'accrochaient des anatifes couverts de vase descendaient jusque dans l'eau froide. À côté d'Andrew, une série de boucles métalliques rouillées, serties dans le mur, disparaissaient sous la surface. Mais tout près, un anneau plus grand, flambant neuf, devait servir à amarrer quelque chose. Andrew avait sa petite idée sur la question : un sous-marin, peut-être ?

Selon les plans, cette pièce inondée était reliée à un réseau de caves. Certes, elles se trouvaient au-dessous du niveau de la mer, mais c'était le seul endroit inexploré du château. Andrew imaginait bien Caspien dans une de ces caves, à l'intérieur d'une pièce étanche.

– Tu penses qu'il est sous l'eau ? demanda Angelo.

– C'est possible qu'il ait un laboratoire sous-marin, en effet. Le seul moyen d'en avoir le cœur net, c'est d'aller fouiner par là. Mais je ne vois pas comment y accéder, sauf en nous déplaçant sous l'eau.

Andrew avait d'abord pensé utiliser le Plein-la-vue, qui était étanche. Mais il risquait d'être aveuglé par la puissance du rayon. Il avait aussi à sa disposition le kit de vision sous-marine, qui fonctionnait « en théorie ». Restait à déterminer…

– … Comment respirer ? demanda-t-il à voix haute.

– Bonne question, approuva Angelo en regardant autour de lui, comme s'il allait trouver la solution dans cette pièce qui baignait dans une eau infestée de bactéries et une atmosphère malsaine.

Andrew déposa le sac à dos sur la marche la plus

haute. Il en passa mentalement en revue le contenu. La Pince-à-sucre ? Elle ne serait d'aucune utilité pour respirer. Plus tard, peut-être. Il la plaça donc dans une poche.

« Bon sang, mais c'est bien sûr ! » songea-t-il alors.

Et il sortit la Corde-raide.

– Une corde ? Pour respirer ? s'étonna Angelo.

– Oh, mais ce n'est pas une corde ordinaire, répliqua Andrew en ouvrant son canif pour en couper un morceau d'environ un mètre de longueur.

Puis il ôta ses chaussures et ses chaussettes. Au contact des marches vaseuses, il ressentit un frisson désagréable. Il ne portait plus désormais que son T-shirt et son pantalon léger. Toutes ses poches étaient bien remplies : il avait la Pince-à-sucre, le Plein-la-vue, le kit de vision. Il ne manquait plus que le casque équipé du sonar, qu'il plaça sur sa tête. Puis il se saisit du morceau de Corde-raide.

– C'est creux à l'intérieur, expliqua-t-il à Angelo. Et lorsqu'elle est bien rectiligne, elle durcit. Je pourrai m'en servir comme d'un tuba, ajouta-t-il en la glissant sous la courroie du casque. Vous avez d'autres questions, cher monsieur ?

– Juste une, monsieur le savant, répondit Angelo sur le même ton : si tu trouves un laboratoire sous-marin, tu feras quoi ?

Andrew hocha la tête.

– Judicieuse interrogation.

Il s'assit sur une marche humide et plongea les jambes dans l'eau. Elle était plus froide qu'il ne l'avait prévu.

– Et la réponse est… ? risqua Angelo.

Andrew retira ses lunettes et les déposa sur un endroit sec. Le monde devint soudain tout flou et il cligna des yeux. Mais il faudrait faire avec.

– Je fais partie de STORM, répondit-il. Alors, je saurai quoi faire le moment venu. J'improviserai.

Will se boucha une oreille. Barrington parlait dans le téléphone d'Andrew. Mais à travers sa mâchoire, Will entendait quelqu'un d'autre.

– *Will, Andrew, vous me recevez ?*

– *Cristina ?*

À côté de lui, Gaïa fit la moue. À ce moment précis, Cristina della Corte était la dernière personne avec laquelle elle avait envie de s'entretenir.

– *Je suis enfin sortie du poste de police ! Où êtes-vous ?*

– *Place Saint-Marc*, répondit Will.

– *Pourquoi ? Que se passe-t-il ?*

– *Nous sommes avec un ami*, murmura Will. *Comment ça s'est passé, au poste de police ?*

– *Oh, j'ai beaucoup parlé, puis j'ai exigé d'eux qu'ils répondent à quelques questions. Ils n'ont pas trouvé votre ami Caspien.*

– *Et les enfants ? Ils n'ont aucune idée de l'endroit où il peut se cacher ?*

– Je l'ignore. Ils ont refusé de parler à qui que ce soit. Ils avaient l'air mal en point, les pauvres. Deux d'entre eux ont été conduits directement à l'hôpital.

– Tu ne sais pas pour quelle raison ?

– Non.

Barrington se mit alors à hurler dans son mobile et interrompit net la conversation. Ses lèvres avaient bleui et il semblait épuisé.

– Cristina, il faut que j'y aille. Viens dans notre direction et reprends contact quand tu seras plus près !

Puis Will se tourna vers Barrington, qui grimaçait de douleur et de colère.

– Quelqu'un m'a mis sur la Liste rouge !

– Ce qui veut dire… ? demanda Gaïa.

– Ce qui veut dire que quelqu'un de la maison, un de mes collègues, a raconté que je m'étais compromis et qu'on ne pouvait plus me faire confiance. J'ai perdu toutes mes autorisations, tous mes permis, et personne n'a le droit de me parler. Le comble, c'est que je viens d'avoir un dénommé Calvino au téléphone, un crétin qui, pour une raison qui m'échappe, est le principal responsable de la sécurité pour la réunion. Je l'ai mis en garde contre Baraban et il a refusé de m'écouter. Il m'a même interdit d'approcher de l'île !

– C'est complètement dingue ! s'exclama Gaïa.

– C'est du Caspien tout craché, suggéra Will.

– C'est aussi mon avis, confirma Barrington. Un hacker s'est récemment introduit dans notre réseau, je suis sûr que c'était lui, maintenant. Faut-il que je vous en dise davantage ? Je ne peux même pas appeler STASIS : les intonations de ma voix seront détectées par le système et la ligne sera coupée. De toute façon, même si j'essayais d'entrer en contact avec Spicer et qu'il acceptait de me parler, il serait renvoyé sur-le-champ.

Will leva les yeux vers le plafond, en quête d'une solution.

– J'imagine que le directeur du MI6 est sur l'île pour la réunion. À coup sûr, lui, il vous écoutera si vous lui parlez de Caspien…

– Ah oui ? Si je lui raconte qu'un jeune Russe de quatorze ans s'apprête à saboter la réunion la mieux protégée de tous les temps… alors qu'on m'accuse précisément d'être à la solde des Russes ?

– Mais ça vaut tout de même le coup d'essayer, non ? s'insurgea Gaïa, qui ne s'avouait jamais vaincue.

– Je n'ai plus mon PDA, répondit Barrington. Sans lui, je ne peux pas obtenir de ligne directe sécurisée avec le chef. Il faudrait que je passe par Spicer…

– Mais c'est vous le patron de STASIS ! s'exclama Will.

– Non, je ne le suis plus depuis que je suis soup-çonné d'être un agent double. Et de toute façon, si je leur demande d'annuler la réunion, ils se diront à tous les coups que c'est parce que les Russes le souhaitent. Ne vous en faites pas, ce malentendu sera éclairci. Mais plutôt tard que tôt...

Gaïa secoua la tête, dépitée.

– Alors, qu'allons-nous faire ?

– C'est moi qui ai conçu tous les contrôles, expliqua Barrington. J'ai insisté pour que des mesures extrêmement strictes soient appliquées. Caspien et ses fantômes n'ont aucun moyen d'accéder à cette île.

Gaïa et Will ouvrirent en même temps la bouche pour contredire cette affirmation.

– ... Oui, vous avez raison, admit Barrington. Nous devons agir.

Puis il marqua une pause.

– Le problème, c'est que je peux à peine marcher...

Will et Gaïa échangèrent des regards entendus.

– Nous vous écoutons : que voulez-vous que nous fassions ? demanda-t-elle.

Barrington poussa un long soupir.

– Vous seriez exposés à de graves dangers, bien sûr. Je me dois de vous mettre en garde...

– Que pouvons-nous faire ? insista Will.

– Non, non, prenez au moins le temps de m'écouter, se défendit Barrington. Vous n'êtes encore que des gamins... enfin, des adolescents.

Il s'était corrigé à temps. Les yeux de Gaïa

avaient menacé un instant de jaillir de leurs orbites pour le mettre K.-O.

– Vous préférez l'anarchie ? fit valoir Will.

Barrington les fixa de ses yeux d'un bleu perçant. À travers eux, on devinait que l'homme possédait une colonne vertébrale en acier trempé.

– Il faut que vous vous rendiez sur l'île. Là, vous devrez trouver C, le chef du MI6. Et vous insisterez auprès de lui pour qu'il fasse évacuer l'île.

– Mais comment passerons-nous au travers des contrôles de sécurité ? demanda Gaïa, inter-loquée.

En se rendant au Palais, Barrington avait aperçu quelque chose, accroché dans une vitrine de la place Saint-Marc.

À partir de là, il avait conçu un plan complè-tement fou, que seul un aliéné pourrait envisager de mettre en œuvre... Mais il n'avait pas encore trouvé mieux.

– Ils ne pourront vous arrêter que... s'ils vous voient, répondit-il d'un ton énigmatique.

21

L'eau était aussi glaciale que l'endroit était glaçant. La situation dans laquelle se trouvait Andrew n'avait rien pour lui plaire, mais c'était la donne et il avait accepté de jouer le jeu.

Pendant quelques minutes, il avait progressé dans l'eau les yeux fermés, afin de laisser le temps à son cerveau de s'accoutumer aux impulsions transmises à sa langue. Au début, il avançait un peu à l'aveuglette. Mais, petit à petit, il s'était aperçu que s'il tournait légèrement la tête à gauche, puis à droite, il parvenait à mettre au point une image mentale des alentours, à repérer les marches et à percevoir les contours des anneaux métalliques rouillés. Il détectait même la silhouette d'Angelo, debout non loin. Andrew leva un pouce à son intention. « Je suis O.K. ! »

Le tuba improvisé remplissait son office. Andrew décida que le mieux à faire était de chercher une sortie. S'il en trouvait une, il longerait le mur extérieur, en quête d'une autre entrée dans le château.

Il ne l'ignorait pas, il lui faudrait sans doute affronter pendant quelques minutes le monde sauvage de la lagune. Mais bon, à part les bactéries, quels autres animaux pouvaient bien hanter ces eaux ? Certainement pas des requins, en tout cas !

En se propulsant vers l'avant, il prit conscience qu'il respirait trop vite et que son cerveau ne se concentrait pas correctement sur les données recueillies et transmises par le sonar. Très lentement, il fit aller et venir sa tête : devant lui se profilait un mur. Il changea de direction : un autre mur apparut.

Qu'à cela ne tienne ! Il orienta la tête vers l'est et c'est alors que se produisit un changement : la sensation de picotement sur la partie droite de sa langue avait diminué d'intensité. Il lui fallut quelques secondes pour comprendre que cela correspondait à une absence d'obstacles : un espace libre. Il devait y avoir une sortie !

Andrew donna un nouveau coup de reins et repoussa l'eau de côté de toute la force de ses bras frêles. Il s'engagea en direction de l'ouverture en retenant sa respiration. Trois autres poussées des jambes et il passa à travers. Il expira alors fortement dans l'embouchure de son tuba.

Son pouls s'accéléra. Il se trouvait maintenant hors du château, à l'air libre, mais en raison des gros nuages qui s'étaient amoncelés au-dessus de la lagune, il n'y voyait toujours pas davantage que dans le *smog* londonien.

« Respire ! se dit-il. Respire à fond ! » Il tourna la tête vers la droite, puis vers la gauche, pour se repérer alentour. À gauche, il discernait le mur d'enceinte. Sur sa droite, il captait des signaux imprécis. Quelque chose se trouvait non loin de lui. Des herbes ? Un banc de sable ?

Puis, tout d'un coup, plus rien : les pulsations du sonar filaient à l'horizontale à travers la lagune, en direction de l'île voisine. Mais comme elle se trouvait trop loin, les signaux captés en retour étaient trop faibles.

Andrew se retourna pour aller toucher le mur d'une main. Puis il se propulsa de nouveau à l'aide de ses jambes. Il y avait forcément une autre entrée quelque part. Une entrée qui lui donnerait accès à Caspien.

Un instant plus tard, il arrêta de remuer les jambes. Il se passait quelque chose d'étrange sur sa langue. Elle captait une suite rapide de signaux, de plus en plus intenses. Et soudain, Andrew fut pris de panique. Une forme se rapprochait.

Non, pas une.

Deux.

Peut-être même plus.

Et elles se rapprochaient à vive allure.

Thor était seul dans le local affecté à la surveillance. La matinée était plutôt mouvementée. D'abord, les gorilles chargés de la sécurité ratissaient de nouveau l'île après avoir reçu une information pour le moins saugrenue au sujet de Shute Barrington... La jeune recrue de STASIS en était convaincue : il y avait erreur sur la personne, de toute évidence.

En plus, l'arme de Barrington avait fait feu à deux reprises ! Un des agents de terrain du MI6 avait donc été dépêché sur place pour mener l'enquête. Et comme si cela ne suffisait pas, Charlie Spicer avait téléphoné !

Thor avait toutes les peines du monde à rester concentré sur les moniteurs dont il avait la charge : les caméras J et K filmaient les seize délégués en train de prendre place dans la salle de bal. Les images apparaissant sur le moniteur C étaient parfaitement stables.

Quant aux caméras fixées sur la tête des « unités de patrouille » créées par Charlie Spicer, elles renvoyaient elles aussi des images nettes de l'inspection menée par lesdites unités dans les eaux qui entouraient l'île.

Les « créations » de Spicer avaient non seulement pour mission de patrouiller, mais aussi, le cas échéant, de procéder à des « éliminations subaquatiques ». Des bouées délimitaient une zone d'accès interdit autour de l'île privée. Si les unités percevaient une menace potentielle – un plongeur ou un véhicule sous-marin qui ne devait pas se trouver à l'intérieur de cette zone –, Thor pouvait utiliser la télécommande pour que les unités s'en rapprochent, voire actionnent les armes dont elles étaient équipées.

– Thor ! appela l'un des agents de sécurité, un Italien.

Le jeune homme se retourna vivement.

– Signor Calvino veut vous parler. Au sujet de Barrington.

– Mais...

– Tout de suite !

Thor n'était pas censé quitter son poste.

– D'accord, donnez-moi une minute !

Il consulta les moniteurs encore une fois et, satisfait, quitta l'annexe...

... C'est la raison pour laquelle il ne s'aperçut pas que la qualité des images envoyées par les trois caméras itinérantes changeait petit à petit. Les unités sur lesquelles elles étaient montées venaient d'accélérer subitement, avant de virer de bord et de repartir en sens inverse, attirées par un étrange signal qui émanait d'un sonar.

Si Thor avait vu ces images, il aurait dû trancher le dilemme suivant : utiliser les fusils à sonar montés sur le dos des unités mobiles ou ordonner à ces dernières de répondre de manière plus *instinctive* à cette intrusion en zone interdite.

Par « instinctive », il fallait comprendre « sanglante ».

En effet, les « unités » mentionnées plus haut constituaient le dernier cri de la recherche en matière de cyborgs animaliers. C'est Spicer lui-même qui avait sélectionné l'espèce :

Nom latin : *Carcharhinus leucas.*
Taille : Femelles : jusqu'à 3,5 mètres de longueur et 230 kilos ; Mâles : jusqu'à 2,1 mètres et 90 kilos.
Apparence : Gris sur le dessus, dessous blanc. Nez arrondi. Dents triangulaires et très dentelées.
Comportement : Chasseur solitaire.
Appellation courante : Requin bouledogue. (Pourquoi ? Parce qu'il aime se jeter sur sa proie pour l'étourdir avant de la tuer.)
Dangerosité pour l'homme : Le requin bouledogue figure parmi les trois espèces de requin les plus dangereuses, avec le grand requin blanc et le requin tigre.

Mais ces « unités » lui étaient dévouées corps et âme. C'était des cyborgs : mi-animaux, mi-machines. Grâce aux électrodes que Charlie Spicer et son équipe avaient insérées dans leur cerveau, elles pouvaient être télécommandées. Elles étaient donc domestiquées. Du moins en théorie.

En quittant le local, Thor sursauta. Son téléphone venait de sonner mais le numéro affiché était inconnu de lui.

– Bonjour, Thor.

Le jeune homme reconnut par contre immédiatement la voix de son patron.

– Mais m'sieur... Je ne suis pas censé vous parler... Que se passe-t-il ?

Barrington s'efforçait de résister à la douleur et à ses velléités d'évanouissement pour être en mesure d'exploiter toutes les ressources de son cerveau. Il s'était ainsi rappelé que Thor avait emprunté son mobile à sa petite amie et que l'appareil ne comportait donc pas de puce *made in STASIS*. Il pourrait donc avoir une conversation privée avec son subordonné.

Il vérifia que Will était occupé ailleurs, en l'occurrence à bavarder avec cette fille italienne à l'aide d'un Téléphone-dentaire, et tint à peu près ce langage à sa nouvelle recrue :

– Thor, je sais que tu n'es pas censé me parler, mais je ne suis pas un agent double. Tu te souviens du jour où un hacker s'est introduit dans le réseau de STASIS ? Eh bien, il a sans doute eu accès à des mots de passe...

– C'est impossible ! interrompit Thor.

– Non, juste improbable, corrigea Barrington. Maintenant, réfléchis bien, Thor. Quel est le plus probable, d'après toi : que des codes et des mots de passe aient été volés, ou que je sois un traître ?

Il s'attendait à une réponse immédiate. Elle ne vint pas.

— Thor, il faut me faire confiance. Tu te souviens du gamin complètement déjanté de Saint-Pétersbourg, Caspien Baraban ? Eh bien, il s'apprête à faire sauter l'endroit où se tient la réunion. Il faut que tu essaies de convaincre C de procéder à une évacuation. De mon côté, j'envoie des gens à moi sur l'île.

— Mais m'sieur, vous ne pouvez pas faire ça ! s'alarma Thor. Je ne suis même pas censé vous parler. Je vais perdre ma place ! Et puis ils vont vous voir, m'sieur ! Ils intercepteront le bateau sur lequel... Et puis d'abord, qui sont ces gens à vous ?

— Des associés. Et je n'ai pas l'intention de les faire venir en bateau, Thor.

Il attendit quelques secondes que Thor s'imprègne de ce qu'il venait de dire, mais Thor avait la comprenette grippée.

— Les unités de surveillance, Thor ! s'exclama Barrington, irrité. Il va falloir que tu me les envoies !

Gaïa et Will se retournèrent vers lui. Ils ne perdaient pas une miette de ce que racontait Shute.

« Tant mieux », se dit-il.

— Elles sont équipées de harnais, n'est-ce pas ?

Pour les armes à sonar. Alors, ils pourront s'accrocher sur leur dos...

– Mais m'sieur, c'est de la folie !

– Pas du tout, ils sont parfaitement capables de s'accrocher au harnais : personne ne se rendra compte qu'ils approchent de l'île... à part toi. Je peux me procurer des respirateurs. Il faut absolument qu'ils tentent leur chance, Thor. Tu dois me faire confiance.

– Mais, m'sieur... vraiment...

– Si je pouvais venir en personne, je le ferais, crois-moi. Mais on m'a tiré dessus ! Attention, comprends-moi bien : je pourrais tenir le choc. Ce n'est pas ça le problème. Le problème, c'est que je perds du sang, ce qui aurait les conséquences désastreuses que tu imagines. Et tu aurais beau jouer de ta télécommande, le résultat serait le même !

– Les unités deviendraient incontrôlables, en effet, admit Thor. Il faudrait que je les élimine.

Barrington sentit la tension se relâcher quelque peu en lui.

– Tout juste. Alors, écoute-moi, Thor, c'est l'occasion ou jamais de montrer de quel bois tu es fait. Le courage, ce n'est pas seulement accepter qu'on vous tire dessus ou nager sur le dos de ces satanés requins. Le courage se mesure aussi à la capacité de prendre des décisions importantes au bon moment. Tu dois me faire confiance, Thor. Si tu ne veux pas te colleter C, je comprendrai. Mes associés le feront à ta place. Mais tu connais l'enjeu de cette réunion : le sort de millions d'individus en dépend. Que ressentiras-tu si plusieurs conflits meurtriers se déclenchent – et c'est ce qu'il se passera si les chefs du renseignement ici présents sont dégommés par ce dégénéré – alors que tu aurais pu l'éviter en me faisant confiance ? Que ressentiras-tu en te disant que tu aurais pu l'empêcher, mais que tu as préféré obéir à un stupide règlement ?

Un long silence s'ensuivit. Thor n'avait jamais dû affronter pareil cas de conscience.

– Où dois-je envoyer les unités, m'sieur ? finit-il par demander.

Cette fois, Barrington éprouva un profond soulagement.

– Place Saint-Marc. Je leur donnerai mon arme. Ils tireront dans la lagune. Ainsi, tu pourras les repérer.

Andrew était victime d'une attaque généralisée de frousse, de terreur, de panique. Il ne savait pas à quoi correspondaient ces formes aux contours flous qui tournaient autour de lui, comme pour l'inspecter, mais il se sentait complètement exposé et sans défense. Les picotements sur sa langue étaient si nombreux et si rapprochés qu'ils commençaient à l'échauffer au-delà du supportable. Manifestement, le sonar s'était emballé.

Encore plus grand et plus rapide, quelque chose

d'autre s'approcha de lui. Un objet de cette taille ne pouvait qu'être dangereux pour lui ! Fallait-il rester immobile ou tenter de s'enfuir ? Il ne pouvait pas rester là sans rien faire. Il décida de nager. Oui, c'est ça, il allait nager ! Il tenterait sa chance plutôt que de mourir idiot et aveugle.

Ses poumons palpitaient si fort qu'ils menaçaient d'exploser. Mais il s'en tiendrait à sa décision. Quitte à mourir dans une lagune polluée en essayant de trouver un Russe complètement cinglé qui avait peut-être mis au point l'invention la plus géniale des deux cents dernières années, il préférait que ce soit avec les honneurs, en combattant !

Andrew serra les dents sur l'embouchure de son tuba, tourna le dos à l'ennemi et se propulsa de toutes ses forces dans l'eau. Et à mesure qu'il s'éloignait, il observa un phénomène tout à fait étrange : les picotements se faisaient moins nombreux... comme si... les objets qui le menaçaient quelques instants plus tôt avaient rebroussé chemin. Retenant sa respiration, il se mit à compter :

Un. Deux. Trois. L'intensité allait toujours diminuant.

Quatre. Cinq. Six. À peine un picotis sur la langue.

Sept. Huit. Neuf... Plus rien.

Et comme un bonheur ne vient jamais seul, en tournant la tête, Andrew détecta une modification de la densité de la structure qui se trouvait sur sa gauche. Plus qu'une modification, à dire vrai. Il y avait un trou ! C'était une ouverture !

Une entrée submergée. Il allait pouvoir pénétrer de nouveau dans le château !

Will s'accroupit devant Barrington, qui n'allait pas tarder à ressembler à *Il Fantasma* s'il n'était pas transporté *subito presto* à l'hôpital.

Mais le bougre insistait pour faire la conversation. Il voulait tout expliquer à ses « associés » avant l'arrivée des ambulanciers et l'ingestion de sédatifs.

— De quelles « unités » parliez-vous ? demanda Gaïa.

Barrington n'avait pas le temps d'y mettre les formes.

— Ce sont des requins bouledogues avec des implants dans le cerveau. On les commande à distance.

— Comme le requin des *Dents de la mer* ? demanda Gaïa.

— Ou plutôt comme Ratty…, observa Will.

— C'est le même principe que le rat, oui, confirma Barrington avec une pointe de sarcasme dans la voix. Mais un peu plus gros – dans les deux cents kilos – et aussi avec des dents qui déchirent nettement plus… Ah, et j'oubliais : ils sont armés… jusqu'aux dents.

En temps normal, Barrington se serait autocongratulé de cette touche d'humour. Mais il n'était pas d'humeur à rire.

– De quelles armes s'agit-il ? demanda Gaïa.

– De pistolets à sonar. Ils tirent des ultrasons. Vous vous accrocherez aux harnais grâce auxquels ils sont maintenus en place sur les animaux. Ceux-ci vous conduiront tout droit sur l'Île des masques.

Barrington interrogea silencieusement Will du regard. Jusqu'alors, l'adolescent était resté muet. Mais les implications des paroles de Shute lui apparaissaient maintenant avec limpidité. Il venait de comprendre ce qu'il lui était arrivé à Sutton Hall.

– Quand j'étais dans le Lac n° 2, dit-il calmement, c'est ça qui m'a touché, n'est-ce pas ? Sauf que ça ne pouvait pas être des requins. Pas dans de l'eau douce ?

– Will, les requins bouledogues tolèrent l'eau salée et l'eau douce. C'est une des raisons pour lesquelles nous les avons choisis.

– Et quelqu'un les télécommandait aussi, dans le lac ?

– Si ce n'avait pas été le cas, tu ne serais pas là aujourd'hui, répondit Barrington. Spicer les a rappelés.

– Mais seulement au dernier moment, quand vous vous êtes rendu compte que j'étais là…

Et les sensations qu'il avait éprouvées cette nuit-là affluèrent à sa mémoire. La terreur. La froideur du métal.

— Tu étais notre invité, fit Barrington en se tâtant l'épaule. Je t'avais énoncé des règles pour ta propre sécurité. Je t'ai traité en adulte. Et tu n'as pas respecté ces règles. Mais c'est de l'histoire ancienne. Tu n'as pas été blessé, c'est l'essentiel. Maintenant, tourne la page !

— À quoi servent ces requins, exactement ? interrogea Gaïa.

— Surveillance sous-marine. Ils font partie des créations de Spicer spécifiquement conçues à l'occasion de cette réunion.

— Et qui dit qu'ils ne nous attaqueront pas ?

Barrington la fixa droit dans les yeux.

— Tu veux la vérité ou des bobards rassurants, la miss ?

— La vérité, répondit « la miss ».

— Alors, la voici, toute crue : non, je ne pense pas qu'ils vous attaqueront, pas si Charlie a bien fait son boulot.

Il avait peine à croire que l'avenir du monde dépendait de deux gamins de quatorze ans et que lui, le grand Shute Barrington, s'était laissé piéger comme un amateur.

— Une fois là-bas, que devrons-nous faire, exactement ? Comment entrerons-nous en contact avec ce C ?

Barrington se frotta la tête, comme s'il cherchait à polir son intelligence. C'était une bonne question : il avait les moyens de les amener jusqu'à l'île, mais, dans la pratique, il leur serait impossible d'accéder à la salle de bal pendant la réunion, même si Thor était disposé à leur prêter main-forte.

— Avons-nous absolument besoin de le voir en personne, ce C ? demanda Will. Il doit y avoir des plans de rechange, non ? Si nous ne pouvons pas lui parler directement, il doit bien y avoir d'autres moyens de faire interrompre la réunion ? S'ils se croient victimes d'une attaque, ils évacueront, non ?

— Tout dépend de la nature et de l'échelle de l'attaque...

Ce n'était pas la panacée universelle, cette proposition de Will, mais c'était une idée qui avait le mérite d'exister.

— J'imagine que vous n'avez rien d'*utile* avec vous ? demanda Barrington à Gaïa, qui secoua la tête. Dans ce cas, quand vous prendrez place sur les « unités », regardez le harnais. À la base du crâne, vous verrez un sac noir, rempli d'explosifs. C'est une mesure de sécurité. Si les requins flippent pour une raison ou une autre, on peut leur trouer le tronc cérébral et les achever.

— J'ai déjà vu Flipper le dauphin, mais jamais un requin, lâcha Will avec un sourire en coin, histoire de détendre l'atmosphère.

Mais Gaïa fronça les sourcils : l'heure n'était pas aux plaisanteries faciles. Elle imaginait dans quel état elle se retrouverait si la tête de sa monture lui explosait à la figure...

– C'est du plastic, l'explosif ? demanda-t-elle.

– Oui, du C-4, rien de bien méchant. Nous l'avons ajouté à la dernière minute : les résultats de certains… *essais* menés chez nous nous ont donné à penser qu'il pourrait s'avérer utile.

Il adressa un regard entendu à Will.

– Les détonateurs sont actionnés à distance. Je vous donnerai le mien. Si vous arrivez à les faire sauter, l'alarme sera donnée. Pendant ce temps-là, je vais essayer de me disculper et ensuite, nous tenterons de localiser Baraban.

Il consulta sa montre.

– Je crois que nous devons essayer. Je donne encore une demi-heure au MI6 : à ce moment-là, ils auront appliqué toutes les procédures de vérification et se seront aperçus de leur erreur. Si je ne suis pas sur une table d'autopsie à la morgue, je serai là-bas – ou au moins à l'autre bout d'une ligne téléphonique sécurisée et officielle. Thor refusera peut-être de vous aider mais j'utiliserai les grands moyens pour l'en persuader, en lui faisant peur s'il le faut. Mais vous allez courir un risque de taille. Ne vous faites pas attraper avec l'explosif ! Sinon, on considérera que vous constituez une menace matérielle.

– Et on nous éliminera ? demanda Will, nettement moins rassuré.

Barrington hésita un instant avant de répondre :

– Écoutez, je ne dis pas ça pour vous vexer, mais vous n'êtes encore que des gamins ! Alors, on se contentera de vous mettre en détention pour vous poser des questions. Je vous ferai libérer dès que j'aurai été blanchi. Bon, maintenant passons à l'action. Si Caspien a vraiment les moyens de faire sauter les participants à cette réunion, nous devons à tout prix l'en empêcher. Pardon pour le cliché, mais cet enjeu nous dépasse tous.

Gaïa afficha une détermination renforcée. Elle voulait mettre Caspien hors d'état de nuire, elle aussi ; Will le sentait. Il croisa le regard de Barrington et hocha la tête.

– Il faut encore que je vous décrive l'endroit et que je vous remette ceci. Cela vous sauvera peut-être la mise.

Autour du cou, Barrington portait une chaîne avec en sautoir une plaque d'identification sur laquelle on pouvait lire : STASIS. Il ôta la chaîne et la leur donna.

– Enfin, je vous conseille de vous rappeler cette mise en garde de nos ancêtres latins : « *Cave canem* ». Attention au Chien !

22

– Shute Barrington ? Vous êtes là ?

Un agent de terrain du MI6, dépêché au Palais des Doges par Thor sur ordre de Charlie Spicer, grimpait quatre à quatre les marches de l'escalier d'or.

En l'entendant arriver, Will et Gaïa filèrent par un autre escalier et se retrouvèrent bientôt sur la place Saint-Marc. Les touristes étaient un peu plus nombreux et des stands de souvenirs – T-shirts de gondoliers, drapeaux italiens et campaniles en plastique – avaient fait leur apparition.

L'un d'entre eux attira l'attention de Gaïa. Au même moment, une voix désormais familière fit irruption dans l'oreille de Will.

– *Que se passe-t-il ? Will… tu es là ?*

C'était Cristina.

Il lui avait brossé un rapide tableau de la situation avant de quitter la Salle de l'Écu et elle avait proposé de les aider, lui et Gaïa.

« Ma famille est très importante, ici, avait-elle dit. Si nous avons des problèmes, je pourrai faire appel à nos relations pour nous tirer de là ! »

Will avait réfléchi un instant. Barrington ayant demandé à Thor de « mettre en service » les trois bouledogues, Cristina aurait le sien.

– C'est Cristina, annonça Will à Gaïa. Pendant que je lui parle, peux-tu te charger d'acheter les respirateurs et le sac ? Et on se retrouve près du pont ?

Le visage de Gaïa se rembrunit.

– Will, je ne crois pas que…

Elle s'interrompit avant de finir sa phrase. « …nous ayons besoin de Cristina », allait-elle ajouter.

Mais Will avait déjà tourné la tête. Piquée au vif, Gaïa partit en direction du magasin d'articles de plongée sous-marine, avec en poche une liasse d'euros humide que lui avait confiée Barrington.

– *Je suis presque arrivée !* annonça Cristina à Will. *Où es-tu, exactement ?*

– *Sur le côté du Palais, en arrivant du Pont des Soupirs. Je fais face à la lagune. Il y a une petite passerelle bombée.*

– *Je vois très bien. À tout de suite !*

Will s'accroupit et contempla le paysage.

Un moment de calme avant la tempête.

Juste le clapotis de l'eau contre les marches…

Deux minutes plus tard, Gaïa mit fin à cet inter-mède paisible en réapparaissant avec un sac plastique et la mine renfrognée des grands jours.

– Tu as tout trouvé ? demanda Will, feignant de ne rien remarquer.

Elle hocha la tête.

Will voulait emporter Ratty avec eux. À l'intérieur d'un sac de plongée étanche rempli d'air, l'animal pourrait tolérer un court voyage sous l'eau.

– Tu as pris un respirateur pour Cristina ?

– Ouais…

– Elle pourra nous aider, tu sais ? insista Will. Et Barrington est d'accord.

– Barrington est dans le cirage, fit observer Gaïa, pleine de ressentiment. Il a perdu tellement de sang que son cerveau n'est plus qu'à moitié irrigué.

– Barrington est d'accord ! répéta Will sèchement.

Et tous deux se retournèrent… comme un seul homme, en entendant l'appel ténu de la jeune fille dont la chevelure de jais se balançait au rythme de ses pas. Cristina vint se poster à côté de Will et lui sourit à belles dents.

– Enfin, nous voici de nouveau ensemble ! Où est Andrew ?

– Il tente de localiser Caspien.

Will lui expliqua brièvement pourquoi ils avaient décidé de se séparer.

– Je n'arrive pas à croire qu'Angelo l'ait accompagné. Lui qui est si casanier ! On nous l'a changé ! Alors, maintenant nous allons sur cette autre île et notre mission consiste à empêcher Caspien de commettre un acte de terrorisme international ? C'est ça ?

Will hocha la tête. Mais Gaïa leva les yeux au ciel : on aurait dit qu'on envoyait cette innocente tout droit sortie du couvent des Oiseaux chercher une simple baguette de pain au coin de la rue ! Elle n'avait aucun sens du danger...

Barrington leur avait donné pour instruction d'attendre dix minutes, le temps pour Thor de lâcher les requins dans la lagune. Gaïa fit les cent pas en s'efforçant de ne pas écouter ce que Cristina déversait dans l'oreille complaisante de Will. Puis, le visage fermé, elle annonça :

– C'est l'heure.

Will plongea alors la main dans l'une de ses poches et en sortit l'arme de Barrington. Les sourcils parfaitement dessinés de Cristina se haussèrent d'un demi-centimètre.

– Qu'est-ce que tu fais, Will ? demanda-t-elle.

Elle l'observa avec étonnement s'agenouiller tout au bord des marches de pierre calcaire et enfoncer le pistolet dans l'eau.

Il pesait son poids. Excepté un fusil à air comprimé, dans le Dorset, Will n'avait jamais tenu d'arme à feu. Barrington lui avait montré comment désactiver la sécurité. Il lui avait aussi décrit les modifications apportées à cette arme pour la rendre silencieuse ou presque. « Certes, quand tu appuieras sur la détente, il y aura une légère détonation, avait dit Barrington, mais avec un peu de chance, tu seras tout seul à l'entendre. »

Après s'être assuré que personne ne traînait alentour, Will tira. La balle partit dans l'eau comme une fusée, éclaboussant de vase le T-shirt du tireur. Il partit en arrière, surpris par le choc en retour dans son bras.

Gaïa regarda par-dessus son épaule. Elle n'aperçut que quelques touristes, à plusieurs mètres de là, les mains au-dessus des yeux pour se protéger du soleil qui commençait à faire fondre la brume.

– Will, peux-tu me dire pourquoi tu as tiré dans l'eau ? demanda Cristina.

– Pour indiquer l'endroit où nous nous trouvons. L'homme qui contrôle les requins sur l'île où nous allons va nous localiser et nous les expédier.

– Mais… est-on vraiment sûr que ces requins ne vont pas nous attaquer ?

Gaïa, occupée à vérifier les respirateurs, leva les yeux vers Cristina :

– Tu veux la vérité ou des bobards rassurants, la miss ?

Will lui jeta un regard noir.

– Non, ils ne nous attaqueront pas, promit-il, ils nous conduiront tout droit jusqu'à l'île.

Tous trois restèrent silencieux un moment.

Will songeait à Andrew, seul membre de STORM sur l'Île des fantômes, et à toutes ces questions sans réponse : comment Caspien espérait-il saboter la réunion des chefs du renseignement ? Il avait des explosifs, mais il avait aussi créé des millibots capables de voler ce dont il avait besoin pour acheter le matériel qu'il avait commandé. Mais de quel matériel s'agissait-il, au juste ? Parce que de l'aluminium et de l'oxyde de fer, ça ne coûtait tout de même pas une fortune...

– Regarde !

Cristina pointait un doigt bronzé en direction de l'eau qui ondulait sous la passerelle.

– Tu les vois ? demanda Will.

Elle n'eut pas besoin de répondre : une nageoire grise et pointue venait d'apparaître à la surface.

La traversée de la lagune à dos de requin resterait dans leurs mémoires. Au creux d'un vortex d'éclaboussures, Will fit trois constats : au contact de sa peau, celle du requin lui faisait l'effet d'une feuille de papier de verre ; les courroies en Kevlar enroulées autour de ses poignets lui entaillaient la peau ; le deuxième requin nageait bien à sa droite et Gaïa, à plat ventre sur le dos du bouledogue-express, prenait un plaisir évident à cette balade ébouriffante. Cristina se trouvait derrière, les trois requins ayant adopté une formation de type pyramide renversée.

De petites bulles sortaient du respirateur de Will, dont le cœur battait en proportion de l'émotion qu'il éprouvait sur le dos de cette force de la nature, qui aurait pu l'écharper d'un seul coup de dent. Et pourtant, il ressentait aussi une étrange paix intérieure.

Était-ce l'effet de l'adrénaline ? Son père avait-il jamais ressenti cette sensation ? Est-ce que c'était elle qui l'avait poussé à rester un agent de terrain, qui l'avait entraîné jusqu'en Chine ? Elle qui était responsable de sa mort ? Que penserait son père s'il voyait Will en cet instant ? Éprouverait-il de la fierté ?

Mais le garçon s'efforça de chasser cette pensée de son esprit. Son père était mort. Il ne serait plus jamais fier de son fils.

Dix secondes plus tard, sa monture vira de bord et ralentit brutalement. Ébloui par le soleil, aveuglé par les gouttelettes qui s'accrochaient à ses cils, Will distingua vaguement une plage ainsi qu'une forme indéfinissable. Il secoua la tête et discerna alors nettement un homme, accroupi, qui l'observait depuis la plage.

– *Gaïa*, murmura Will.

Trois mots firent vibrer son Téléphone-dentaire en retour.

– *Je suis là.*

Une fois que les turbulences se furent apaisées, Will repéra de nouveau le requin de Gaïa et celui de Cristina, juste derrière. C'est alors que son Téléphone-dentaire vibra de nouveau.

– *Will !* appela Andrew. *Je crois que je sais où est Caspien ! Et je crois que je sais ce qu'il va faire !*

*

Trois minutes plus tôt, Andrew s'était engagé dans l'entrée sous-marine et il avait émergé dans une autre pièce silencieuse aux murs suintants, elle aussi à moitié inondée.

Des boîtes métalliques étaient entreposées sur des saillies qui couraient jusqu'à mi-hauteur d'un escalier aux marches couvertes d'une boue verdâtre, menant jusqu'à une porte en bois. À côté de l'escalier, amarré à un anneau de métal brillant, Andrew avait découvert un sous-marin à deux places.

Le temps de recouvrer ses esprits, il était resté accroché à la saillie rocheuse. Puis il avait glissé le morceau de Corde-raide qui avait fait office de tuba sous l'une des boîtes métalliques et détaché de sa langue la bande de plastique orange, la laissant pendre à l'extérieur de sa bouche. Il s'était alors hissé hors de l'eau, exténué.

Caspien était là, quelque part. Il le savait. De l'autre côté de cette porte en bois ? Dans une pièce secrète ?

Les boîtes métalliques avaient-elles servi à transporter le mystérieux matériel qu'il avait commandé ? Sans doute. Était-ce dans cet endroit que Caspien avait trouvé refuge lors de la première, puis de la deuxième visite de la police ? Possible.

Juste au moment où il se relevait, la mâchoire d'Andrew avait vibré : Will appelait Gaïa. Ce qui signifiait qu'ils étaient à portée de signal ! À moins d'un kilomètre de distance ! Andrew n'avait pu retenir son enthousiasme :

« *Will ! Je crois que je sais où il est ! Et je crois que je sais ce qu'il va faire !* »

Une seconde plus tard, Will avait répondu :

« *Donne-moi un instant, Andrew !* »

Will détacha ses poignets endoloris des attaches en Kevlar. Puis il se laissa glisser dans l'eau et, pour la première fois, croisa le regard de l'animal : il avait des yeux vitreux, froids, mécaniques, dépourvus de toute trace d'âme.

Gaïa se précipitait déjà vers la plage, les explosifs à la main. Thor fit signe au petit groupe d'aller se dissimuler derrière un bosquet.

À son tour, Will arracha le Velcro qui maintenait en place son sac d'explosifs et le plaça avec soin dans l'une de ses poches. Il ouvrit ensuite le sac étanche qu'il avait accroché à sa ceinture et regarda à l'intérieur : deux petites billes noires le contemplèrent.

– Bien joué, Ratty ! dit-il en l'enfonçant dans une autre poche.

Puis il se hâta de rejoindre Gaïa et Cristina sur la plage.

– Cette traversée à dos de requin était une expérience incroyable ! s'enthousiasma Cristina en secouant sa crinière brune, toute trempée.

Mais son sourire se figea lorsqu'elle découvrit le visage sombre de Thor.

– Il n'y a pas de quoi se réjouir ! fit observer ce dernier en rempochant la télécommande. Est-ce que Shute est tombé sur la tête ? demanda-t-il en clignant de ses vastes yeux bleus. Enfin, content de vous voir…

Puis il sortit un carré de tissu gigantesque et s'en servit pour moucher son nez disgracieux.

– Vous vous connaissez ? demanda Cristina.

– J'ai fait la connaissance de Will et de Gaïa à Noël dernier, à Saint-Pétersbourg, répondit Thor lorsqu'il eut dégagé ses narines. Bon, écoutez-moi bien, parce que je n'ai pas beaucoup de temps ! J'ai réussi à couper le retour vidéo depuis les unités de surveillance et je suis censé chercher la cause de la panne dans le local où se trouve le hardware. Si je ne reviens pas fissa, ils vont envoyer quelqu'un voir ce que je fabrique. Quel est votre plan ? demanda-t-il.

Will se passa la main sur les lèvres et recracha un peu de vase de la lagune.

– Pouvez-vous nous faire accéder à la terrasse sans que les capteurs de mouvement nous repèrent ?

– À la terrasse ?

– Oui, répondit Will avec autorité.

Il embrassa du regard l'Île des masques, semblable à la description qu'en avait faite Barrington : une courte piste d'atterrissage, une villa et quelques dépendances. La villa était de forme à peu près carrée, comportait deux étages et une série de portes-fenêtres s'ouvraient sur une grande terrasse située au rez-de-chaussée, face à la mer.

La réunion se déroulerait dans la salle de bal, derrière les portes-fenêtres du milieu.

Les écrans de surveillance se trouvaient dans une ancienne cabane en forme de gondole, convertie pour l'occasion en QG de la sécurité, à laquelle on accédait par un chemin qui serpentait entre des érables. Le local où se trouvait le hardware se situait dans un autre abri, lui aussi converti pour l'occasion, à mi-chemin de la maison et du QG de la sécurité.

Dans plusieurs pièces jouxtant le local, les interprètes, les assistants et les autres membres de l'entourage des délégués travailleraient ou se reposeraient pendant toute la durée de la réunion.

Impossible pour Will, Gaïa et Cristina de s'approcher de la salle de bal par la voie habituelle. Il leur faudrait d'abord accéder à la terrasse en escaladant une grande dune couverte de broussailles et en franchissant deux systèmes de sécurité.

Le premier barrage était constitué d'une batterie de capteurs de mouvement et de chaleur à infrarouge disséminés sur la colline. Le second se présentait sous la forme d'un alignement de postes de sécurité « intelligents » installés entre les hautes balustrades qui délimitaient le périmètre extérieur de la terrasse et dissimulés par des buissons qui poussaient en zigzag.

Quiconque souhaitait accéder à la terrasse devait transmettre un signal radio-fréquentiel codé – ou s'exposer à une réponse armée instantanée.

Thor écouta avec attention le *modus operandi* mis au point par Barrington, qu'il accueillit avec une moue dubitative.

– Il y a un petit problème, dit-il. Barrington m'a demandé de désarmer les capteurs de mouvement…

– En quoi est-ce un problème ? demanda Gaïa.

– Parce que j'ai dû couper le retour vidéo depuis les requins, pour que vous puissiez arriver sans éveiller les soupçons ! Ensuite, on m'a expédié dans le local où se trouve le hardware et dans lequel je suis censé restaurer le retour vidéo. Seulement voilà : dans ce local…

– …Vous n'avez pas accès au réseau de capteurs, devina Will.

Thor hocha la tête, impressionné par le jeune « assistant » de Barrington.

– Dommage qu'Andrew ne soit pas là, fit Gaïa. C'est notre spécialiste en informatique.

Mais Cristina tendait déjà un bras bronzé en direction de Thor :

– Passez-moi votre mobile ! demanda-t-elle.

Sceptique, Thor lui passa l'appareil. Elle fit défiler les menus et, apparemment satisfaite, demanda :

– Les divers nœuds de cette forêt de capteurs sont reliés par un réseau sans fil, n'est-ce pas ? Ils recueillent des données et se les transmettent l'un à l'autre, puis à un ordinateur central, c'est bien ça ? Donc, si on trafique le réseau sans fil, le système est hors d'état de fonctionner ?

– Hum… je… j'imagine, oui, bafouilla Thor.

– Alors, donnez-moi quelques minutes. Je peux y arriver avec ce téléphone, mais je n'ai pas accès à tous mes outils.

– Tu penses que tu peux y arriver ? fit Will, ébahi.

Les yeux noirs de Cristina se mirent à briller.

– Je suis un génie de l'informatique ! Andrew ne te l'a pas dit ?

« Ben voyons ! » songea Gaïa. Et de répliquer :

– Oui, enfin… Andrew a tout de même réussi à accéder à tes fichiers effacés. Will ne te l'a pas dit ?

– Andrew ? s'exclama Cristina. Mais comment ?

– Je t'expliquerai plus tard, intervint Will. Pour l'heure, il faut que tu te mettes au travail !

Non sans défier du regard Gaïa – dont elle commençait à percevoir la jalousie patente –, Cristina se pencha sur l'écran du portable en utilisant ses longs cheveux pour le protéger de la lumière du soleil.

– Hum... excusez-moi, mais... il y a encore un problème, fit observer Thor. Si vous réussissez à rendre le réseau sans fil inopérant, je veux bien tenter de convaincre Cane Calvino, le chef de la sécurité, que cette panne momentanée résulte d'une erreur de manipulation du hardware... mais il reste les postes de sécurité entre les balustrades – Shute a dû vous en parler. Même moi, je ne possède pas le code qui permet de les franchir... Alors, je ne pourrai pas vous aider.

– Ce n'est pas un problème, répondit Will en sortant de sa poche la plaque d'identité de Barrington.

– Ah non ? fit Thor, éberlué.

– Non, parce que nous avons ceci.

Thor écarquilla les yeux.

– Shute vous l'a donnée ?

À l'intérieur de cette plaque se trouvait un émetteur radio capable de transmettre un échantillon du propre code génétique de Barrington, qui serait accepté par les postes « intelligents ».

L'espace d'un instant, Will revit le moment où

le chef de STASIS lui avait remis, non sans appré-hension, la petite plaque.

« Mais vous êtes sur Liste rouge, avait objecté Will. À tous les coups, votre droit d'accès est caduc.

– Détrompe-toi, mon garçon, avait répondu Barrington. C'est moi qui ai conçu ce système, alors je suis le seul à savoir comment il fonctionne et donc à pouvoir le modifier. Je te garantis que vous passerez. »

Sur cette plage à quelques encablures de Venise, Will mesurait toute l'importance du moment et de la responsabilité qu'il avait acceptée avec Cristina et Gaïa. Au-delà de cette grande dune, des capteurs, des broussailles et de l'immense terrasse, une réunion historique était sur le point de débuter dans cette villa qui, au fil des siècles, avait été le théâtre de tant de violence et d'intrigues politiques.

Baraban l'avait vouée à la destruction. Son but : plonger le monde dans la tourmente. Et les membres de STORM l'avaient promis à Barrington : ils mettraient Caspien hors d'état de nuire. D'une manière ou d'une autre, STORM porterait un coup d'arrêt à ses visées malfaisantes et sauverait le monde. Oui, rien moins.

Thor jeta un coup d'œil en direction de son télé-phone.

– Vous en avez encore besoin ? demanda-t-il.

Cristina, en pleine concentration, ne l'entendit même pas.

– Écoutez, je suis désolé de ne pas pouvoir en faire plus pour vous aider, mais c'est vraiment impossible. On ne me laissera jamais m'approcher de C. Et même si on me laissait, lui ne me croirait pas. Il faudrait que je lui révèle de qui je tiens l'information et je serais licencié sur-le-champ. Il faut vraiment que j'y aille, sinon ils vont se lancer à ma recherche...

– Merci, répondit Will. Vous avez fait ce que vous pouviez.

Thor ouvrit la bouche pour dire « de rien », mais il se ravisa. Will était-il sérieux ou sarcastique ? Difficile à dire. Il se contenta donc de hocher la tête avant de filer vers le nord, en direction du local où se trouvait le hardware.

*

À moins d'un kilomètre de là, Andrew n'avait pas perdu une miette de cet échange prolongé et d'autant plus frustrant qu'il n'avait pas été invité à y participer. Certes, il était content d'entendre à nouveau les voix de Will et de Gaïa, mais il avait fait des découvertes qu'il brûlait d'envie de leur communiquer.

Assis sur les marches près du sous-marin, il passait et repassait dans sa tête l'image de ces quelques lignes griffonnées au dos d'une étiquette d'expédition. Il n'entretenait plus aucun doute à leur égard. Tous les éléments convergeaient. Et puis, Andrew avait l'esprit logique : il n'allait tout de même pas rejeter une vérité criante sous prétexte qu'elle ne lui plaisait pas.

La porte en bois à sa droite le séparait du génie – qui, en l'occurrence, confinait à la folie. Andrew se mit à imaginer ce qui pouvait se cacher derrière cette porte, mais s'arrêta net. « Se livrer à des conjectures, c'est perdre un temps précieux, lui avait seriné son père. Rassemble des données factuelles, mon fils, et ensuite, seulement, tente de régler le problème ! » L'ennui, dans le cas présent, c'était qu'Andrew n'était pas sûr, mais alors pas sûr du tout, que les données factuelles allaient être à son goût...

Quoi qu'il en soit, il n'avait d'autre option que de stopper Caspien. Comment ? Il n'en avait pas la moindre idée. À Saint-Pétersbourg, au moins, il avait bénéficié du concours de Will et de Gaïa, sans oublier Ratty. Alors qu'il se trouvait pour l'heure dans le sous-sol à moitié inondé d'un château éloigné de tout. Et puis d'abord, comment arrêtait-on un individu capable de se volatiliser ?

– *Merci,* répondit Will. *Vous avez fait ce que vous pouviez.*

Enfin, cette interminable conversation dont il n'avait entendu que des bribes s'était interrompue !

— *Alors, que se passe-t-il ? Où êtes-vous ?* demanda Andrew.

Will le mit au courant de l'essentiel : la réunion, son importance, l'endroit où ils se trouvaient.

— *Nous avons pour mission de prévenir le chef du MI6 des intentions de Caspien pour qu'il évacue tous les participants. Mais la sécurité est tellement stricte que je me demande bien comment Caspien pourra arriver sur cette île.*

— *Il n'en aura pas besoin !* s'exclama Andrew.

— *Comment ça ?* murmura Will.

— *J'ai trouvé son fameux « matériel » : tout un équipement d'imagerie. Et surtout un calculateur quantique, qui lui a été livré par un institut suisse dont je n'ai jamais entendu parler. C'est sans doute pour ça qu'il avait besoin d'argent. Un calculateur de ce type coûte extraordinairement cher. Et j'ai trouvé une note du directeur de l'institut : figurez-vous qu'il est au courant du projet de Caspien !*

— *Un calculateur quantique ? Kézaco ?*

— *Communément appelé « ordinateur quantique », mais à tort, son champ de travail est la combinatoire,* annonça doctement Andrew.

— *Euh… en langage de tous les jours, ça veut dire quoi ?* s'impatienta Gaïa.

— *Eh bien, pour simplifier à l'extrême, disons que Caspien a conçu un matériel capable d'analyser tous les éléments constitutifs d'un corps et de déterminer les caractéristiques et la position de* chacun des atomes qui le constituent pour ensuite les reconstituer sous la forme de données d'information.

– *Mais encore ?* demanda Will, qui peinait à comprendre en quoi cette découverte menaçait les participants à la réunion.

– *Très cher, c'est pourtant clair : l'intérêt de cette technique, c'est qu'on peut transporter un corps d'un endroit à un autre. Le téléporter si tu préfères...*

– *Absolument impossible !* répliqua Will tout de go.

Il passa en revue ses connaissances dans ce domaine. Un groupe de chercheurs autrichiens avait réussi à téléporter de la lumière d'une rive à l'autre du Danube. Des scientifiques australiens avaient réussi à envoyer de la lumière d'une extrémité à l'autre d'un laboratoire. Mais...

– *Personne n'est en mesure de téléporter des gens au jour d'aujourd'hui !* s'exclama-t-il. *Et ce n'est pas demain la veille...*

– *Qu'importe ce que d'autres ont fait ou pas fait !* s'enflamma Andrew en se retournant avec inquiétude vers la porte en bois. *Nous avons affaire à Caspien et c'est ce qu'il a en tête, j'en suis sûr. Gaïa, tu te rappelles ces bruits étranges que nous avons entendus dans le château ? Eh bien, réfléchis un instant : que se passerait-il si tu t'entraînais à téléporter des gens ? Si tu ne possédais pas la puissance* de traitement nécessaire, tu n'obtiendrais peut-être pas une copie identique à l'original de départ...

– *Les plaintes...*, fit Cristina dans un souffle en détachant un instant les yeux du mobile de Thor.

Tout en se concentrant sur sa tâche, elle n'avait pu se retenir d'écouter le récit incroyable d'Andrew...

C'est alors que les pièces du puzzle commencèrent à se mettre en place dans le cerveau de Will, qui fonctionnait à plein régime : le culte, qui permettait à Caspien de s'approvisionner en « volontaires » pour ses expériences ; les fantômes, utilisés pour dérober des objets précieux et monnayables rapidement ; les bruits inhumains, la description des enfants « blessés » par Diabolo ; enfin, le vol du PDA de Shute, qui contenait le plan de la villa et mentionnait l'endroit où se tiendrait la réunion...

Pour se téléporter quelque part, Caspien aurait besoin des coordonnées géographiques précises de sa destination. Sinon, il risquait de réapparaître sur un bureau ou entre deux étages.

Cela *semblait* impossible. Et pourtant, à bien y réfléchir, à Caspien Baraban, rien d'impossible !

– *Mettons que tu aies raison, Andrew, et qu'il ait réussi. La question que tout le monde se pose est la suivante : penses-tu qu'il va se téléporter avec une bombe ?*

– *J'ai envisagé deux scénarios possibles*, répondit Andrew *: 1) Il se téléporte sur place, déclenche le minuteur et se téléporte instantanément en sens*

inverse – complètement tiré par les cheveux... ; 2) Il
se contente de téléporter la bombe...

– *Où es-tu, exactement ?* demanda Gaïa.

– *Dans le sous-sol du château. Ce sont les anciens*
cachots, j'imagine. Je suis tout près de Caspien. Il y
a un sous-marin. Je suis certain qu'il est ici.

– *Alors, on ne change rien*, annonça Will. *Nous,*
nous essayons de faire évacuer l'île. Toi, Andrew,
essaie de trouver Caspien et de détruire son
matos !

– *Bien, mon commandant...*, répondit Andrew,
quelque peu dépassé par l'ampleur de la tâche qui
venait de lui être confiée.

Will s'en voulait de le placer dans pareille situation, mais quel autre choix avait-il ? Il n'existait pas
de plan B. Et Andrew le savait, lui aussi.

Soudain, Cristina brandit le mobile rose de la
petite amie de Thor et hocha la tête à l'adresse de
Will.

Il comprit immédiatement ce qu'elle voulait
dire.

– Bien, nous ne savons pas de combien de temps
nous disposons, s'écria-t-il. Alors, il va falloir nous
remuer !

23

Caspien Baraban s'autorisa un sourire.

Depuis son laboratoire, situé dans les entrailles d'un château délabré, il allait entrer dans l'Histoire avec un grand H. Malheureusement, ce ne serait pas en compagnie de la belle Italienne. Ce crétin de policier vénitien l'avait prévenu trop tard de l'imminence de la deuxième descente de police. Qu'à cela ne tienne ! C'est Rudolfo, qui en savait beaucoup trop, qui hériterait de cet honneur.

Ses yeux contemplèrent son bureau et son nouvel ordinateur avec satisfaction, puis se posèrent sur Dino, qui attendait ses instructions.

Andrew ne s'était pas rendu compte que l'adolescent au visage de cire avait regagné les lieux sur son hydroptère, avant d'être conduit par Rudolfo jusqu'à Caspien, dans le sous-marin.

Son patron jeta un regard noir à Dino – mais la punition pour son manquement fatal viendrait plus tard ; pour l'heure, il avait besoin de lui. Derrière le bureau, la chambre de balayage et de transmission, ainsi que les autres pièces d'équipement associées, attendaient qu'on les assemble et qu'on les monte, dans un coin du cachot.

La théorie de la téléportation était simple : il suffisait de décomposer un objet en ses divers éléments constitutifs et de les réassembler dans un autre endroit. Mais lorsqu'on voulait téléporter une personne, les choses se corsaient considérablement. Il fallait déterminer la position précise de chaque atome, ce qui imposait d'avoir à disposition un scanner incroyablement sensible et un ordinateur capable de gérer une quantité d'informations tellement énorme qu'elles en devenaient quasiment incompréhensibles.

Si on ne recueillait pas toutes les données et si on ne les « cartographiait » pas à la perfection, la « copie » de la personne téléportée pouvait être bien différente de l'original... comme certaines de ses expérimentations l'avaient malheureusement illustré. Il repensa à cette fillette qu'il avait expédiée à l'autre bout du laboratoire et qui avait terminé avec une bouche verticale qui lui montait jusqu'au front. Ou encore à ce pauvre garçon qui était mort après que son foie eut migré à l'intérieur de son crâne.

Heureusement, une somme astronomique d'argent mal acquis avait permis à Caspien de se procurer le calculateur le plus rapide du monde. Le directeur de l'institut de recherche quantique le lui avait garanti. Et si Caspien avait l'obligeance de le citer en tant que coauteur de l'article qu'il s'apprêtait à publier dans la plus prestigieuse revue scientifique, il lui en serait très reconnaissant...

« Quelle impudence ! » songea Caspien. Ce crétin de directeur pouvait aller au diable !

Grâce à son invention, il pourrait enfin se venger ! Son père était mort à cause du MI6 et du service de renseignement russe ! Si Barrington et ses trois caniches de quatorze ans n'étaient pas allés à Saint-Pétersbourg, son père serait encore vivant !

Après avoir été hélitreuillé à bord du Tigre, au-dessus des vestiges du laboratoire désintégré, Caspien avait juré de se venger. Et quelle meilleure vengeance que de leur régler leur compte à tous ? Tous les chefs du renseignement ! Le monde comprendrait alors que ce n'était qu'une bande d'incapables. Ils n'étaient même pas fichus d'assurer leur propre protection, alors comment avaient-ils pu prétendre assurer la sécurité du monde ? Quel gag ! Il fallait ouvrir les yeux des peuples de la planète. Caspien Baraban s'en chargerait.

Et lorsque la Terre serait en plein chaos, tous se tourneraient vers lui. Il leur deviendrait indispensable. Il serait leur *sauveur*.

– Mon oncle, dit Caspien en se rengorgeant. Je te confère l'honneur suprême. Tu seras le premier. Assieds-toi !

Rudolfo attendait avec appréhension dans un coin du laboratoire. Abasourdi par ce qu'il venait d'entendre, il adopta une expression que Caspien trouva particulièrement stupide. Avec ses yeux fendus et ses lèvres minuscules, on aurait dit un reptile de la préhistoire. « Quel être primitif ! » songea Caspien avec dédain.

– Dino, mets le programme en route ! ordonna-t-il.

– Mais où allez-vous m'en... m'envoyer, M... maître, bégaya Rudolfo, paralysé par la terreur.

Caspien chercha une réponse convaincante. Que lui importait-il de mentir ?

– Sur une belle place, en Russie, mon cher oncle. La place Rouge : vous la verrez enfin pour de vrai !

– ... Et v... vous me ramènerez ici ?

– Naturellement ! mentit encore Caspien. Pour qui me prenez-vous ?

Rudolfo préféra garder pour lui la réponse à cette question. Il avait trop peur de Caspien Baraban pour le défier. Le « Maître » le tuerait s'il refusait. C'était un psychopathe. Il ne ressentait rien. Aucune culpabilité. Pas une once d'empathie. Il ignorait la peur.

En traînant les pieds, Rudolfo se dirigea vers

l'abominable chambre de balayage et de transmission, fabriquée dans un matériau composite, de couleur blanche. À l'intérieur se trouvait un écran transparent dont les dimensions correspondaient à la hauteur d'une personne en pied. Les mains tremblantes, Rudolfo s'enferma à l'intérieur.

Caspien s'avança alors vers Dino et lui chuchota quelque chose à l'oreille. Le garçon sursauta tant ce qu'il venait d'entendre… dépassait l'entendement. Ses pupilles se dilatèrent.

– Fais ce que je te dis ! gronda Caspien.

Inspirant fortement, Dino se pencha sur l'ordinateur et tapa rapidement sur le clavier les coordonnées de la destination du malheureux Rudolfo. Puis il se retourna vers son mentor, dans l'attente d'une confirmation définitive.

– Transmets !

Au même instant, devant leurs yeux, Rudolfo se volatilisa. En apparence, ses cellules ne s'étaient pas dissociées. Ses fluides corporels et ses graisses n'avaient pas fusionné en quelque trouble magma.

– … Maître ? appela Dino.

Mais Caspien sembla soudain frappé de surdité. Il n'y en avait plus dans son esprit malade que pour l'autosatisfaction, l'exaltation devant l'énormité de ce qu'il venait d'accomplir. Le nouveau calculateur quantique avait fonctionné à merveille, il en était convaincu.

– Maître, je pensais que l'objet de cette expérience était de vous assurer que vous pouviez ramener quelqu'un depuis un autre endroit... dans son état d'origine...

Dino hésitait à poursuivre sa question, mais prit finalement son courage à deux mains.

– ... Mais comment cela serait-il possible ? Vous venez d'envoyer Rudolfo... dans l'espace. Avec le froid et la diminution de la pression atmosphérique... il sera mort !

– Silence ! aboya Caspien. Cette machine fonctionne. Mais peut-être suggères-tu que je t'envoie, toi, sur l'île... ?

Il n'y avait pas pensé avant, mais, après tout, ce n'était pas une si mauvaise idée... L'adolescent au visage de cire arbora alors la mine la plus déjetée qu'on puisse imaginer.

Toutefois, Caspien en revint à sa première intention. Certes, il aurait pu se contenter de téléporter la bombe seule, mais il ne pouvait résister à la perspective de se délecter au spectacle de l'expression d'admiration et de terreur mêlées qui apparaîtrait sur les visages des kadors du renseignement mondial quelques secondes avant qu'ils soient tous rayés de la surface de la Terre.

– Non, Maître, répondit Dino, cet honneur vous revient.

– Alors, procède aux derniers préparatifs. Nous passerons à l'action dans...

Il consulta sa montre : huit heures pile, cela conviendrait parfaitement.

– ... dix minutes.

– Vous êtes prêtes ? demanda Will.

Gaïa et Cristina étaient accroupies à côté de lui. La brume s'était levée et la lagune avait adopté un lustre vert bouteille. L'air était imprégné d'une forte odeur de sel et de la puanteur que dégageaient les racines des buissons infestées de bernicles.

– Nous ne disposerons que de quelques minutes, avertit Cristina.

– Pas de problème, confirma Will, avant de résumer une fois encore la première étape de leur plan : nous escaladons la dune en direction de la face est de la terrasse ; nous franchissons les postes de contrôle ensemble et nous nous dissimulons dans les fourrés, compris ?

Les deux filles firent oui de la tête.

L'index effilé de Cristina se trouvait juste au-dessus de la touche « Entrée ». Dès qu'elle aurait appuyé dessus, les capteurs deviendraient ino-pérants. Du moins, c'était l'idée. Il fallait qu'elle fonctionne, car l'échec leur était interdit. Retenant sa respiration, Cristina enfonça la touche.

Aussitôt, Will partit à fond de train.

Il contourna les broussailles, escalada la dune et fila vers l'ouest, en direction d'un bosquet de pins. Il aperçut au passage un capteur de la hauteur d'un tee de golf, à l'ombre d'un lierre, puis un autre, muni d'un minuscule écran LED, qui affichait une lumière rouge. Il ne transmettait plus rien. Le réseau était *out*.

Trente secondes plus tard, Will atteignit les fourrés. Juste derrière lui, il entendait Gaïa et Cristina, qui écrasaient des brindilles de pin sous leurs pieds. Will s'adossa à un tronc rugueux, son T-shirt encore humide collé à la peau.

Il ne voyait personne alentour. Barrington avait mentionné la présence de gardes, mais peut-être s'en remettaient-ils à ses propres prouesses techno-logiques... Will se prit à espérer de tout son cœur que Thor arriverait à les persuader qu'il avait lui-même provoqué la panne de réseau.

Puis il pesa une fois encore le pour et le contre de la deuxième étape de leur plan. Utiliser les explosifs présentait un risque. Et si la salle dans laquelle se tenait la réunion était alors tout sim-plement verrouillée de l'intérieur et que les agents de sécurité poursuivaient les « terroristes » ? Qui croirait l'histoire à dormir debout que ces derniers raconteraient alors ? Thor nierait tout en bloc et, même s'il cautionnait leur version en évoquant le rôle de Shute, tous quatre seraient immédiatement bouclés pour avoir collaboré avec un tiers inscrit sur Liste rouge.

Et Caspien resterait libre...

Si Andrew avait raison – si Caspien maîtrisait

véritablement la technique de la téléportation –, aucun des systèmes de sécurité sophistiqués de Shute ne pourrait l'arrêter. Ce n'était pas seulement la vie des chefs du renseignement qui était en jeu : si Caspien parvenait à faire exploser une bombe sur l'île, Will, Gaïa, Cristina et les autres figureraient sur la liste des victimes. Sans oublier Ratty...

Justement, Will se demanda soudain s'il ne pourrait pas mettre Ratty à contribution : s'il parvenait à le faire entrer dans la salle de bal, il pourrait faire passer un message à C... Mais non, il se ferait tout de suite repérer. Will regretta alors de ne pas avoir apporté avec lui le Drone-de-criquet, son robot volant télécommandé... et beaucoup plus discret.

Will toucha le bras de Gaïa et lui demanda :

– De quelle quantité de C-4 disposons-nous ? Et quel résultat peut-on obtenir avec, exactement ?

Cristina parut surprise par la question.

– Gaïa serait-elle par hasard une experte en explosifs ? demanda-t-elle d'un ton pincé.

Elle attendait encore qu'on la félicite, elle, d'avoir désarmé les capteurs...

Mais Will ne lui prêta aucune attention. Il fixait Gaïa.

– Il n'y en a pas des masses, répondit celle-ci. De quoi faire sauter une porte ou, en le collant contre un mur, une épaisseur de plâtre et de briques.

– Je vois. O.K. En route, les filles ! Restons groupés !

Et, sans attendre de réponse, il partit en direction de la terrasse et des postes de sécurité « intelligents » installés entre les balustrades.

Une fois sur place, Will brandit la plaque de Barrington et aucune alarme ne se déclencha.

À travers les branches des fourrés, Will procéda alors à un nouveau repérage visuel des lieux : droit devant, c'était la salle de bal. La villa était carrée, peinte en rose, avec des encadrements de portes et de fenêtres de couleur crème. Les portes en question mesuraient dans les quatre mètres de hauteur et la terrasse en marbre une trentaine de mètres de longueur.

À l'extrémité opposée de ladite terrasse, un garde vêtu de noir, avec un étui de revolver au niveau de la hanche, tournait le dos aux intrus. Barrington avait précisé que l'accès à la salle de bal se faisait par les deux portes-fenêtres du milieu. Si Will parvenait à obtenir un aperçu ne serait-ce que partiel des lieux, il leur serait ensuite possible de choisir un endroit où placer les explosifs avec le moins de risques de pertes humaines. Ou peut-être obtiendrait-il des indices qui permettraient d'échafauder un plan B… ?

– Je vais envoyer Ratty jeter un coup d'œil, murmura-t-il.

Sitôt dit, sitôt fait. Les deux filles se penchèrent sur le petit écran vidéo avec curiosité. Les petites pattes du rongeur étaient tellement silencieuses que le garde ne se retourna mêmc pas. Ratty s'engagea dans le conduit de la cheminée et disparut à l'intérieur.

– Il ne va pas glisser ? s'inquiéta Cristina.

– À vrai dire, c'est comme ça qu'il a pénétré dans ta chambre – par le conduit de la cheminée – et que nous avons pu nous introduire dans ton ordi !

– Il faudra que tu m'expliques comment…, murmura Cristina, incrédule.

Au bout de quelques secondes, Ratty émergea dans la cheminée de la salle de bal et une image apparut sur le petit écran : un chandelier, trois tableaux, des verres en cristal et, soudain, des visages.

– Il remue la tête trop vite, constata Will en utilisant la télécommande pour ajuster les mouvements du rongeur et obtenir une image plus précise des participants.

Autour d'une table ovale au bois bien ciré, Will dénombra treize hommes et trois femmes. La plupart portaient l'uniforme de rigueur – un costume ou un tailleur sombre – et les autres arboraient des médailles et des décorations sur fond kaki. Derrière la table, alignés le long du mur, quatre agents de sécurité vêtus de noir, avec des lunettes noires et des étuis de revolver noir, montaient la garde.

Will regarda de plus près le délégué le plus proche de la cheminée. À en juger par sa moustache, sa peau bronzée et ses cheveux noirs, il devait être originaire d'Amérique du Sud. Il portait une oreillette et ne se concentrait pas sur la femme corpulente, d'un certain âge et sans doute venue d'Europe de l'Est, qui parlait à ce moment, mais il avait... le nez en l'air.

Will se rendit compte qu'il devait écouter l'interprétation des paroles de l'oratrice, qui lui provenait depuis une autre pièce de la villa. C'est alors qu'il eut l'idée, sinon du siècle, du moins de la matinée. Les interprètes ! Comment n'y avait-il pas pensé plus tôt ?

Il se tourna vers les deux filles et leur chuchota :

— Si j'arrivais à m'infiltrer sur le canal par lequel C reçoit la traduction simultanée, je pourrais lui parler et le convaincre de faire évacuer les lieux.

— Futé, mais tu comptes t'y prendre comment ? demanda Gaïa.

— Avec l'aide de Thor.

Le visage de Cristina s'éclaircit d'un large sourire.

— Je pourrais vous accompagner. Si Thor n'arrive pas à vous connecter sur ce canal, moi j'y parviendrai peut-être !

— Barrington nous a demandé d'utiliser les explosifs, fit observer Gaïa. Nous devrions sans doute l'écouter.

Will hésitait.

— Il a dit que ça « aurait une chance » d'entraîner une évacuation, pas que ça marcherait à tous les coups. S'ils se contentent de se boucler comme à l'intérieur d'une forteresse assiégée, nous ne serons pas plus avancés...

– Oui, mais pourquoi C te croirait-il ? persista Gaïa.

– Il doit avoir entendu parler de STORM, après Saint-Pétersbourg. Alors, je parlerai au nom de STORM et je lui donnerai des infos qu'il ne peut pas avoir puisque seul Andrew est au courant du plan de Caspien. Je peux au moins tenter ma chance, non ? Si j'échoue, tu feras sauter le C-4.

La détermination de Will était palpable, tout comme l'excitation de Cristina, ce qui n'échappa pas à Gaïa. Mais Cristina n'était pas membre de STORM. Si quelqu'un devait aller avec Will, c'était elle, Gaïa.

Certes, elle ignorait tout des ordinateurs...

Elle se résigna donc à les laisser partir, mais au moins ne donnerait-elle pas à Cristina la satisfaction de manifester l'agacement qu'elle éprouvait.

– O.K., pendant ce temps-là, je chercherai l'endroit où le C-4 aura l'impact maximal, répondit-elle.

Cristina était déjà partie en direction de la pente qui menait au local du hardware. Au moment où Will s'apprêtait à la rejoindre, Gaïa lui glissa :

– Ne prends pas de risques inutiles !

Elle s'en voulut aussitôt. Elle n'était pas sa mère et elle avait adopté un ton un tantinet trop sérieux. Mais Will lui sourit.

– Tu as entendu Barrington : la sécurité de notre monde est en jeu. Alors, je me demande ce qui pourrait être « inutile ».

– Mourir, par exemple…, répondit Gaïa.

Will secoua la tête.

– Rassure-toi, Gaïa ! Personne ne va mourir.

« Doucement, maintenant », se dit Andrew, qui se trouvait dans le passage sur lequel s'ouvrait le cachot à moitié inondé où était amarré le sous-marin. La bande orange pendait de son casque et il la poussa de côté. Il aurait pu ôter ce casque, bien sûr, mais sa présence sur sa tête réconfortait Andrew, comme s'il pouvait lui assurer une protection…

Il observa que les parois portaient des traces minérales, comme des veines striant la roche. Se pouvait-il qu'il se trouve en fait dans une grotte qui soit l'œuvre de la nature et non d'un maçon ? Il s'arrêta. Il avait ôté son Téléphone-dentaire et pouvait donc se concentrer entièrement sur les alentours. Et justement, il venait d'entendre une voix. Mais d'où provenait-elle ?

Andrew essaya de percer la pénombre qui régnait dans le passage, mais sans ses lunettes, ce n'était pas facile. Pourtant, il lui sembla discerner un renfoncement à quelques mètres devant lui, comme une niche ménagée en hauteur à l'intérieur de la paroi.

Il se rapprocha, étira le cou et découvrit une grille à travers laquelle passaient une faible lumière et des voix étouffées. Andrew reconnut un accent familier : celui de Caspien.

Son ancien ami.

Dans une autre vie…

Soudain, il entendit distinctement quatre mots prononcés par un garçon, dont la voix ressemblait à celle de Dino :

– Encore cinq minutes, Maître !

Andrew devina aisément ce qu'il adviendrait au terme de ces cinq minutes : quelque chose ou quelqu'un serait téléporté !

Il ne restait plus que cinq minutes ?

À ce moment, Andrew cessa de se préoccuper des délégués et de la sécurité du monde. Tout ce qui lui importait, c'était de prévenir Will, Gaïa et Cristina. Ils étaient sur cette île, ils allaient périr !

Les doigts tremblants, Andrew remit en place le Téléphone-dentaire.

– *Il ne reste plus que cinq minutes avant la téléportation !* annonça-t-il d'une voix tendue. *J'espère que vous vous apprêtez à décamper…*

Et il referma le poing de toutes ses forces sur le manche du Plein-la-vue.

C'est Gaïa qui lui répondit la première. Elle venait de poser les explosifs et l'amorce sur le sol, à côté d'elle.

– *Non, Andrew, nous avons encore à faire ici…*
Tu ne peux pas l'arrêter ?

– *Je ne sais pas, Gaïa, je ne crois pas…*

– *Will ?* appela Gaïa.

Mais Will ne répondit pas.

– *Andrew, nous ne pourrons jamais être partis*
d'ici dans cinq minutes. Alors, si tu es sûr de ce
que tu avances, il faut ABSOLUMENT que tu
l'arrêtes !

– *Mais… Gaïa… D'accord, bien reçu.*

À l'autre bout du Téléphone-dentaire, Gaïa sentit qu'Andrew était sur le point de flancher.

– *Je SAIS que tu peux y arriver, Andrew,*
O.K. ?

– *Mais je n'ai même pas d'arme…*

– *Non, mais tu as le cerveau le plus brillant de*
nous tous.

– *Hum… dommage qu'il ne soit pas capable de*
tirer des coups de feu… Je ferai tout ce que je pour-
rai, je te le promets.

– *Voili-voilou*, conclut Gaïa. *On compte sur toi !*

« *Cinq minutes.* » Elle espérait avoir réussi à
contenir la panique que ces deux petits mots avaient
suscitée en elle. Mais son sang s'était figé dans ses
veines.

Elle leva les yeux vers le garde, à l'autre extrémité de la terrasse. Deux minutes plus tôt, il avait
cessé de marcher de long en large sur son coin de
dalles de marbre pour gagner le balcon. De là, entre

les fourrés, il apercevait la plage... Gaïa décida de saisir sa chance.

Elle se mit à pétrir furieusement le plastic pour en faire une boule. Puis elle jaillit de sa cachette et courut jusqu'au mur de la villa. Là, elle s'adossa contre le crépi rose et se déplaça latéralement en pas chassés jusqu'à proximité d'une des portes-fenêtres qui donnaient accès à la salle de bal. Si elle pouvait faire exploser la vitre, cela déclencherait à coup sûr une alarme. Elle risquait de blesser quelqu'un, mais tout valait mieux qu'un massacre à la bombe téléportée.

– *Will, si tu m'entends, dis quelque chose*, murmura-t-elle.

Pas de réponse. Bon sang, mais que fichait-il ?

Gaïa se mit à croupetons, gardant l'œil fixé sur le dos du garde. Elle appliqua la boule de plastic sur le cadre de la porte-fenêtre. Elle inséra l'amorce de Barrington puis, le cœur battant, elle repartit en sens inverse, vers la sécurité relative qu'offraient les fourrés. Le garde n'avait rien remarqué.

– *Will, où es-tu ?* essaya-t-elle une dernière fois.

Devait-elle rester près de la terrasse ou retourner à la plage ? Elle consulta sa montre. Et décida qu'il valait mieux rester sur place. Si Caspien se matérialisait sous ses yeux... eh bien... elle aviserait. En tout cas, Will aurait peut-être besoin d'elle, ici, sur la terrasse, à la place qu'il lui avait assignée. Et puis, il avait peut-être entendu Andrew...

De leur côté, Will et Cristina avaient eu de la chance.

En bas de la dune, à travers les cyprès, ils avaient tout de suite repéré les locaux affectés à la surveillance et au hardware. Ils avaient couru en se glissant entre les branches et ils avaient trouvé ouverte la porte de celui où Thor s'escrimait à rendre ses mensonges crédibles.

« Encore vous ! s'était-il exclamé en les voyant débouler. Que se passe-t-il ? »

En deux mots, trois mouvements, Will lui avait fait le topo, cependant que Cristina cherchait le meilleur instrument pour exercer son art, en l'occurrence deux écrans d'ordinateur côte à côte. Dans un coin, de la fibre optique était enroulée comme un lasso high-tech. Un casque pour la communication sans fil avait été négligemment posé sur le bureau.

Attrapant une chaise et un clavier, Cristina avait alors entrepris de fouiller dans les entrailles du système, ses doigts effilés courant sur le clavier comme ceux d'un virtuose du piano.

« Thor, vous nous avez dit que vous n'aviez pas accès au réseau de capteurs ! »

Thor transpirait à grosses gouttes.

« Mais c'est que… je…

– Vous ne nous faites pas confiance ? avait-elle grondé telle une diva outrée. Vous ne faites pas confiance à votre propre patron ? »

Thor avait imploré Will du regard. On lisait de la honte dans ces vastes yeux bleus, qui commençaient à rougir sous le coup de l'émotion.

« Vous ne comprenez pas. Je ne travaille pour STASIS que depuis six mois. C'était mon rêve. Alors, je dois appliquer le règlement. Sinon, je vais perdre ma place...

– C'est ta vie que tu vas perdre, l'ami, dans quelques minutes... Il te faut encore combien de temps, Cristina ?

– Attends, Will, laisse-moi réfléchir, avait-elle répondu. C a son casque. S'il peut communiquer... si je peux trouver comment accéder au canal qui sert à la transmission de l'interprétation... Ça y est ! J'y suis ! »

Elle s'était alors tournée vers Thor, qui avait les yeux tout mouillés.

« Le mot de passe ? Allons, Thor ! *Forza !* Sois courageux ! Je ne peux pas le deviner toute seule, il faut que tu me le donnes ! »

Un quart de seconde plus tard, avant que Thor ait le temps de dire quoi que ce soit, Will et Cristina avaient entendu la voix d'Andrew via le Téléphone-dentaire : « *Il ne reste plus que cinq minutes avant la téléportation !* »

Will avait alors arraché le Téléphone-dentaire de sa bouche, il avait attrapé le casque et il avait fait face à Thor :

« Dans cinq minutes, les participants à la réunion vont subir une attaque ! Vous faites partie de l'équipe chargée d'assurer leur sécurité. Vous connaissez forcément le mot de passe ou vous devez savoir comment l'obtenir ! »

La jeune recrue de STASIS s'était mise à battre des paupières à... Thor et à travers, et s'était précipitée vers le clavier devant lequel était assise Cristina, avant d'enfoncer plusieurs touches successivement et d'appuyer sur « *Enter* ».

Instantanément, les icônes indiquant les canaux correspondant à chacun des délégués apparurent sur l'écran.

« Et voilà ! avait triomphé Cristina. Tu vois, Will, vous avez besoin de moi ! D'abord, le réseau de capteurs, et maintenant...

– Lequel est C ? avait interrompu Will.

– Celui-ci, avait indiqué Thor du doigt.

– Je présume que tu souhaites maintenant que je redirige la connexion depuis le bureau des interprètes ? avait dit Cristina, quelque peu refroidie.

– On n'est pas là pour s'auto-féliciter, Cristina. Fais-le, c'est tout ! »

Will s'était de nouveau intéressé à l'écran qui relayait les images captées par les yeux de Ratty. Le Sud-Américain faisait son speech. La tête du rat pivota et apparut alors un front creusé de rides profondes, qui appartenait à un homme en costume gris, aux cheveux gris et au visage lunaire. Il se tourna vers un garde blond qui se tenait derrière lui. Il appuyait sur son oreillette avec sa main.

Will comprit qu'il se demandait pourquoi il n'entendait plus l'interprète. Donc, c'était lui, C ? Le chef du MI6. Cheveux gris, yeux gris, aucun signe particulier. À l'exception peut-être de cette face en forme de pleine lune et d'une pointe de couperose sur ce visage mafflu.

Will approcha le micro de ses lèvres. Ce qu'il allait dire serait déterminant. Il avait la bouche aussi sèche et la langue aussi rêche que du papier de verre. Le vide se fit autour de lui.

– Bonjour, je sais que vous êtes C et je pense que vous m'entendez. Mon nom est Will Knight. Je fais partie d'une organisation appelée STORM. Dans trois minutes et demie, quelqu'un va se téléporter dans cette pièce avec une bombe. Vous devez évacuer tout le monde sans délai… Si vous m'entendez, levez la main !

Le professionnel endurci qu'était pourtant C parvint mal à dissimuler sa surprise. Mais il ne réagit pas.

Pourquoi ne levait-il pas la main ?

– Je travaille pour Barrington, reprit Will. Ce n'est pas un traître. Et je ne plaisante pas. Vous devez faire évacuer la salle où vous vous trouvez. MAINTENANT !

Les yeux de C se mirent à parcourir la salle avec anxiété. Que cherchait-il ? se demanda Will. Des caméras vidéo ? Le garde qui se tenait derrière lui se pencha pour lui murmurer quelque chose. Un verre en cristal se reflétait dans les lunettes noires. L'instant d'après, le contenu du verre se renversa sur la table miroitante.

C se leva et interrompit le délégué sud-américain.

– Il va le faire ! s'exclama Will. Il va les faire sortir !

Andrew prit son élan. Des phrases toutes plus mélodramatiques les unes que les autres se bousculaient dans son esprit.

« Ton heure a sonné, Baraban. »

« Je suis trop jeune pour mourir. »

Et autres « S'il n'en reste qu'un, je serai celui-là » ...

Caspien le tuerait-il ? S'il se mettait en travers de son chemin, oui. Il n'y avait pas à en douter.

D'un autre côté, Andrew pouvait utiliser son « brillant cerveau ». Brandissant le Plein-la-vue, il se prépara à enfoncer la porte avec le pied. Pour Will, pour Gaïa, il devait se montrer agressif. Caspien avait bien changé, lui. Alors, pourquoi pas Andrew ? Mais... dans le bon sens !

Il balança de toutes ses forces le pied vers l'avant. La porte céda sous la violence du choc et le jeune millionnaire d'un quartier chic de Londres se trouva alors face à une scène dantesque sortie tout droit d'un film d'horreur : Caspien, tout de noir vêtu, le visage aussi inhumain que celui de son fantôme high-tech ; Dino, l'homme au masque de cire, hébété devant son écran d'ordinateur et, derrière eux, ce qui ressemblait à une cabine de décontamination. Aux pieds de Caspien gisait un sac de soie noire qui contenait – aucun doute n'était permis – la bombe qu'il s'apprêtait à téléporter.

Andrew se trouva à court de mots en pointant son Plein-la-vue droit sur Caspien.

– Personne ne bouge ! trompeta-t-il, conscient de friser le ridicule, surtout devant un génie aussi colossal que Caspien Baraban.

Génie du mal, incontestablement, mais génie pur jus. Et question génie, Andrew en connaissait un rayon...

– Andrew Minkel ! explosa Caspien. Qu'est-ce que tu fais ici ?

– D'après toi ?

Les yeux de Caspien se transformèrent en fentes malveillantes.

– Tu es peut-être venu dérober mon invention, c'est ça ? Tu sais ce que c'est, Andrew ?

Et de pointer un doigt tremblant de colère, le doigt d'un homme ivre de lui-même, en direction de la cabine blanche.

– Là où je suis, le monde change, déclama Caspien. Mais toi... Toi ! Tu passes ton existence à me courir après !

Soudain, ses paupières se rétractèrent et le blanc de ses yeux se mit à luire. Ses joues semblèrent se creuser, comme pour révéler la charpente osseuse de ce garçon qui – Andrew en eut soudain l'intuition – n'était finalement qu'un être humain et, à ce titre, aussi vulnérable que les autres.

– Je ne te laisserai pas faire, Caspien ! hurla Andrew, ce qui déclencha un rire caustique chez Baraban.

– Pourquoi ? Parce que tu le dis ? Parce que Shute Barrington t'a envoyé une fois de plus faire son boulot à sa place ? Me tuer, comme tu as tué mon père ?

– Mais non..., fit Andrew.

Il le savait, rien ne servait de discuter avec Caspien. Le mieux était de s'en tenir à la froide logique.

– Personne ne veut te tuer, dit-il. Mais je dois t'empêcher d'arriver à tes fins.

Encore une de ces phrases-clichés qu'Andrew enfilait comme des perles quand il cédait à la panique.

– Et comment penses-tu m'arrêter ? demanda Caspien, hors de lui.

– Avec ceci, répondit Andrew sans se démonter.

Une dernière fois, il pointa le Plein-la-vue sur son ancien ami. Son doigt hésita à presser la détente. Il avait intérêt à fonctionner, car c'était tout ce qu'il avait sous la main.

Mais ce qu'il avait craint arriva : la batterie était à plat et, au lieu d'un éclair aveuglant, le Plein-la-vue ne produisit qu'un misérable filet de lumière.

– Avec ça ? se gaussa Caspien.

– Oui, c'est une arme expérimentale... hum... à laser !

– Ah, je vois, encore un des gadgets de Will ! Tu lui accordes beaucoup trop de confiance, Andrew... À côté de moi, il n'est rien.

Tel un fauve en cage, Caspien fit un pas en avant menaçant en direction d'Andrew, puis un autre en arrière.

– Mais il n'est pas trop tard, mon ami. Maintenant, tu es un esclave. Tu suis des ordres. Viens avec moi ! Associe-toi avec moi et imagine, imagine ce que nous pourrions faire, ensemble ?

Imagine... ensemble... ce que nous pourrions faire... !

Quatre mois plus tôt, à Bloomsbury, Andrew lui avait fait en substance la même suggestion. Caspien s'était laissé convaincre : il était devenu membre de STORM de son plein gré. Mais STORM était une organisation au service des autres, or Caspien n'était au service que de lui-même.

Andrew sentit monter en lui une de ces colères dont il n'était guère coutumier. Caspien le transperçait de ses yeux habités par le mal.

– Je te donne une dernière chance de t'associer à moi... Sinon, attends-toi au pire !

Et il partit d'un grand rire qui déclencha une sensation de nausée chez Andrew. Que pouvait-il faire, lui, sans arme, chétif comme il était ? Mais il n'en était pas arrivé là pour se laisser maîtriser sans réagir. Et la colère est parfois génératrice de hauts faits.

– Dino, le câble ! ordonna Caspien en se dressant devant son prisonnier.

L'instant d'après, Andrew se retrouva assis par terre pieds et poings liés, son casque de travers sur la tête, sous la menace du revolver de Dino. Impuissant, il regarda Caspien se diriger vers le fond de la grotte, le sac de soie à la main, puis se glisser à l'intérieur de sa machine à remonter l'espace.

– Où est Will, maintenant, hein ? se gaussa Caspien. Il est là-bas, sur l'île, avec Gaïa ? Ce sont tes amis, n'est-ce pas ?

Il fit coulisser la porte de la cage métallique et secoua la tête à l'adresse d'Andrew, qui tentait maladroitement de se relever.

– Alors, eux aussi vont mourir…, lança Caspien, dans une ultime expression de défi.

Dino alla se replacer devant l'ordinateur. Il se pencha sur le clavier. Une lumière blanche vint embrouiller la vue d'Andrew. Il avait le ventre noué. Mais il pouvait encore faire quelque chose. À voix basse, il murmura :

– *Ça y est ! Il va se téléporter maintenant !*

Gaïa n'avait plus le temps de réfléchir. « *Il va se téléporter maintenant !* » venait de chuchoter Andrew dans son Téléphone-dentaire.

– *Will, tu l'as entendu ? Vous en êtes où ?*

Simultanément, dans le local du hardware, Cristina prit acte du message envoyé par Andrew.

– Maintenant ! hurla-t-elle à Will – cependant que Gaïa portait une main à son oreille endolorie. Il dit que Baraban va se téléporter tout de suite !

Thor n'en crut pas les siennes, d'oreilles.

– Se téléporter ?

Mais ni Cristina ni Will ne prirent la peine de lui répondre. Will fit aussitôt sortir Ratty de la cheminée, dans la salle de bal. Il fallait qu'il voie exactement ce qu'il s'y passait. Au bout de quelques secondes, Will vit C, la main encore levée. Il décela de l'irritation sur le visage du Sud-Américain. Il entendit des cris. Ratty se trouvait maintenant près de la table et son microphone captait des voix, des expressions de stupéfaction, une mise en garde. Soudain, les délégués se tournèrent vers un coin de la pièce en direction duquel pointait le doigt de C.

Là, sur l'écran vidéo, Will vit alors apparaître Caspien Baraban ! Il serrait un sac de soie noire, qu'il posa sur le sol. Il fit un pas en avant, cependant qu'une dizaine d'armes à feu de tous les calibres imaginables cliquetaient à l'unisson et se braquaient sur lui.

C contourna la table pour se rapprocher de Caspien, qui leva les bras en l'air. Mais pas en signe de reddition. Plutôt pour exprimer sa suprématie.

« Le sac… », songea Will.

– Arrivons-nous trop tard ? murmura Cristina, qui avait pâli en voyant le Maître se matérialiser par enchantement.

À l'extérieur, sur la terrasse, Gaïa entendait un homme crier. Le garde qui contemplait la mer se rua vers la salle de bal en sortant son revolver de son étui avant de le pointer devant lui. Il disparut à l'intérieur en claquant la porte-fenêtre. Gaïa se précipita vers la vitre. Il fallait qu'elle voie.

Et elle vit ceci : Baraban, les bras levés, sous la menace de revolvers. Un garde blond lui ordonnait avec un accent gallois prononcé :

– Ne bougez pas ! Restez où vous êtes !

L'homme fit quelques pas dans sa direction et Caspien ouvrit la bouche pour dire :

– Je ne vous le conseille pas.

Gaïa le voyait de profil : son visage couleur de craie, sa hideuse cicatrice, sa crinière de jais. Les délégués reculèrent vers le fond de la salle. Mais aucun ne partit. Ils observaient la scène avec une peur mêlée de… curiosité. Cette mystérieuse apparition, ce terroriste sorti de la quatrième dimension, ce n'était qu'un *gamin* !

Elle vit les yeux de l'agent de sécurité blond se poser sur le sac de soie.

– Qui es-tu ? hurla-t-il. Qu'y a-t-il là-dedans ?

Puis il se retourna vers ses collègues.

– Évacuez les lieux !

Les gardes s'agitèrent, mais seize paires d'yeux persistaient à fixer Caspien, comme hypnotisées par cette créature sortie de nulle part qui… *rougeoyait* devant elles.

– Vous vous demandez qui je suis ? Je m'appelle Caspien Baraban. Vous vous demandez pourquoi je suis venu ? Pour exercer ma vengeance. Vous vous demandez ce que je veux ? Je vais vous le dire : je veux que vous vous mettiez au garde-à-vous devant moi. Et ensuite, vous *mourrez* !

« Non ! » se révolta Andrew. Non, il ne laisserait pas Caspien assassiner ces gens et ses propres amis.

Dino avait inséré un écouteur dans son oreille droite. Derrière lui, l'écran de l'ordinateur était devenu noir. Sans doute l'économiseur…

Andrew en déduisit que Dino attendait que Caspien lui envoie le signal du retour. Le signal qui voudrait dire qu'il avait réussi et que Will et Gaïa avaient péri.

Andrew se mit à gigoter sur le sol. Le câble lui entaillait les poignets, mais semblait se détendre autour de ses jambes. À un moment, Dino détourna les yeux pour les poser sur la machine de téléportation, une main collée sur son écouteur, le revolver posé derrière lui sur le bureau. Andrew se dit qu'il avait une petite chance de dégager ses chevilles s'il faisait aller et venir sa jambe droite. Son casque glissait de plus en plus devant ses yeux et il lui fallait jouer de l'épaule pour le faire remonter.

Mais ses efforts furent payants : il arriva à libérer son pied droit des entraves ! Certes, ses poings demeuraient liés et, même s'il parvenait à se lever d'un bond, il ne faudrait qu'un quart de seconde à Dino pour se saisir du revolver.

Andrew regarda autour de lui, en quête d'une idée brillante. C'est alors qu'il aperçut l'interrupteur.

En inclinant le cou et en s'aidant de son épaule, il parvint à attraper avec ses dents la bande de plastique orange qui pendait toujours de son casque. Tout doucement, avec sa langue, il la replaça à l'intérieur de sa bouche, puis, en pressant la langue contre son palais, il la colla. Aussitôt, il sentit les picotements du sonar. Une représentation de la grotte lui apparut alors dans le secret de son cerveau. Dès qu'il aurait fait basculer l'interrupteur, la grotte, dépourvue de toute lumière naturelle, serait plongée dans l'obscurité.

Il se releva en vacillant sur ses jambes. Dino se retourna. Ses yeux lancèrent des éclairs de colère et il tendit le bras vers le revolver, mais Andrew fut plus rapide : trois grands pas vers l'interrupteur et le noir se fit.

– Espèce de… ! entendit-il.

Andrew entendit aussi quelque chose tomber.

– Qu'est-ce que tu manigances ? demanda Dino, furieux.

Il avança en titubant vers l'interrupteur, le revolver levé, une main s'agitant devant lui, comme pour écarter les ténèbres de son chemin, mais Andrew le « voyait » clairement. Il se plaqua contre le mur et attendit que Dino se rapproche. Puis il se jeta sur lui de toutes ses forces : son épaule heurta celle de l'élève discipliné du Maître et Andrew grimaça car son bras entravé lui faisait mal. Mais le plus important, c'était que Dino avait lâché le revolver, qui tomba sur le sol.

Dino se mit à gesticuler en tous sens, dans l'espoir d'attraper Andrew. Celui-ci glissa, se releva, avec en ligne de mire la petite forme qui se trouvait par terre. Puis il se baissa de nouveau et, à l'instant où Dino rallumait la lumière, Andrew se saisit du revolver.

– … Au garde-à-vous devant moi. Et ensuite, vous *mourrez* !

Dans le local du hardware, Thor et Cristina contemplaient un moniteur sur lequel apparaissaient les images filmées par les caméras de sécurité de la salle de bal, cependant que Will se concentrait sur celles qui provenaient de Ratty. Il savait ce qui se trouvait dans le sac de soie noire : un mélange détonant d'aluminium et d'oxyde de fer, en quantité suffisante pour faire exploser la salle. Conclusion : il fallait qu'il trouve un moyen de l'ôter de là.

— *Gaïa ! Fais sauter la porte-fenêtre ! Je vais utiliser Ratatouille pour tirer le sac qui contient la bombe jusqu'à l'extérieur.*

Pas de réponse.

Nonobstant, Will donna pour instruction au rongeur de se diriger vers le coin de la pièce où se trouvaient Caspien et sa bombe.

— Will ! s'exclama Cristina. Will, regarde !

Elle avait l'index pointé vers le moniteur.

Caspien avait fini son petit discours. Mais ses bras n'étaient plus dressés en l'air avec autant d'assurance. Il semblait surpris de voir autant d'armes braquées sur lui. Soudain, la voix d'Andrew retentit dans l'oreille de Will.

— *J'ai mis Dino hors d'état de nuire ! Caspien ne repartira pas !*

Will se tourna vers Cristina : ses yeux de quartz étincelaient.

— *Super, Andrew ! Tiens-le à l'œil !*

En voyant l'expression de plus en plus incertaine de Caspien, Will ne put s'empêcher de sourire. « Tu te demandes pourquoi tu es encore là, hein ? Eh bien, tu n'as pas fini de te le demander... »

– *Mais sa bombe va quand même exploser !* hurla Andrew.

– *Je m'en occupe*, répondit Gaïa, la main sur son propre détonateur.

Dans le local du hardware, Will ne quittait pas des yeux les images transmises par les caméras de surveillance. Il vit l'agent de sécurité blond avancer vers Caspien… et l'image devint toute blanche !

– *J'ai fait sauter la porte-fenêtre !* annonça Gaïa.

– *Je ne vois plus rien !* pesta Will.

Au-dehors, Gaïa toussait, prisonnière d'un nuage de poussière. Des cris montaient de l'intérieur de la salle de bal dont le sol était jonché d'éclats de verre, de bois et de plâtre.

Lorsque le plus gros de la poussière se fut dissipé, Gaïa aperçut Caspien dans un coin, le cheveu en bataille et couvert de poudre blanche, mais bien campé sur ses deux jambes. À ses pieds se trouvait le petit sac noir.

Gaïa ne fit ni une ni deux. En clignant des yeux, aveuglée par la poussière, elle plongea en avant. Ses doigts entrèrent au contact de la soie… puis d'une fourrure familière. C'était Ratty ! Will avait dû lui ordonner de se saisir du sac ! Bon sang, il avait les dents bien enfoncées dans le tissu et n'était pas disposé à lâcher le morceau !

De toutes ses forces, Gaïa tenta de détacher le rongeur de sa proie, sans succès. Elle emporta alors le lot au-dehors. Dans le local du hardware,

Will vit tour à tour défiler des images du ciel, du sol en marbre de la terrasse et de cheveux bruns et bouclés.

– *Gaïa ! Qu'est-ce que tu fabriques ? J'avais envoyé Ratty pour qu'il emporte la...*

Soudain, il ferma les yeux. Une douleur intense le frappa en plein cœur. À côté de lui, Cristina poussa un hurlement déchirant. Et à huit cents mètres de là, sur l'Isola delle Fantasme, Andrew se plia en deux, portant la main à son oreille.

Le vacarme avait été abominable.

Will sortit en chancelant. D'énormes volutes de fumée jaune teintaient le ciel. L'interminable écho de la déflagration emplissait encore l'air.

La bombe de Caspien avait explosé.

24

En l'espace d'une seconde, Will avait perdu toute faculté de raisonnement. Il n'avait qu'une idée en tête : courir vers la salle de bal, à travers les pins. Il refusait les pensées effroyables qui cherchaient à s'immiscer de force dans son cerveau.

Il trébucha à plusieurs reprises, se prenant les pieds dans des racines ou glissant sur de la mousse humide, mais poursuivit sa course jusqu'à ce que la poussière lui emplisse les poumons.

Parvenu à la terrasse, il contempla, hébété, cette scène apocalyptique. Des débris recouvraient le sol, le garde blond poussait devant lui l'homme à la face de lune dont le costume gris avait changé de couleur : tous deux avançaient comme des automates.

L'extrémité de la terrasse la plus éloignée de Will

avait été complètement détruite. Des arbres avaient été aplatis. Des morceaux de balustrade pendaient en équilibre incertain. Il manquait un pan entier de la salle de bal.

Ses propres mots lui revinrent en écho : « Personne ne va mourir. »

Était-ce dans sa tête ou avait-il entendu une voix ?

– Will !

C'était Cristina, qui l'avait rejoint.

Puis, de nouveau, il n'entendit plus que le silence. Un silence irréel. Le garde blond cria quelque chose que Will n'imprima pas.

Il regardait en direction de la dune et des buissons.

– *Gaïa !* appela encore Will, d'une voix brisée.

– Will !

Il se retourna encore une fois. C'était de nouveau Cristina. Derrière elle, des canons de revolver s'agitaient. Il perçut dans le lointain la voix de Thor, qui le désignait du doigt.

– *Gaïa !*

Mais il se heurtait à un silence obstiné.

Son nom retentit une troisième fois : « Will ! »

Et là, le jeune garçon eut soudain l'impression qu'on lui insufflait de nouveau la vie. C'était la voix de Gaïa !

– Il est ici ! fit Cristina, que le garde blond venait

d'empoigner. Will, va la chercher, là-bas, sur la plage !

Il entama alors une course folle jusqu'au sommet de la dune, cependant que des cris retentissaient de tous côtés. Et c'est là qu'il la vit. Couverte de poussière jaune et blanche, telle une statue de marbre. Elle était debout sur la plage et, juste à côté d'elle, marchant dans l'eau verte, il y avait Caspien.

Will arracha son Téléphone-dentaire et hurla :

– Gaïa !

Elle se retourna un instant. Baraban aussi, qui se tenait le bras. Des gouttes de son sang tachaient le sable.

Will dévala la dune en direction de Gaïa.

– Tu vas bien, tu n'es pas blessée ?

– Oui, non, répondit Gaïa. J'ai jeté la bombe et elle a explosé en l'air à ce moment-là. Caspien s'enfuyait…

– Eh oui ! gronda Caspien, ivre de colère et d'arrogance. Tu arrives trop tard, Will. Tu as devant toi Caspien Baraban ! Et je suis libre ! Libre !

– Mais cet endroit fourmille de gardes ! objecta Will. Tu n'iras pas loin…

– Permets-moi de mettre ta parole en doute ! Je suis très bon nageur…

Et il s'enfonça dans l'eau. Will fit mine de le suivre, mais Gaïa l'arrêta d'une pression du bras.

– Will, regarde !

Une nageoire venait de faire son apparition, sur la gauche, derrière Caspien.

– Hé ! Toi, là-bas !

C'était le garde blond, qui pointait son arme en direction des deux adolescents.

– Je vais tirer ! Première sommation…

– C'est à nous qu'il parle ? demanda Gaïa en regardant Caspien s'éloigner à grandes brasses.

Will fit non de la tête.

– Dis donc, Will, tu as vu le requin ? interrogea Gaïa. Et Caspien qui saigne…

– Caspien ! appela Will. Caspien, reviens !

Parce que, en dépit de tout ce que lui avait fait subir son pire ennemi, il fallait qu'il le prévienne. Il ne pouvait pas rester là les bras ballants.

– Hé ! Deuxième sommation ! Je vais tirer, persistait le garde blond.

Caspien se trouvait à une bonne quinzaine de mètres du rivage. Il se retourna en dardant un sourire de défi. C'est alors qu'il aperçut le requin, qui fonçait droit sur lui. Il eut à peine le temps de pousser un cri et d'agiter les bras. Son corps fut comme aspiré vers le fond… et l'eau verdâtre de la lagune se colora de rouge. Gaïa fut secouée de frissons, Will resta figé sur place.

L'agent de sécurité baissa son arme, clignant des yeux pour scruter la lagune.

Quelques instants après, il appela :

– Will Knight ?

L'adolescent tourna la tête. C avait dû communiquer son nom au garde.

– Je vous suis, répondit Will.

Il prit Gaïa par la main et tous trois regagnèrent la villa.

25

– Je me moque de ce que dit Calvino, amenez la vedette ici ! tempêtait l'homme à la face de lune.

Sur la terrasse, autour de Will et de Gaïa, tout le monde s'affairait, que ce soit en uniforme poussiéreux ou en costume blanchi à la chaux. Cristina semblait avoir disparu. Le garde blond avait la main sur l'épaule de C et lui chuchotait quelque chose en désignant Will du doigt.

On leur avait ordonné de rester où ils étaient. C voulait leur parler, dès qu'il aurait terminé de donner ses instructions. Andrew les avait contactés par Téléphone-dentaire : il se trouvait sur la plage, Angelo tenait Dino en respect et ils attendaient qu'on vienne les chercher. Will l'avait briefé à son tour et l'avait chaudement remercié.

– *Andrew,* dit alors Will en se tournant vers Gaïa.

Il aurait tué tout le monde, ici. C'est nous trois qui l'en avons empêché.

– *Je sais*, répondit le jeune millionnaire avec un calme étonnant. *C'est à n'y pas croire, mais nous avons fait coup double. Après Saint-Pétersbourg, nous avons encore accompli un exploit !*

Une voix de femme avec un accent d'Europe de l'Est se fit alors entendre :

– J'ai besoin d'eau !

À côté d'elle, un homme aux cheveux roux crachait de la poussière, penché au-dessus du balcon. On criait, on s'égosillait dans des téléphones mobiles, la terrasse était noire de monde. Après l'explosion, les agents de la sécurité avaient rappliqué de toutes parts tel un essaim d'abeilles.

Will ressentait un mélange de soulagement et de grosse fatigue.

Un petit bruit familier attira alors son attention. Le son de petites pattes trottinant dans les débris. Ratty fit un retour discret, effectuant un gymkhana entre tous ces pieds qui lui bloquaient le passage.

– Ratty ! s'exclama Gaïa. Tu t'en en sorti vivant, toi aussi ! Tu as fini par lâcher le sac, hein ? Eh bien, tu as eu drôlement raison !

Une ombre se projeta alors sur le visage de Gaïa. Celle de l'agent de sécurité blond.

– Je m'appelle David Allott, annonça le Gallois. J'ai bien connu ton père, Will.

Instantanément, Will se crispa. Son sourire se

figea. « Ton père. » Voilà deux mots qu'il n'entendait plus jamais prononcer en sa présence.

– J'étais avec lui, quelques heures avant sa mort. Je suis vraiment désolé…

Allott lui tendit une main compatissante.

Will le contempla, comme s'il ne comprenait pas exactement ce que voulait dire cet inconnu. Cet homme se trouvait avec son père ? Mais…

Il n'eut pas le temps de formuler sa question car C les avait rejoints. Il arborait une expression sinistre. Lorsqu'il ouvrit la bouche, il sembla à Will qu'il se trouvait à des kilomètres de lui. Les mots valsaient dans l'air, immatériels, à peine compréhensibles.

Ton père.

Seuls ces deux mots comptaient. La mémoire lui revenait peu à peu. L'homme au costume sombre. Un crissement de pneus lorsque le messager du MI6 avait redémarré, pour s'éloigner au plus vite de cette douleur insoutenable qu'il venait d'infliger.

Gaïa lui toucha le bras.

– Will Knight, commença l'homme à la face de lune. J'ai entendu parler de toi. J'aimerais que tu me donnes ta version des faits.

Mais le jeune garçon n'entendit même pas la question. Gaïa avait deviné pourquoi.

Ton père.

Ces mots avaient dû se télescoper dans la tête de Will.

Mais elle pouvait parler à sa place. Et elle allait

leur dire sa façon de penser, à ces barbouzes de pacotille ! Pour eux, les membres de STORM avaient failli mourir. *Elle*, surtout, avait tutoyé la mort de près. Caspien était mort. Ils avaient risqué leur vie. Elle avait abandonné son père malade à l'hôpital. Et on venait les interroger. On les traitait comme des suspects !

– Je vais vous la donner, moi, notre version des faits. Un garçon nommé Caspien Baraban, qui a réussi *on ne sait trop comment* à s'échapper d'un hôpital psychiatrique hautement sécurisé vient de se téléporter ici pour tenter de vous tuer. C'est Shute Barrington – vous savez, celui que vous considérez comme un traître ?– qui nous a aidés à arriver ici pour que nous essayions d'empêcher Caspien de parvenir à ses fins. Et nous y sommes arrivés. STORM, ça ne vous dit rien ?

Un sourire se dessina sur les lèvres de David Allott, mais les lèvres de C se pincèrent, comme s'il méditait sur ce qu'il venait d'entendre. Ses yeux gris se tournèrent vers Will, qui croisa son regard et hocha lentement la tête en guise de confirmation.

– Intéressant, répondit C. Mais ta déclaration comportait deux erreurs, jeune fille. La première : Shute Barrington n'est pas un traître. La deuxième : Caspien Baraban ne s'est pas à proprement parler… « échappé ».

26

Marcelette Street,
impasse huppée de Londres,
dimanche de Pâques

Un soleil lumineux faisait danser des reflets sur les hautes vitres de l'étroite rue bordée de maisons de maître, à laquelle on accédait par un portail bleu surmonté d'un lion et de deux licornes.

Étant donné le calme qui régnait en cet endroit ombragé, on avait peine à croire qu'à cinquante mètres de là se trouvait le Mall et, au-delà, les chaises longues et les canards de St James's Park.

Will se tourna vers Andrew, dont les yeux bleu pâle clignaient derrière ses lunettes. Le million-naire portait un simple jean blanc et un T-shirt sur lequel avait été brodé un Sphinx au regard sévère.

« Sans doute un souvenir rapporté d'un voyage lointain par ses parents », se dit Will.

– C'est ici ? demanda Andrew.

– Numéro vingt, oui, c'est ce qu'il a dit, répondit Will.

Ce dernier escalada le perron et souleva le heurtoir de cuivre, en forme d'ancre. Mais avant qu'il ait le temps de frapper, une voix jaillit d'un haut-parleur bien dissimulé.

– Pas besoin de ça. Entrez ! C'est au premier.

Les deux garçons découvrirent une entrée aux murs gris et un escalier aux marches recouvertes de moquette bleue.

Parvenus sur le palier, ils avisèrent une porte entrouverte. Avant même qu'ils n'arrivent devant, elle s'ouvrit toute grande et Shute Barrington apparut, en jean et T-shirt noirs, le bras maintenu par une écharpe, la main droite appuyée sur une canne.

– Si vous voulez vous donner la peine d'entrer, dit-il en imitant l'accent de la haute. Bienvenue dans notre résidence londonienne !

– Vous ne devriez pas marcher, vous avez entendu ce que vous ont dit les médecins, le réprimanda Andrew.

– Tu vas me dénoncer ? plaisanta Barrington.

Andrew regarda autour de lui et aussi dans la pièce voisine.

– C'est ici que vous travaillez ?

– Pas si je peux l'éviter.

En traînant la jambe, Barrington les conduisit dans le bureau en question, décoré dans le style victorien, et les garçons prirent place sur un canapé Chesterfield, cependant que le patron de STASIS s'installait sur une chaise.

– Ce bâtiment appartenait à la Marine. Nous l'avons acquis l'année dernière, expliqua-t-il. Le gouvernement insistait pour que nous ayons une antenne à Londres même.

Vingt-sept heures plus tôt, la bombe de Caspien avait explosé juste devant la salle de bal d'une villa sur l'Île des masques.

Des agents du MI6 étaient ensuite allés récupérer Andrew, Angelo et leur prisonnier tout crasseux sur la plage de l'Île des fantômes. Dino était désormais en garde à vue. Quant à Angelo et Cristina, ils avaient apparemment été invités par la délégation italienne à la « garden party » à participer à un « debriefing » au palazzo des della Corte.

Will, Andrew et Gaïa étaient rentrés à Londres à bord du C-17, sous le haut patronage d'un Thor pétri de remords qui, après avoir découvert que l'intégrité de son chef n'était plus en doute, avait publiquement déclaré qu'il regrettait de ne pas avoir fait davantage pour aider STORM.

À mi-parcours, deux photos en format JPEG leur avaient été expédiées par Cristina, qui les avaient « obtenues » dans l'ordinateur de Diabolo.

Elles représentaient deux enfants : une petite fille, qui avait la bouche en biais et n'avait plus de nez, et un garçon dont la tête avait effroyablement rapetissé et dont les yeux blancs contemplaient la nuit avec une indicible terreur.

Andrew et Gaïa avaient détourné le regard. Will s'était forcé à ne pas le faire. C'était l'œuvre de Caspien, le résultat de ses expérimentations sur des êtres humains. Ce monstre n'avait eu que ce qu'il méritait...

Ironie du sort, s'il s'était contenté de téléporter sa bombe, il aurait survécu. Mais son orgueil démesuré et son désir insensé de reconnaissance l'avaient précipité vers sa perte.

Une fois à Londres, Will et Andrew avaient accepté d'être débriefés par Barrington. Gaïa serait « traitée » ensuite.

Leur première question fut la suivante :

– Comment Caspien est-il sorti de l'hôpital psychiatrique ?

– Ah... hum... Nous l'en avons fait sortir.

– Comment ? s'exclama Andrew.

– Un instant, jeune homme ! Bien sûr, nous ne le lui avons pas fait savoir. Il s'est cru plus malin que nous. Nous avions laissé un code traîner dans un endroit discret. Puis nous lui avons envoyé un psychiatre « compréhensif », qui lui a mis certaines idées en tête et lui a dit qu'il pouvait l'aider à « s'échapper ».

– Mais pourquoi ?

– Vous vous souvenez de Sir James Parramore ? Le milliardaire britannique, homme d'affaires de son état ? Il n'y a pas plus véreux que lui. C'est lui qui avait payé pour les recherches, à Saint-Pétersbourg.

– Bien sûr, répondit Andrew.

– Eh bien, nous voulions le coincer et nous savions qu'il avait été en contact avec Caspien après qu'il eut été admis à l'hôpital. Nous pensions donc que Caspien nous conduirait tout droit à Parramore.

– Et alors, que s'est-il passé ? demanda Will.

– Notre psy a récupéré Caspien juste à l'extérieur du périmètre sécurisé. Il était censé surveiller Caspien et Caspien était censé lui faire confiance.

– Et alors, que s'est-il passé ? répéta Will.

– Caspien l'a tué, à l'aide d'une seringue dérobée dans l'hôpital. Il a injecté de l'air dans sa carotide.

Horrifié, Andrew eut un mouvement de recul.

– Ensuite, poursuivit Barrington, Caspien a disparu dans la nature. Quelques jours plus tard, un hacker s'est introduit dans le réseau de STASIS. De toute évidence, Caspien a découvert que la réunion allait se tenir et la suite, vous la connaissez.

– C'est bien lui qui vous a mis sur Liste rouge ? demanda Andrew.

– Qui d'autre ? Ce n'était pas notre agent à Moscou, en tout cas. Il n'était au courant de rien, il nous l'a confirmé depuis.

– Et qui était Rudolfo ? demanda Will. Cristina nous a dit que c'était une relation…

– Oui, son « oncle » apparemment. Caspien est allé trouver refuge chez lui et le malheureux a accepté, naturellement. Je ne sais pas combien de temps il lui a fallu pour comprendre son erreur. Nous n'avons retrouvé aucune trace de lui.

– Mais pourquoi n'a-t-il pas dénoncé Caspien aux autorités ?

Barrington haussa les épaules.

– J'imagine qu'il en avait peur. De plus, c'était un type fasciné par la parapsychologie, alors il devait être intrigué par ces histoires de fantômes, de culte et par la puissance exercée par son « neveu ». Il avait passé des années reclus dans cette ruine et s'est retrouvé bombardé vice-général d'un empire insulaire complètement fou !

– O.K., fit Will. Maintenant, je voudrais savoir qui a prévenu C que vous n'étiez pas un traître ?

Barrington se leva et repoussa sa chaise, avant de se diriger vers la fenêtre protégée par un store vénitien. Puis il fit mine de regarder à l'extérieur.

– Si mon estimation est correcte, il vous l'a déclaré précisément une minute après que j'ai été innocenté. Il a suivi la procédure. Il n'avait pas le choix.

– Et Cristina ? demanda Andrew en remontant ses lunettes sur son nez.

– Nous avons retrouvé son lion. Nous le lui ren-drons… en temps et en heure.

Puis il fronça les sourcils.

– Par contre, elle s'est apparemment vantée d'avoir désactivé mon réseau de capteurs… ce qui fait que je ne suis pas très bien disposé à son égard…

– Euh… Mais elle ne va pas avoir d'ennuis tout de même ? demanda Andrew.

– Elle va sans doute recevoir un avertissement sans frais, répondit Barrington. Mais rien de bien méchant. Enfin, tout dépendra du Chien… Elle n'a pas repris contact avec vous ?

Andrew et Will échangèrent un regard.

– Eh bien… hum… si, j'ai reçu un message d'elle, avoua Andrew. Mais très vague…

– Tu ne me l'avais pas dit ? s'étonna Will.

– Eh bien, ça ne remonte qu'à hier soir, très cher.

– Allez, accouche, « très cher » ! s'impatienta Will. Que t'a-t-elle raconté de beau ?

– À vrai dire, elle a dit qu'elle allait bien.

Elle s'était surtout déclarée « très emballée » d'avoir travaillé avec STORM et avait suggéré de rejoindre toute l'équipe à Londres et d'en devenir membre. Elle avait ajouté que STORM devrait créer des cellules un peu partout dans le monde. Mais Andrew avait considéré que cette proposition relevait de la sphère privée et qu'il en discuterait « en temps et en heure » avec Will.

– Elle a demandé comment nous nous portions...

Barrington revint vers sa chaise en secouant la tête.

– Vous les jeunes, vous avez des conversations palpitantes... Alors, si vous n'avez rien à ajouter, il faut que je vous pose des questions à mon tour, vous le savez. Mais commençons par le commencement, dit-il en ouvrant un des tiroirs de son bureau en acajou. Vous vous êtes débrouillés comme des chefs, je me dois de vous le dire.

Il se tourna vers Will...

– Je vous ai guidés jusqu'à l'île, toi et Gaïa, mais ensuite, c'est vous qui avez pris l'initiative...

... Puis vers Andrew :

– Et toi, mon garçon, j'aimerais que tu me montres un jour comment tu t'y es pris pour maîtriser Dino.

Il marqua une pause, avant de reprendre.

– Par ailleurs, si vous voulez jeter un coup d'œil sur la cabine de téléportation, elle est examinée en ce moment même par notre équipe à Sutton Hall et vous êtes cordialement invités à vous rendre sur place. Je peux arranger ça pour vous. Bon, le moment est maintenant venu pour moi de vous remettre un petit cadeau à chacun. Vous apporterez le sien à Gaïa.

Barrington tendit alors à Will une boîte métallique, que l'adolescent reconnut aussitôt.

– C'est bien elle, confirma Barrington. Celle qui se trouvait au fond du Lac de recherche n° 2. Tu l'as trouvée, Will, alors elle te revient de droit.

Des familles aux vêtements bariolés riaient sous le soleil printanier. Des couples se promenaient en poussant des landaus, des œufs de Pâques à la main. Comme c'était dimanche, le Mall était exclusivement piétonnier. Des hordes de touristes chaussés de pataugas se hâtaient vers Buckingham Palace.

Will et Andrew marchaient côte à côte, tout à leurs pensées. Dans sa poche, Will avait le contenu de la boîte métallique et un objet identique pour Gaïa. Andrew avait le sien, lui aussi.

Une plaque de STASIS, en osmiridium. L'émetteur logé à l'intérieur ne leur permettrait que de passer les barrières et la porte principale du QG de Sutton Hall, Barrington le leur avait bien spécifié. Mais son cadeau était plus symbolique que pratique.

Les nouvelles recrues de STASIS ne se voyaient au départ remettre que des badges en plastique. Les plaques en osmiridium n'étaient accordées qu'en reconnaissance d'un accomplissement exceptionnel. En les leur donnant, ce que Barrington avait voulu dire, c'était que STORM faisait désormais partie de STASIS.

Fallait-il accepter cette offre ? Will n'en était pas certain. Il était fier de leur indépendance. Et, oui, fier aussi de ce qu'ils avaient accompli. Sans STORM, C et les autres auraient selon toute probabilité été tués – avec toutes les conséquences qu'on imagine pour la communauté internationale.

Une nouvelle réunion au sommet allait se tenir deux jours plus tard, mais Barrington avait refusé de leur indiquer à quel endroit…

Will aurait dû nager en plein bonheur, mais l'ombre de Caspien venait obscurcir ses pensées. Andrew était songeur, lui aussi.

– Je me demandais…, dit-il.

Il s'interrompit aussitôt.

Ils zigzaguaient entre les tapis de pique-nique et les ballons de football, en route vers le pont.

– … Je t'écoute ? fit Will.

– Eh bien, à la lumière des événements récents, pontifia Andrew, je me demandais si nous ne devrions pas rebaptiser notre organisation ?

Il n'avait pas échappé à Andrew que Will était préoccupé et il avait décidé de faire diversion. Son petit stratagème fonctionna à merveille.

– Que suggères-tu ? lui demanda Will avec un clin d'œil.

– Peut-être Société de Téléportation Orbitale de Russes Mégalomanes : qu'en penses-tu ? Et pendant que nous parlons de noms, poursuivit aussitôt Andrew, tu m'as dit que je pouvais baptiser comme je voulais le dispositif lingual s'il fonctionnait en mission, tu te rappelles ?

Will hocha la tête.

– Tu as eu une idée ?

– Certes. J'ai songé à l'Andrew.

– L'Andrew ?

– Oui, ce nom ne te convient pas ? demanda innocemment le jeune millionnaire en souriant.

– Mais ça n'a rien à voir avec sa fonction ! s'écria Will, médusé.

Ils venaient de s'engager dans l'allée qui menait au petit pont tout droit sorti d'un conte de fées où Gaïa leur avait donné rendez-vous. La jeune fille se précipita vers eux, essoufflée d'avoir couru tout le long du chemin. Elle avait l'air fatiguée, mais elle souriait.

– Tu as eu de bonnes nouvelles de ton père ? demanda aussitôt Andrew.

– Merci, oui. Il va beaucoup mieux.

– Excellent ! se réjouit Andrew en applaudissant. Nous avons quelque chose pour toi, de la part de Shute. Ce sont rien moins que les clefs de STASIS.

– Oui, enfin, celles de la porte d'entrée, intervint Will, qui avait retrouvé le sourire. Il nous a demandé de te transmettre ses félicitations. Sans nous…

– ... la planète serait à feu et à sang ? conclut Gaïa.

– Non, en fait, il a dit que *lui* ne serait plus là pour nous féliciter, corrigea Will. Mais bon, le coup de la planète à feu et à sang, ça va de soi...

– Alors, qu'a dit le médecin, exactement ? demanda Andrew.

À ce moment, l'attention de Will fut attirée par une vibration dans sa poche. Il sortit son nouveau téléphone. Il venait de recevoir un SMS : « *Vous ai vus quitter Marcelette St. Je dois te dire certaines choses sur la mort de ton père. Serai à Sutton Hall semaine prochaine. Prends contact. D.A.* »

Instantanément, le monde extérieur cessa d'exister pour Will. Ses doigts tremblaient. Il chercha fébrilement le numéro de D.A., qui ne pouvait être que David Allott, le garde blond de la villa. Mais l'écran afficha le sempiternel message : « numéro inconnu ». Qu'avait donc à lui dire Allott ? Ce que son père faisait en Chine ? Dans quelles circonstances il avait trouvé la mort ?

Andrew et Gaïa le contemplaient, bras dessus, bras dessous. Il hésita. Devait-il leur dire ? « Plus tard », décida-t-il. C'était une affaire d'ordre strictement privé.

– Je vais accompagner Gaïa jusqu'à l'hôpital, annonça alors Andrew. Tu veux venir avec nous ?

Derrière Andrew, un ballon de football s'élevait dans les airs. Des canards blancs avançaient en se dandinant vers une fillette qui leur proposait du pain. La Terre continuait de tourner.

Mais qu'avait voulu dire David Allott ? Soudain, Will eut l'impression que son monde recommençait à vaciller et qu'il ne savait trop à quelles branches se raccrocher.

Mais la réponse se trouvait sous son nez. Littéralement.

Au plus profond de lui-même, il le savait.

Will croisa le regard fixe d'Andrew, puis celui de Gaïa. Dans la poche de sa veste, il sentit un mouvement, comme si un certain rongeur cherchait à lui faire passer un message, lui aussi. Ratty…

– Oui, je vais avec vous, répondit-il alors.

Andrew hocha la tête, satisfait.

– J'ai une proposition, fit alors ce dernier. En l'honneur de nos retrouvailles ici, à St James's Park, à Londres – « *Home, sweet home* » – je suggère que nous entonnions à l'unisson notre hymne national tant aimé, *God Save The Queen !*

Gaïa et Will ouvrirent des yeux ronds et se mirent à pouffer.

– Dis donc, « très cher », fit Gaïa, moi je suggère plutôt que nous chantions tous en chœur « *God Save Andrew !* »

– Et vive STORM ! compléta Will.

Et tous trois se mirent en route main dans la main, riant à gorge déployée.

12) Les patins à roulettes motorisés, utilisés pour les déplacements en environnements virtuels, ont été conçus par une équipe de l'université de Tsukuba (Japon).

NOTES SCIENTIFIQUES

1. Téléportation. À l'heure actuelle, les scientifiques peuvent téléporter de la lumière et certaines caractéristiques physiques des atomes, mais pas davantage. Il est théoriquement possible de téléporter des objets mais on estime qu'il faudra encore attendre plusieurs décennies pour que la moindre molécule soit téléportable. Parmi les principaux obstacles, on peut citer la vitesse de transmission des données, qui est bien trop lente.

2. Fantômes constitués de millibots. Des recherches portant sur un système de robots modulaires – qui pourraient finir par ressembler au « fantôme » de Caspien – sont en cours à la Carnegie Mellon University (États-Unis). L'équipe qui les mène a baptisé le système « *claytronics* ». J'ai exploité ses idées quant aux méthodes utilisables pour obtenir l'adhérence et provoquer le mouvement des différentes composantes.

3. Infrasons et fantômes. La théorie évoquée est attestée par divers résultats de recherches. Richard Wiseman, de l'université de Hertfordshire, a étudié de nombre sites prétendument hantés, dont Mary King's Close à Édimbourg. Wiseman pense que les « apparitions » dont il est fait état s'expliquent en réalité par des facteurs environnementaux (comme les sources d'infrasons et de courants d'air) et psychologiques.

Composition MCP - Groupe JOUVE - 45770 Saran
N° 314228S

Impression réalisée sur CAMERON par
BRODARD ET TAUPIN
La Flèche
en août 2008

N° d'impression : 48253
20.16.1500.6/01 - ISBN : 978-2-01-201500-5
Loi n° 49-956 du 16 juillet 1949 sur les publications destinées à la jeunesse.
Dépôt légal : août 2008.